DE DOULOUREUX SECRETS

Le Lac aux secrets, Belfond, 2004, et Pocket, 2006.

ADÈLE GERAS

DE DOULOUREUX SECRETS

Traduit de l'anglais
par Florence Hertz

belfond
12, avenue d'Italie
75013 Paris

Titre original :
HESTER'S STORY
publié par Orion, an imprint of the Orion Publishing
Group Ltd, Londres

Si vous souhaitez recevoir notre catalogue
et être tenu au courant de nos publications,
vous pouvez consulter notre site Internet :
www.belfond.fr
ou envoyer vos nom et adresse, en citant ce livre,
aux Éditions Belfond,
12, avenue d'Italie, 75013 Paris.
Et, pour le Canada,
à Interforum Canada Inc.,
1055, bd René-Lévesque-Est,
Bureau 1100,
Montréal, Québec, H2L 4S5.

ISBN 2-7144-4172-6
© Adèle Geras 2004. Tous droits réservés.
Et pour la traduction française
© Belfond, un département de place des éditeurs, 2006.

Mon plus lointain souvenir ? Une fenêtre, à l'étage, donnant sur la rue. On m'avait appris mon adresse au cas où je me perdrais : rue Lavaudan. Je regarde dehors. Il a dû neiger pendant la nuit. Tout est blanc, sauf le toit d'une très grosse voiture, d'un noir étincelant. Je sais l'âge que j'ai dans ce souvenir, parce que c'est le jour où ma mère va être enterrée. Je viens d'avoir cinq ans. Je n'ai pas le droit d'aller au cimetière ; je vais rester à la maison avec une des jeunes bonnes. Depuis la mort de maman, ma grand-mère, malade de chagrin, ne quitte plus son lit. Sa chambre m'est interdite. Ce jour-là, ce jour dont je me souviens si bien, elle me fait enfin venir, et murmure :

— Ne sois pas triste, ma petite chérie.

Elle porte un collier de perles noires brillantes, et un chapeau avec une voilette à pois. Derrière les fines mailles, ses yeux sont tout rouges.

— Ta maman veille sur toi de là-haut, au ciel, ajoute-t-elle en me pressant la main.

Je me rappelle avoir pensé : maman est peut-être très contente d'être au paradis, mais elle m'a abandonnée. On ne fait pas ça quand on aime vraiment sa fille. Aucune autre mère ne quitte son enfant pour aller s'amuser avec les anges. Une autre pensée me traverse alors : elle est partie parce que je suis méchante. Elle sera plus heureuse ailleurs. Une tristesse immense m'envahit. J'ai l'impression de me noyer dans une eau grise et glacée qui me paralyse. L'angoisse se dissipe légèrement au bout d'un moment, laissant néanmoins des échardes fichées dans mes veines, dans mes os, ma peau, mes yeux, une détresse qui, je peux le sentir, ne s'effacera jamais tout à fait.

D'en haut, je vois toujours le capot de la voiture. À côté, le chapeau noir de mon père et celui de ma grand-mère. Les deux chapeaux disparaissent à l'intérieur de la voiture, qui s'éloigne. Je n'ai aucun souvenir de la fin de cette matinée, il ne m'en reste qu'une sensation de froid pénétrant.

Plus tard, je suis dans la chambre de grand-maman. Je suis juchée sur un petit tabouret à côté de sa méridienne. Mon tabouret à moi. J'adore sa chambre. Ma grand-mère possède des milliers de boîtes à bijoux ; elle les étale sur la courtepointe de satin et nous jouons aux princesses. J'ai le droit de porter tout ce qui me plaît. Les bagues ne tiennent pas sur mes petits doigts, mais je me pare de colliers de perles et d'ambre, de pendants d'oreille en cristal, en améthyste. Mon préféré, c'est un diadème étincelant qui me sert de couronne. Aujourd'hui encore, je revois parfaitement toutes ces merveilles dans leurs moindres détails. Mais cet après-midi-là, grand-maman est sérieuse, elle n'a pas envie de s'amuser. Elle me prend dans ses bras. Je sens l'odeur de sa peau : un parfum de roses fanées au soleil.

— Estelle, me dit-elle tout bas, je vais te confier un secret. C'est très important, écoute-moi bien, même si tu es un peu jeune pour comprendre…

Sa voix se brise ; elle tire un mouchoir de sa manche et essuie une larme. Depuis que ma mère est partie chez les anges, elle pleure sans arrêt. Moi aussi, surtout le matin, quand je me réveille en pensant que maman ne viendra plus jamais m'embrasser dans mon lit.

— Je suis grande, moi ! Je comprends tout !

— Je sais. Tu es très grande, et très intelligente. Regarde, je vais te montrer quelque chose.

Elle ouvre un tiroir et en sort un écrin de cuir rouge. Elle soulève le couvercle. À l'intérieur, je vois un petit monticule d'or qui scintille. Le saisissant délicatement, elle déroule une chaîne filigranée très fine, composée de minuscules feuilles entrelacées.

— Quand j'étais très jeune, mon père m'a offert ce joli collier, m'explique-t-elle. Quand mon fils, ton père à toi, a épousé ta mère, j'ai demandé à un bijoutier de le partager en deux. Regarde.

Elle porte les mains à son cou et en détache une chaîne qu'on ne voit pas d'habitude, car elle est cachée sous son col. Quand elle la pose près de l'autre sur la coiffeuse, je vois deux chaînettes en or identiques, côte à côte sur le bois sombre.

— J'ai donné l'autre moitié à ta mère, parce que je l'aimais beaucoup. Je la considérais comme ma fille. Elle ne la quittait jamais. Maintenant, je te la transmets.

Elle me regarde intensément et prend mon visage entre ses mains. Une angoisse fébrile luit dans ses yeux.

— Elle est à toi, ma petite chérie, et je veux que tu me fasses une promesse. Promets-moi de ne plus jamais la quitter. Tu la porteras jour et nuit, même quand tu mettras d'autres bijoux. Tu me le jures ?

Je hoche la tête. Ce n'est pas difficile d'accepter : je suis ravie de me parer de ces petites feuilles d'or brillantes.

— Oui, grand-maman, je te le jure.

— Tu es une bonne petite fille. Mais ce n'est pas tout. Le jour de ma mort, tu hériteras de celle que je porte. Je m'arrangerai pour te la faire parvenir, même si tu es loin de moi. Et quand tu la recevras, il faudra que tu la conserves précieusement. Surtout ne la perds pas. Elle sera dans un petit écrin. Tu y veilleras comme sur le plus précieux des trésors. Tu veux bien ?

Je hoche de nouveau la tête. La chaîne est jolie, mais elle ne me fait pas vraiment penser à un trésor. J'aurais plutôt vu la broche en diamant et en rubis que grand-maman porte parfois et qui semble sortie d'un coffre de pirate. Bien sûr, la chaîne me plaît, et en la sentant autour de mon cou j'aurai l'impression d'être très grande et très intéressante, mais au fond j'aurais préféré recevoir un bijou un peu plus... royal. Ma grand-mère semble avoir deviné mes pensées :

— Ce n'est pas une babiole ordinaire, ma chérie. Si tu as une fille, il faudra lui donner l'autre moitié. Ou si tu as un fils, tu l'offriras à sa femme, comme je l'ai fait. Tu me le promets ? Cette chaîne nous reliera tous, toi, ta mère, moi, ainsi que l'enfant que tu auras un jour. C'est une manière de nous rappeler que nous nous aimerons toujours. Tu comprends ?

Oui, je comprends, à ma façon bien sûr, mais j'ai de plus en plus de mal à aimer ma mère. Elle a beau n'être morte que depuis très peu de temps, j'ai presque oublié son odeur et la douceur de ses bras. Il y a bien des photos pour me rappeler son visage, mais sur certaines je ne la reconnais pas du tout. Elle est habillée de blanc, en tutu, avec des plumes, des fleurs et des rubans dans les cheveux, comme si elle s'était déguisée, ou qu'elle jouait au théâtre. Elle était très jeune, alors, quand elle dansait dans des ballets devant des centaines et des centaines de spectateurs. Ces photos me donnent envie de pleurer parce que, même si je sais que ma maman ne ressemblait pas à cette ballerine, elles brouillent mes souvenirs. Peu à peu, je l'oublie. Il ne faut surtout pas l'avouer à ma grand-mère, mais je ne suis pas sûre d'éprouver encore pour ma mère ce qu'on appelle de l'amour.

— Je t'aime, grand-maman. Je penserai toujours à toi grâce à ma chaîne.

— C'est bien. Et quand tu seras une grande dame, quand tu auras une fille, tu lui donneras l'autre moitié... Tu le feras, ma chérie ? C'est une chaîne d'amour. Tu comprends ? Tu me le promets ?

— Oui, je te le promets.

Soudain, une horrible pensée me traverse.

— Mais...

— Je t'écoute, Estelle, dis-moi tout.

— Tu ne vas pas mourir ?

Les mots sont sortis tout seuls, brutalement. Elle sourit.

— Je n'ai aucune intention de mourir avant très longtemps. Pas avant que tu sois très grande.

Je suis un peu rassurée, mais j'aurais préféré qu'elle dise carrément non, je ne mourrai jamais. Finalement, le sourire de ma grand-mère me convainc que je n'ai pas à m'inquiéter pour le moment.

— Ne la perds pas, insiste-t-elle, et ne répète à personne ce que je viens de te confier. La chaîne doit rester un secret entre nous.

— D'accord, grand-maman, je ne dirai rien à personne.

« Personne » : je comprends qu'elle fait allusion à mon père. Mon père ne doit rien savoir. Je tiens ma promesse et ne dis rien.

Je me souviens aussi des explications de mon père quand il s'est débarrassé de moi. Il a prétendu que je serais plus heureuse si je vivais ailleurs. J'allais traverser la mer dans un grand bateau pour aller dans un pays étranger où quelqu'un d'autre s'occuperait de moi. C'était bien trop fatigant pour ma grand-mère. (Quel menteur ! J'ai tout de suite pensé que c'était faux. J'étouffais d'indignation sans oser protester.) Lui, il devait travailler, il ne pouvait pas se consacrer à mon éducation. Il avait de la peine de devoir me quitter, mais ne serais-je pas bien mieux là-bas où je pourrais jouer avec une autre fille de mon âge ?

Les enfants sont impuissants face à leur destin. Je me souviens d'un manteau neuf à col de velours. Je me souviens d'une valise avec mes vêtements soigneusement pliés, et ma plus belle poupée couchée sur le dessus. Antoinette. La dernière nuit, ma grand-mère est entrée dans ma chambre et s'est assise au pied de mon lit en pleurant. Je n'ai jamais pu oublier cette image ; elle revient encore me hanter. Grand-maman me croyait endormie, et j'étais trop effrayée par ses larmes pour lui dire que je faisais semblant.

Mais le pire, ce qui me poursuit sans relâche, presque cinquante ans plus tard, c'est le départ en taxi. Je suis agenouillée sur la banquette pour regarder la rue à travers la lunette arrière. Ma grand-mère est sur le trottoir, et devient un petit point au loin. Les marronniers sont en bourgeons. Ma vue se brouille, les larmes ruissellent malgré mes efforts pour les retenir. Mon père est assis à côté de moi, très droit, le regard fixe, déterminé. Il est raide, froid, indifférent, ne desserre pas les lèvres. Mon univers d'enfant va disparaître. A disparu. Oui, le jour de ce départ, je m'en souviens parfaitement.

19 décembre 1986

Surtout, ne pleure pas, se dit Hester. Elle venait de recevoir le coup de fil, elle venait à peine de raccrocher, et la douleur l'envahissait tout entière. Le passé resurgissait avec une puissance incroyable. Courage, tu dois répondre aux questions de cette journaliste sur le Festival de Wychwood et ta carrière de danseuse étoile, et interdiction de verser la moindre larme. Elle ferma les yeux une seconde, inspira à fond, puis expira lentement. C'était une technique de concentration qu'elle employait autrefois avant d'entrer en scène. De même, pour ne pas s'étourdir, on fixait un point immobile devant soi afin de garder l'équilibre à la sortie des pirouettes. Sa discipline de ballerine lui permettrait de surmonter l'épreuve de l'interview.

— Nous fêtons les dix ans du Festival de Wychwood. Un anniversaire important, et nous montons pour l'occasion un ballet assez extraordinaire. La première aura lieu dans trois semaines, le 6 janvier. Il a pour titre *Sarabande*, sur une musique de mon vieil ami Edmund Norland. Nous avons confié la lourde responsabilité de cette création à la compagnie Carradine. Comme vous le savez, nous organisons tous les ans un concours pour choisir le chorégraphe ; cette année, c'est Hugo Carradine qui l'a brillamment remporté. Je suis certaine que ce sera un grand succès.

La journaliste, dont Hester avait oublié le prénom

11

(Jenny ? Julia ? Jane ? Un nom commençant par un *j*.. Mais quelle importance ?), poursuivit l'interview.

— On dit que Silver McConnell fera partie de la distribution. Est-ce exact ? Je pensais qu'elle devait danser à Paris, ou à Berlin...

Elle se mit à feuilleter fébrilement son calepin, et Hester se rappela soudain son prénom. Jemima.

— Je crois qu'elle danse à Paris, en effet, mais vous savez que nous ne donnons que dix représentations ici, à l'Arcadia, et elle a accepté de travailler avec nous en retardant un peu son départ. La compagnie n'arrive que le 27 décembre pour les répétitions. Vous imaginez à quel point le travail sera intense, mais on ne se dépasse jamais autant que lorsqu'il y a un défi à relever.

Elle se força à sourire. Par pitié, que cette torture s'arrête... Que Jemima referme son maudit calepin et qu'elle déguerpisse. Qu'on en finisse !

— Cela ne vous laissera pas beaucoup de temps pour fêter Noël, commenta la journaliste.

— Nous ne fêtons jamais Noël à Wychwood !

Elle regretta aussitôt l'impulsivité de sa réponse. Si elle n'enchaînait pas sur-le-champ, Jemima lui demanderait pourquoi, et alors... Elle se sentait incapable d'affronter une telle question. Ni aujourd'hui ni jamais. Vite, elle embraya sur un autre sujet pour éviter toute discussion à propos de Noël.

— George vous a-t-il fait visiter notre théâtre ? Vous avez rencontré Ruby et George Scott à votre arrivée, il me semble. Ce sont des piliers du clan Wychwood. Ruby était mon habilleuse, quand je dansais. Sans eux, le festival ne serait rien.

— Juste une dernière question, mademoiselle Fielding.

Jemima souriait tout en reprenant son sac. Ouf ! pensa Hester. Elle s'en va. Plus que quelques minutes, et je serai enfin libre. J'ai besoin d'être seule.

— Je vous écoute.

— Je suis un peu curieuse... J'espère que vous me pardonnerez mon indiscrétion, mais nos lectrices s'intéressent beaucoup à votre vie. Pouvez-vous nous dire pourquoi vous ne vous êtes jamais mariée ?

Hester vit rouge. Et ce n'était pas une façon de parler : un flot de lumière écarlate envahit la pièce.

— Dehors !

La colère l'étouffa un bref instant, puis les mots se précipitèrent.

— Sortez je vous prie ! Je n'ai jamais, de toute ma carrière, répondu à une question d'ordre personnel, et je n'ai aucune intention de commencer aujourd'hui. L'interview est terminée !

Dans son emportement, Hester s'était levée. Elle désignait la porte du doigt. La jeune femme se dépêcha de fourrer son calepin dans son sac et sortit presque en courant, propulsée dans le couloir par le souffle de cette fureur.

Dès que la journaliste fut hors de vue, Hester s'effondra dans un fauteuil et plongea le visage dans ses mains. Elle sentit couler ses larmes, chaudes, irrépressibles. Non, surtout pas ! Si je me mets à pleurer maintenant, songea-t-elle, je ne vais jamais pouvoir m'arrêter !

Edmund l'avait appelée quelques minutes à peine avant l'interview.

— Manoir de Wychwood, avait-elle annoncé en décrochant à la première sonnerie.

Elle ne donnait jamais son nom quand elle répondait afin d'éviter d'être importunée inutilement.

Pourquoi les gens vous dérangeaient-ils toujours précisément quand on n'avait pas le temps de leur parler ?

— Hester, c'est toi ?

— Edmund ! Comme je suis contente ! Quelle bonne surprise...

Entre l'instant où elle avait reconnu la voix d'Edmund

et celui où sa réponse franchissait ses lèvres, elle avait eu un terrible pressentiment. Edmund ne téléphonait jamais. Il avait horreur de ne pas voir ses interlocuteurs et n'utilisait ce moyen de communication qu'en cas d'urgence. Il y eut comme une vibration dans l'air, et le moment d'appréhension se prolongea, s'étira, seconde après seconde, comme si le temps ralentissait, s'arrêtait presque. Quand enfin il parla, quand elle entendit ce qu'il avait à lui dire, elle regretta d'avoir décroché, se maudit d'avoir répondu et d'avoir accepté de l'écouter.

— Hester, ma chérie, je suis désolé de te déranger. Je suis à Vienne. Je viens de recevoir un coup de fil de Virginia, de New York. Il fallait que je te prévienne tout de suite. C'est à propos d'Adam.

— Il lui est arrivé quelque chose ?

Elle aurait aimé protester, crier : *Ça ne me regarde pas. Voilà trente ans qu'Adam Lennister ne fait plus partie de ma vie !*

Comme d'habitude, Edmund devina ses pensées.

— Je sais que tu ne veux plus en entendre parler, mais c'est mon devoir de t'appeler. Ça m'ennuierait que tu tombes sur la nouvelle dans le journal demain. Ce serait trop horrible que tu l'apprennes par la presse. Il est mort, Hester. Adam est mort hier d'une crise cardiaque. Il n'a pas souffert. Il travaillait dans la bibliothèque de sa maison de New York. Ils passaient Thanksgiving et Noël là-bas, comme chaque année. Je suis désolé, ma chère Hester, vraiment désolé...

— Oui...

Elle ne trouva rien à ajouter. Sa tête s'était vidée, les mots envolés. Edmund semblait au bord des larmes. La seule vraie dispute qui l'avait opposé à Adam l'avait anéanti à l'époque. La main d'Hester se crispait si fort autour du combiné que c'en devenait douloureux. Il lui était presque impossible de respirer. Il faut dire quelque chose de gentil à Edmund, songea-t-elle. Il aimait tellement Adam.

— Edmund... Je ne sais pas comment... Je suis tellement, tellement... Tu dois être très triste. Tu voudrais venir à Wychwood ?

— Merci... Ça me ferait un immense plaisir, mais je ne peux pas me libérer avant quelques jours. On joue une de mes symphonies, et je ne dois pas manquer la représentation... Et puis je vais à l'enterrement, bien sûr. Je te rejoindrai tout de suite après, si tu n'y vois pas d'inconvénient. J'arriverai le 2 janvier. Qu'en dis-tu ?

— Viens dès que tu le pourras. Je n'ai pas le temps de te parler très longtemps parce que j'ai rendez-vous avec une journaliste qui doit m'interviewer pour le festival. Elle va débarquer d'une seconde à l'autre. Je préférerais me pendre, ajouta-t-elle avec un rire forcé.

— Je serai là bientôt, Hester. Tu vas tenir le coup ? Je pense à toi.

— La vie continue, n'est-ce pas ? À très bientôt. Au revoir.

Hester ne se reconnaissait plus. Elle qui détestait les clichés ! *La vie continue...* Oh ! et puis tant pis ! Ce lieu commun la réconfortait. Elle y croyait profondément. Comme on disait dans le show-buissness : *Le spectacle doit continuer*, coûte que coûte. Que deviendrait-elle autrement ?

Edmund assisterait à l'enterrement... Virginia devait déjà l'organiser. La mort d'un proche entraînait une abominable succession de corvées. Il fallait penser à tant de choses à la fois, régler mille formalités. Mais peut-être valait-il mieux être occupé, sinon on se terrerait au fond de son lit en hurlant comme un animal blessé.

Elle voulut se rappeler Adam tel qu'il était à l'époque de leur passion, mais le flux d'images fut si rapide qu'elle en eut comme une nausée. Certaines venaient et passaient, mais une revenait sans cesse, l'assaillait malgré elle, celle d'un cadavre aux yeux clos, livide, les membres glacés et raides sous un drap blanc. Ce n'était pas l'homme dont elle avait connu le corps aussi bien que le sien.

Elle alla à la fenêtre, appuya son front à la vitre. La pelouse était blanchie par le gel, les buissons dépouillés. Les arbres noirs dressaient leur silhouette étrange sur un ciel gris. Mourir n'est pas le pire, pensa-t-elle en frissonnant, c'est d'être mis sous terre, enseveli à jamais. L'idée que là il serait désormais, sa chair, ses os... Cette pensée était insoutenable. Hester prit une profonde inspiration. Adam était sorti de sa vie depuis tant d'années. Elle avait cru leur histoire terminée, digérée depuis longtemps. Mais maintenant qu'il était mort, elle avait envie de crier son nom, de le hurler.

La pièce avait beau être bien chauffée, Hester avait les mains glacées. Il faut que je prévienne Ruby, songea-t-elle. Mais je ne pourrai jamais lui annoncer... D'ailleurs la journaliste va arriver. Je dois être forte.

Siggy la sauva. Le gros chat roux et blanc choisit ce moment pour sauter du rebord de la fenêtre sur le secrétaire. Il avança délicatement entre les papiers, puis s'installa à côté de la pile du dernier bulletin de Wychwood, qui venait d'être envoyé aux abonnés. Hester le relut pour se changer les idées.

L'hiver revient, et le festival approche. Vous, nos fidèles, devez être impatients de connaître l'heureux lauréat de notre concours 1987. Notre ballet sera créé cette année par Hugo Carradine, 34 ans, directeur et chorégraphe de la compagnie Carradine, qui s'est distingué l'an dernier avec son sensationnel Belles d'argent. *L'œuvre choisie s'intitule* Sarabande. *Hugo la présente ainsi : « Je me suis inspiré d'un conte persan, mais j'ai élaboré une série de variations presque abstraites autour du thème. C'est la sensualité et la passion qui m'intéressent ici, avec*

16

une profusion de couleurs et beaucoup de générosité dans les décors et les costumes, dans la lignée de Bakst. Nous aurons l'immense chance d'avoir Claudia Drake dans le rôle de la princesse. »

Le manoir de Wychwood accueillera la compagnie le 27 décembre pour les répétitions traditionnelles à l'Arcadia. La première aura lieu le 6 janvier, suivie, comme de coutume, de dix représentations. La location ouvrira le 25 novembre 1986.

George Scott (secrétaire de l'Association des amis du Festival de Wychwood et régisseur général de l'Arcadia).

— Siggy, descends de là, dit Hester sans conviction en reposant le feuillet.

Elle avait placé son secrétaire devant la fenêtre pour pouvoir regarder le paysage quand elle se lassait de son travail. Derrière les branches hérissées de l'araucaria se profilait le toit du théâtre. L'Arcadia était construit dans un creux de terrain, à peu de distance du manoir. Sa vue lui inspirait toujours une infinie fierté. Le Festival de Wychwood était son enfant, son projet chéri. Depuis dix ans, c'était l'un des événements les plus attendus de la saison de danse. La campagne, autour du parc, changeait de couleur selon le temps. Hester préférait les ciels couverts, comme à présent, qui rendaient la lande presque violette au-delà de la haute grille de fer forgé.

On frappa, puis Ruby, sa femme de confiance et amie, entra, suivie de la journaliste.

— Hester, je te présente Jemima Entwhistle...

Elle s'interrompit, remarquant les traits tirés d'Hester. Peu de choses échappaient à son regard.

— Est-ce le bon moment ?

— Oui, merci Ruby. Je vous attendais.

Elle sourit à la jeune femme.

— Bonjour. Je suis ravie de faire votre connaissance. Asseyez-vous, je vous prie.

Les joues d'Hester étaient encore humides de larmes quand Ruby entra avec du café et des biscuits. Elle posa son plateau.

— J'apportais du café pour toi et la journaliste... Que se passe-t-il ? Je me doutais que quelque chose n'allait pas. Mlle Entwhistle est partie ?

— Juste avant que tu ne me l'amènes, j'ai reçu un appel d'Edmund, Ruby. Adam est mort hier. D'une crise cardiaque.

Ruby approcha une chaise, s'assit à côté d'Hester et lui mit la main sur les genoux.

— Ma pauvre Hester ! C'est affreux ! Tu aurais dû annuler l'interview ! Tu aurais remis à plus tard, elle aurait compris.

— Je préférais m'en débarrasser tout de suite. Il vaut mieux boucler les entretiens avec la presse avant les répétitions. Au début, je m'en suis très bien sortie, j'étais plutôt fière de moi. Malheureusement, j'ai un peu perdu mon calme à la fin...

— C'est-à-dire ? s'enquit Ruby en versant le café.

— D'abord, elle m'a parlé de Noël : elle voulait savoir ce que nous faisions pour les fêtes. Là, j'ai été très bien. J'ai changé de sujet. Mais ensuite elle m'a demandé pourquoi je n'étais pas mariée ! Je l'ai flanquée dehors. Je n'aurais pas dû.

Ruby ne commenta pas. Il lui aurait été difficile de dire quoi que ce soit sans évoquer la plus longue nuit de l'année, le 21 décembre, qui, pour Hester comme pour elle, était un triste anniversaire. Elles préféraient toutes deux rayer ce jour du calendrier. Mieux valait essayer d'effacer le passé. La plupart du temps, elles y parvenaient assez bien ; mais on ne contrôle pas ses rêves...

Pendant des mois, Hester pouvait dormir comme un ange, puis, va savoir pourquoi, les cauchemars revenaient, si intenses qu'elle se réveillait les joues couvertes de larmes.

Peut-on pleurer dans son sommeil ? À l'évidence, oui. Quoi qu'on fasse pour laisser derrière soi une mauvaise expérience, pour ignorer ces souvenirs-là, les sceller au plus profond avec interdiction de bouger, ils resurgissaient toujours. Elle avait choisi Noël pour le festival précisément pour s'étourdir d'activité à cette période. Et voilà que la disparition d'Adam la ramenait en arrière bien malgré elle. Il était mort à New York, où il séjournait tous les ans, de novembre à janvier. Hester s'était demandé s'il n'avait pas pris cette habitude pour s'éloigner le plus possible d'Angleterre à l'époque de l'anniversaire.

Elle soupira.

— N'y pensons pas trop, Ruby. Il faut s'occuper du festival. Le ballet sera une grande réussite, j'en suis sûre. Je suis ravie que nous ayons choisi la compagnie Carradine.

Elle se leva, récupéra une feuille de sous la patte de Siggy et la lut à voix haute.

— La troupe se composera de : Hugo Carradine, Claudia Drake, Silver McConnell, Andy French, Nick Neary et Ilene Evans. Alison Drake, la fille de Mlle Drake, accompagnera sa mère.

Elle releva la tête et sourit à Ruby, s'efforçant de paraître naturelle. La journée devait reprendre son cours normal. Il ne s'agissait surtout pas de se complaire dans la tristesse. Si elle ne parlait que du festival, Ruby comprendrait qu'il ne fallait plus mentionner Adam.

— Je me demande comment Claudia Drake va accepter Silver McConnell. C'est une vraie diva qui déteste certainement la concurrence. Les journaux se gargarisent de ses coups d'éclat. Les photographes l'adorent. Mais fera-t-elle le poids face à Silver ? L'interprétation d'Odette/Odile de la petite a été acclamée par la critique. On l'a même comparée à moi. Mon *Lac des cygnes* de 1959, tu te souviens ?

— Évidemment ! Comment égaler le plus merveilleux *Lac des cygnes* des cinquante dernières années ?

— Tu n'es pas objective, Ruby ! Mais je te remercie. En tout cas, Hugo Carradine a eu beaucoup de chance que Silver McConnell arrive à se libérer pour lui. Comme je l'ai dit à la journaliste, elle a pu accepter le rôle uniquement parce que nous ne donnons que dix représentations. Nous n'avons que des stars, cette année. Nick Neary a eu un succès fou dans *La Bayadère*, l'an dernier, tu te rappelles ?

— Un Apollon pareil, tu penses ! Mais trop joli garçon pour son propre bien. Ça peut rendre vaniteux. Ils n'ont pas besoin de travailler autant quand ils sont aussi beaux.

— Ça ne l'empêche pas de danser très bien. Il a de l'énergie et une excellente technique.

— Ce sera un grand succès, j'en suis persuadée. J'ai hâte de tous les voir. Mais je ferais mieux de me mettre au travail, il me reste encore beaucoup de rangement avant l'arrivée des costumes. Je peux te laisser ?

— Oui, ne t'inquiète pas, Ruby. J'ai envie d'être un peu seule.

De toutes ses fonctions, Ruby préférait celle de costumière. Hester pensait qu'elle avait des mains magiques. Avec n'importe quel bout de tissu, elle accomplissait des prodiges. Entre ses doigts de fée, les déchirures disparaissaient comme si elles n'avaient jamais existé ; les taches s'évanouissaient ; son fer à repasser dansait autour des ruchés, des plis, des volants, domptait les vêtements les plus rebelles. Quand une troupe venait à l'Arcadia, Ruby cumulait les rôles de responsable des costumes et d'intendante du manoir, secondée par Joan et Emmie qui s'occupaient de la cuisine et du ménage.

Hester ferma les yeux en voyant Ruby se pencher pour embrasser sa joue. Son ancienne habilleuse n'était pas très démonstrative, et ses rares marques d'affection étaient d'autant plus touchantes. Il n'y a pas tant de gens sur terre que je considère comme de vrais amis, songea-t-elle. Qui, à part ma chère Dinah, si fidèle, à part Edmund, à part

Ruby ? Et ils me le rendent bien. Dès qu'elle pensait aux trois êtres les plus chers à son cœur, Hester avait l'impression de se chauffer au soleil, rare réconfort dans un monde qui lui semblait de plus en plus glacial. Malheureusement, Dinah vivait à présent en Nouvelle-Zélande, et leur amitié était maintenant presque exclusivement épistolaire. Elle se reprocha d'avoir oublié Kaspar Beilin dans le cercle de ses intimes. Kaspar, cet amour, avec ses cheveux blond platine et son exubérance, avait été son partenaire pendant des années. Le couple Fielding-Beilin était devenu quasi légendaire dans le milieu de la danse. Depuis qu'il avait pris sa retraite, un peu après elle, il s'était installé à San Francisco, et Hester ne pouvait s'empêcher de redouter pour lui ce qui effrayait tant de monde parmi ses connaissances : le sida. Elle eut un frisson. Reprends-toi. Ce n'est pas le moment de penser à Kaspar. Tu as trop de travail, et ça ne te distraira pas de la disparition d'Adam. Au cours des ans, elle s'était habituée à l'absence d'Adam ; mais qu'il soit mort, c'était autre chose. Une main glacée lui étreignait le cœur.

Ruby s'arrêta à la porte.

— On se retrouve tout à l'heure au dîner ? J'espère que j'arriverai à tirer George de ses éclairages. Tu es sûre que ça va aller ? Tu ne vas pas broyer du noir ?

— Non, ne t'inquiète pas. Je me sens bien. Je vais juste m'allonger un peu sur la méridienne. J'ai besoin de faire le point.

Ruby referma derrière elle. Une fois seule, Hester songea pour la millième fois à la chance qu'elle avait d'avoir auprès d'elle son ancienne habilleuse. En trente-quatre ans, Ruby avait eu le temps d'apprendre à la connaître. Elle savait qu'il fallait lui laisser des moments de solitude. Ruby, c'était plus que de la famille. Comme elle l'avait dit à la journaliste, elle appartenait au clan Wychwood.

Les membres de la troupe seraient là d'ici quelques jours. Hester savait qu'Hugo Carradine, un homme jeune et séduisant, était très heureux d'avoir remporté le concours. Il avait du talent, rencontrait déjà pas mal de succès et était bien considéré dans le milieu. Âgé d'à peine plus de trente ans, il s'était taillé une réputation de perfectionniste. Les danseuses le redoutaient, et il était connu pour ne pas se laisser marcher sur les pieds. Une grande qualité, certainement. Hester aussi était très exigeante. Elle ne pouvait comprendre qu'on puisse se satisfaire du bien si on pouvait faire mieux. Mais le professionnalisme ne suffisait pas à gagner un concours aussi recherché que celui de Wychwood. La victoire reposait sur un projet, et aussi parfois sur des circonstances fortuites. Cette fois, la voix d'Hester avait été décisive – le jury était partagé entre deux candidats. Le choix de l'œuvre musicale avait été primordial pour elle : *Sarabande en* fa *mineur* d'Edmund Norland. Bien sûr, Hugo savait peut-être qu'Hester était une vieille amie du compositeur. Ce n'était un secret pour personne, et s'il avait essayé de se renseigner un peu sur les membres du jury, ce détail ne pouvait pas lui avoir échappé. Mais comment aurait-il pu deviner l'attachement tout particulier qu'elle avait pour *Sarabande*, et connaître les circonstances dans lesquelles la pièce avait été composée ?

Hester se souvenait si bien du jour où Edmund lui avait joué l'ouverture. Il s'était assis au piano en annonçant : *J'ai écrit un morceau pour toi. Écoute... J'y ai mis toute la volupté orientale. Tu ne trouves pas qu'on se sent mieux rien qu'à l'écouter ? À partir d'aujourd'hui, tu pourras chasser nos frimas dès que tu le voudras.* Elle sourit.

Mais il n'y a pas que ça, pensa-t-elle, j'ai aussi voté pour Hugo parce qu'il était le meilleur. Et puis il m'a été plus sympathique que les autres, indépendamment de ses goûts musicaux. Il m'a tout de suite plu, dès que je l'ai vu. Il a un sourire ouvert, chaleureux, et on voit que c'est un passionné de danse. J'ai eu envie de l'accueillir à

Wychwood. C'est étrange. Même après cette triste nouvelle, je me réjouis de l'arrivée de la compagnie. La maison est trop tranquille. Elle a besoin d'animation, d'être habitée par une joyeuse troupe de danseurs, de résonner de rires, de musique.

À l'époque victorienne, le manoir avait appartenu à un industriel. C'était un beau bâtiment carré de pierres grises, doté d'un magnifique portail en fer forgé accroché entre deux piliers massifs. Sa façade était solide, sereine ; il était enraciné dans le paysage, intégré à la nature environnante. Depuis l'enfance d'Hester, il s'était métamorphosé. Quand elle ne le voyait encore que de loin, il était en piteux état, et les enfants l'appelaient « le Château de la sorcière ».

Comme tout a changé, songea-t-elle. Entre mars et novembre, trois garçons du village venaient deux fois par semaine pour entretenir le parc. C'était une merveille, avec ses massifs fleuris le long du chemin qui reliait la maison au théâtre. George, grand amateur de roses anciennes, supervisait les jardiniers. Hester, quant à elle, n'aimait guère les fleurs, et pas du tout les roses, ce qu'elle se gardait bien d'avouer. Elles mouraient trop vite et leur perfection n'était qu'éphémère. Hester leur préférait les buissons persistants, les conifères. Elle trouvait les massifs plus beaux en hiver quand les courtes tiges taillées jaillissaient, toutes droites, de la terre noire.

Elle adorait se promener dans son jardin, d'où elle pouvait contempler les étendues illimitées de lande et de ciel. Elle avait placé des bancs aux meilleurs points de vue. Tous les matins, à moins qu'il ne fasse trop mauvais, elle sortait et marchait pendant au moins une demi-heure. Ensuite, une heure durant, elle s'exerçait à la barre dans la pièce qu'elle avait aménagée à cet effet.

Le manoir disposait de dix chambres. La sienne se trouvait au bout d'un couloir, à l'écart de celles réservées aux danseurs. Il y avait un salon commun, et la cuisine était ouverte aux invités pendant le festival. La salle à manger ne servait que pour les grandes occasions, comme le réveillon du jour de l'An et le cocktail d'ouverture. Ruby et George vivaient dans une petite maison au fond du parc. Le passage couvert qui menait au théâtre débouchait devant ses appartements, si bien qu'elle entendait le va-et-vient des danseurs aux heures des répétitions.

Hester disposait d'un salon particulier, mais elle passait le plus clair de son temps dans son bureau qui ressemblait à une loge de théâtre. Il y avait le secrétaire, devant la fenêtre, et un semainier en acajou dans lequel elle rangeait ses papiers pour le festival et ses master classes. Une armoire de classement ordinaire aurait détonné dans ce décor charmant qui lui rappelait sa vie de danseuse étoile. Certes, il n'y avait pas d'ampoules électriques autour du miroir encastré dans le mur, et l'odeur de maquillage avait été remplacée par le parfum d'un joli bol de pot-pourri, mais à ces quelques détails près, c'était l'ambiance qu'elle avait toujours connue.

Elle avait chaque fois imposé l'installation d'une méridienne dans ses loges, et il y en avait évidemment une dans son bureau, sur laquelle elle aimait s'allonger pour lire, ou pour méditer en paix. Ce canapé, tendu d'un beau velours rouge foncé, était une acquisition relativement récente, alors que le paravent laqué avec son motif de bateaux sur un fond de pics enneigés la suivait depuis 1954. Un châle de soie écrue à franges, imprimé de coquelicots vermillon, était jeté sur le dossier du second fauteuil.

Les murs, tapissés d'un papier abricot pâle, étaient presque entièrement couverts de photographies encadrées. Elle en avait une de sa mère, apportée de France quand elle était petite ; quelques-unes de Mme Olga, son premier professeur de danse, qui avait été plus qu'une mère pour elle ; plusieurs de sa grand-mère, sa chère grand-maman ; et beaucoup de ballets où elle s'était produite, avec ses partenaires et les membres du corps de ballet. Il y en avait peu d'elle et beaucoup plus de ses amis. Exception notable, le portrait accroché près du miroir : la célèbre photo prise par

Cecil Wilding, celle dite du *Regard en arrière*. Quand elle s'arrêtait devant la glace pour se regarder et se mettre du rouge à lèvres avant de sortir, elle se comparait à cette image de sa jeunesse. Tout avait changé : sa coiffure, à présent courte, avec des mèches auburn pour rehausser ses cheveux châtain foncé. Sa peau, toujours belle, mais qui s'étoilait de petites rides au coin des yeux. Comment rivaliser avec cette Aurore de *La Belle au bois dormant* ? Elle avait alors dix-sept ans. Elle tournait la tête, si bien qu'on voyait son chignon. Ses cheveux, très longs à l'époque, étaient relevés à la nuque, et piqués de roses blanches et roses. Ses mains étaient gracieusement croisées juste sous la taille, et le tutu long qui lui arrivait aux chevilles se déployait tel un nuage nacré dans toute la moitié inférieure de la photo. C'était l'image emblématique de la danseuse, le rêve de toutes les petites filles, l'illusion qui, justement, la rendait si chère à son cœur. Un mirage, mais un beau mirage. Elle avait souvent pensé qu'il serait drôle d'accrocher une autre photo d'elle à côté de ce portrait, qui la montrerait après une répétition difficile. En nage, les cheveux sales, le chignon défait, le collant rapiécé, les mollets tétanisés, les pieds en charpie après des heures d'étude sur les pointes.

Mais quoi de plus rebutant que cette dure réalité ? C'était la vérité, certes, mais une vérité dérangeante. La magie ne devait pas être rompue. À quoi bon rappeler que la grâce aérienne, les sauts, les tours, les envolées, étaient le résultat d'un travail éreintant ? La beauté surgissait aussi de l'aisance apparente des mouvements.

Quand elle passait devant son miroir pour quitter la pièce, elle avait l'impression de sortir de sa loge pour monter sur scène. Elle laissait son espace privé pour entrer dans l'espace public. La vue de ce portrait, au moment de pénétrer dans l'arène de la vie ordinaire, lui rappelait son amour du spectacle et lui donnait du courage. Un courage dont elle avait eu besoin toute sa vie, et dès le plus jeune âge.

1939

Estelle comprit très tôt que quelque chose en elle déplaisait à son père. Il s'appelait Henri Prévert. Il partait travailler dans une banque tous les matins, vêtu d'un costume sombre. Sa grand-mère lui avait expliqué qu'il occupait un emploi très important. C'était une sorte de géant filiforme. Malgré sa maigreur, quand il entrait dans sa chambre d'enfant, il prenait toute la place ; on ne voyait plus que lui. Estelle en avait très peur. Il lui rappelait un épouvantail à oiseaux qu'elle avait vu dans un champ, coiffé un peu du même chapeau, droit et raide comme lui.

Il avait beaucoup aimé la maman d'Estelle, lui avait dit sa grand-mère. Henri était fils unique, et grand-maman, sa mère, avait considéré sa belle-fille comme sa propre fille.

— Tes parents étaient follement amoureux, confiait-elle souvent à Estelle.

Sa grand-mère avait pris en charge la gestion du ménage pour laisser à sa bru le temps de se consacrer entièrement à son fils. La mère d'Estelle était anglaise, et il ne lui restait pour toute famille qu'une cousine éloignée, Rhoda, qui vivait dans le Yorkshire. Estelle connaissait aussi bien le français que l'anglais, qu'elle parlait avec sa mère depuis sa naissance. Elle trouvait tout à fait naturel de pouvoir s'exprimer en deux langues. L'une de ses histoires favorites était celle de la rencontre de son père et de sa mère. Sa grand-mère la lui racontait souvent, et elle la préférait aux contes de fées parce que c'était une histoire vraie.

Helen était danseuse. Elle faisait partie du corps de ballet de l'Opéra. Henri était tombé amoureux d'elle au premier regard, et il n'en avait plus dormi. Il l'attendait devant sa loge tous les soirs. Après chaque représentation, il était là, un bouquet de roses rouges à la main. Helen avait beaucoup d'admirateurs, mais celui-ci était différent des autres. Il avait l'air sérieux, et elle le trouvait très bel homme. Un jour, elle lui avait enfin adressé la parole et, en comprenant à quel point il l'adorait, elle était tombée amoureuse à son tour. Ils s'étaient mariés très vite après leur rencontre, et elle avait arrêté la danse. Grand-maman ne disait jamais si sa carrière de ballerine lui avait manqué, mais Estelle imaginait qu'elle avait dû regretter ses costumes, la féerie des ballets, et les applaudissements.

Leur immeuble de la rue Lavaudan était haut et étroit. Henri passait ses journées à la banque, mais il savait que sa merveilleuse épouse l'attendait chez eux, et s'ennuyait de lui comme il s'ennuyait d'elle.

Helen avait manqué mourir en donnant naissance à sa fille, ce que son père ne manquait pas de lui rappeler régulièrement. La première phrase qu'elle se souvenait lui avoir entendu prononcer était : « Tu as failli tuer ta pauvre mère en venant au monde, sois sage pour ne pas la fatiguer. »

Malgré son jeune âge à l'époque, elle n'avait oublié ni la formulation, ni la sévérité de son expression. Ce jour-là, elle avait compris qu'il ne l'aimait pas et ne l'aimerait jamais. Plus tard, elle avait mieux analysé cette absence de sentiment paternel, mais elle ne lui avait pas trouvé d'excuses. Il n'avait vu en elle qu'une gêneuse, qui avait occupé le corps de sa chère femme, l'avait déformée et enlaidie. Puis elle avait tété le sein qu'il voulait garder pour lui seul. Ainsi s'était développée une rancœur immense, confinant à la haine.

L'amour de sa mère et celui de sa grand-mère avaient

suffi à Estelle. Comme son père travaillait beaucoup, elle le croisait rarement. En grandissant, elle s'était construit une mère imaginaire à qui elle faisait partager la vie qu'elle menait quasiment en solitaire avec sa grand-mère.

L'appartement était très ensoleillé. Dans la cuisine aux murs jaune pâle, sa grand-mère faisait des gâteaux. Estelle s'agenouillait sur une chaise pour disposer les tranches de pomme sur les tartes qu'elles préparaient une fois par semaine. Grand-maman chantait sans arrêt, des chansons enfantines, des airs d'opérette, de *Carmen* et de *La Traviata*. Elle l'emmenait se promener au jardin du Luxembourg, à côté de chez elles. Elles allaient au guignol, puis s'asseyaient sur un banc sous les marronniers, où sa grand-mère lui racontait des anecdotes sur son père, quand il était petit. Estelle ne parvenait pas à imaginer enfant ce père silencieux et austère qui lui souriait peu et jamais avec le cœur.

Les jours de pluie, sa grand-mère l'autorisait à se déguiser avec ses vêtements et ses bijoux, et même à essayer ses chaussures à hauts talons. À tout le reste, elle préférait les chapeaux, soigneusement rangés dans des cartons à rayures à l'intérieur d'une armoire spéciale qui leur était réservée dans la chambre d'amis.

— Il faudrait vivre cent ans pour pouvoir les porter tous, plaisantait sa grand-mère en les essayant.

Elle mettait un chapeau cloche en velours, puis une toque de feutre rouge avec une voilette, ou l'un de ses nombreux chapeaux de paille à bord large pour l'été. Estelle les adorait tous. Ils étaient ornés de rubans, de nœuds, piqués de fleurs, agrémentés de bouquets de cerises rouges et brillantes. En les posant sur sa tête devant la glace, elle se sentait très grande et très respectable.

L'après-midi, elles feuilletaient souvent des albums de photographies. Ce rituel avait permis à Estelle de se construire peu à peu une image de sa mère. De nombreux clichés la montraient en tenue de danse avec des parures étincelantes. À son départ pour l'Angleterre, elle avait emporté sa photo préférée, encadrée par sa grand-mère et soigneusement placée au milieu des vêtements dans sa petite valise. On y voyait une belle dame aux cheveux ondulés, retenus en chignon. Elle portait un tutu d'étude, et était appuyée à un grand coffre en osier, dans les coulisses. Elle souriait, une écharpe en mousseline autour du cou, des chaussons de danse aux pieds, et Estelle se demandait souvent qui avait pris cette photo de sa mère, visiblement sur le point de se changer après une répétition. Elle voulait imaginer que le sourire s'adressait à elle, tout en sachant la chose impossible. Elle n'était même pas née à l'époque.

Helen était morte d'une pneumonie à l'âge de vingt-sept ans. Estelle n'avait que cinq ans, mais la tristesse ressentie alors devait la poursuivre toute sa vie, comme le souvenir d'une ancienne blessure. Le temps passant, la douleur s'était atténuée, la plaie s'était cicatrisée, mais elle restait sensible quand on y touchait.

Le jour où son père avait annoncé qu'il l'envoyait vivre en Angleterre chez la cousine de sa mère, Estelle n'avait même pas protesté. Henri n'avait pas l'habitude de lui demander son opinion, et elle en aurait été la première surprise. On obéissait à ses parents, et elle n'aurait jamais osé s'opposer à son père. Sa grand-mère elle-même n'avait critiqué qu'une seule fois cette décision, et encore, pas ouvertement. Elle lui préparait sa valise, et Estelle s'inquiétait pour Antoinette, sa poupée.

— Je peux l'emmener, hein, grand-maman ?

— Bien sûr, ma chérie.

Elle s'assit sur le lit d'Estelle et la prit sur ses genoux. Elle avait les yeux rouges. Depuis la mort d'Helen, elle pleurait tellement qu'ils étaient constamment irrités.

— Je t'écrirai toutes les semaines, et tu demanderas à Mme Wellick de te lire mes lettres, d'accord ? Tu vas très vite apprendre à lire et à écrire toute seule, et nous correspondrons comme deux vraies amies, deux grandes personnes. Ça te fera plaisir, n'est-ce pas ? Tu vas beaucoup me manquer, ma chérie. Je vais prier pour toi, pour que tu sois heureuse là-bas. Tu n'oublieras pas le français, tu me le promets ? Tu ne vas pas devenir complètement anglaise, j'espère.

— Non, mais si tu me gardais ici, je pourrais parler français tout le temps. Pourquoi je ne peux pas rester ? Pourquoi est-ce que papa veut m'envoyer en Angleterre ?

L'image qu'elle se faisait de l'Angleterre était des plus vague, formée d'après ce que sa mère lui en avait raconté. Il y avait beaucoup de brouillard, et une pluie perpétuelle tombait sur des falaises blanches.

— C'est parce qu'il préfère que tu grandisses avec un enfant de ton âge. La cousine de ta mère a une fille qui n'a que quelques mois de plus que toi. Tu t'ennuieras moins. Moi, je vieillis, et ton père a beaucoup trop de travail pour s'occuper de toi. Ta mère aurait été heureuse que tu ailles à l'école en Angleterre. C'est préférable à tous points de vue...

La voix de sa grand-mère s'étrangla dans sa gorge. Elle serra Estelle dans ses bras tellement fort que celle-ci en eut la respiration coupée. Quand elle la relâcha, elle parla d'Antoinette comme si de rien n'était, expliquant qu'elles allaient la placer sur le dessus de la valise pour éviter de froisser sa robe, mais Estelle comprit aux larmes qui brillaient dans ses yeux qu'elle aurait préféré la voir rester.

Sa première vision de l'Angleterre fut en effet celle de falaises blanches dans un pays totalement gris : ciel gris, mer grise, maisons grises. Son père et elle prirent le train pour se rendre dans le Yorkshire. Pendant le trajet, elle ne vit le paysage qu'à travers les traînées d'eau qui zébraient la vitre. Ils étaient à peine arrivés chez les Wellick que le père d'Estelle décida de repartir. Un thé et un baiser rapide, et il avait repris le taxi qui les avait amenés de la gare et qui était repassé le chercher.

Ce premier contact avec la campagne ne fit pas bonne impression à Estelle. Il pleuvait, et le ciel était si bas et si lourd sur les collines mauves qu'il lui sembla pouvoir le toucher en levant le bras. Quelques moutons broutaient au loin, et ce que son père avait annoncé comme un « village » se réduisait à deux rues, une église, une triste école de pierres grises, une épicerie, et un café qu'on appelait un « pub ». En venant de la gare, le taxi était passé devant une grande maison. Estelle essaya de voir au-delà de la haute grille en fer forgé et se demanda qui vivait là. Paula, la cousine d'Estelle, lui apprit qu'on nommait cet endroit « le Château de la sorcière » et qu'il était abandonné depuis des années. Seules des araignées et des chauves-souris y tenaient compagnie aux fantômes, et les chouettes qui nichaient dans les arbres du parc poussaient des cris à faire dresser les cheveux sur la tête.

En descendant du taxi avec son père, Estelle aperçut Paula à la fenêtre du premier étage. Sa cousine avait le visage étroit, le nez long, les lèvres pincées, et une frange lui tombait sur les yeux. Elle avait un air boudeur, comme si l'arrivée de sa cousine française l'ennuyait. Estelle se rendit vite compte que Paula ne voulait effectivement pas d'elle, et la considérait comme une intruse.

M. et Mme Wellick – oncle Bob et tante Rhoda – n'étaient pas méchants, mais Estelle ne comprit que beaucoup plus tard qu'ils ne savaient pas communiquer et n'avaient aucun humour. Leur rigidité prêtait à confusion. Ils n'arrivaient à parler qu'en phrases toutes faites qui semblaient directement sorties d'un manuel.

Voici ta chambre... Nous espérons que tu te plairas ici... Tu dois sûrement être très sage... Mange ton tapioca, c'est bon pour toi. Tout était pareil. Les incontournables desserts au tapioca transformaient les repas en torture. Elle détestait la substance gélatineuse, tremblotante, constellée de grains mal cuits. S'étouffant à chaque bouchée, elle essayait de ne pas penser aux gâteaux de sa grand-mère, à ses mousses au citron, à ses crèmes au chocolat, à ses meringues et à ses profiteroles, mais ces délices perdus l'obsédaient.

La maison était d'une tristesse déprimante. Des rideaux sombres, d'une couleur indéfinissable, pendaient aux fenêtres ; la peinture était plus claire, mais tout aussi terne. Les tapis tiraient sur le vert sans conviction. Tante Rhoda et oncle Bob assortissaient leurs vêtements à leur intérieur, avec une prédilection pour les gris et le beige.

Mais les Wellick faisaient de leur mieux. Bob Wellick travaillait toute la journée à Keighley chez un comptable, tandis que tante Rhoda restait à la maison pour s'occuper de Paula et d'Estelle.

Estelle éprouvait une terrible nostalgie pour la France, mais ne parvenait pas à l'exprimer. Sa première nuit en Angleterre, elle la passa à regarder le plafond, couchée entre des draps glacés, silencieuse pour ne pas réveiller Paula, endormie dans le lit jumeau à côté d'elle. Elle revit en pensée le départ de son père à bord du taxi. Il ne s'était même pas retourné pour lui faire signe alors qu'elle agitait la main. Voilà, c'était arrivé, il l'avait abandonnée. Elle n'y avait vraiment cru qu'au moment où la voiture disparaissait dans le brouillard qui était tombé pendant qu'ils prenaient le thé. Jusqu'à la fin, elle avait espéré que son père dirait : *Bon, chérie, finis ton lait, on rentre à Paris.*

Elle avait l'impression de n'être nulle part ; ni chez elle, ni chez quelqu'un d'autre, mais dans un vide auquel elle ne s'habituerait jamais. Où était sa grand-mère ? Pensait-elle à sa petite-fille ? Estelle lui manquait-elle ? Dès qu'elle l'imaginait dans son grand lit, rue Lavaudan, appuyée à ses oreillers garnis de dentelle, les larmes coulaient. Son cou était trempé, ses cheveux aussi, mais elle était trop malheureuse, trop timide, pour demander à se faire consoler. Malgré sa jeunesse, elle dut apprendre à se passer des autres. Pendant la journée, elle renfermait ses senti-ments au fond de son cœur, et, une fois couchée, elle attendait que Paula s'endorme pour pleurer.

Cette tristesse dura longtemps, mais elle finit par en prendre l'habitude. Elle mangeait, elle dormait, et un jour on l'envoya à l'école du village. Elle se sentait très seule, car Paula, loin de lui offrir la compagnie promise, s'ingé-niait à la séparer des autres. Estelle souffrait de ses méchancetés et de ses vexations, mais impossible de se plaindre sous peine d'être traitée de rapporteuse, péché capital aux yeux de Paula et de ses amies.

De cette époque, il lui restait un souvenir, pas plus cruel que les autres, mais qui l'avait marquée. Au bout d'environ deux ans en Angleterre, elle avait été invitée à l'anniver-saire d'une des camarades de Paula. Estelle, qui était une classe en dessous de celle de sa cousine, ne connaissait pas bien Marjorie, mais la perspective de la fête l'avait rendue folle de joie. Rien ne lui avait fait aussi plaisir depuis longtemps. Elle avait bien vu que Paula boudait, mais elle s'en moquait. Enfin, elle aurait l'occasion de porter sa jolie robe à smocks rouge. Sa tenue préférée était à présent trop petite pour elle, mais qu'importe. Elle lui rappelait sa grand-mère, qui avait cousu les fronces de ses propres mains, ce dont Estelle tirait une immense fierté.

Le jour venu, Paula se montra encore plus taciturne que de coutume. Les deux fillettes traversèrent le village seules pour aller chez Marjorie, qui habitait à deux pas. En chemin, Paula jeta un coup d'œil en coulisse à Estelle et eut un sourire méchant.

— Tu sais, Marjorie n'avait pas envie de t'inviter. C'est sa mère qui l'a obligée.

— Ce n'est pas vrai.

— Si, c'est vrai. Marjorie me l'a dit... Elle ne voulait pas inviter une petite, mais sa mère a pitié de toi.

Estelle rougit de honte. Elle faillit à cet instant rentrer en courant chez les Wellick pour se cacher, mais elle n'aurait pas manqué l'anniversaire pour un empire. Paula décrivait depuis des jours le gâteau avec son glaçage rose et mauve, les grappes de ballons, la limonade, les gelées rouges, les gelées vertes. Estelle en mourait d'envie. Elle ravala ses larmes et continua son chemin à côté de sa cousine sans rien dire. Au moment où elles allaient passer le portail, Paula regarda de nouveau Estelle et fit la grimace.

— Tu aurais quand même pu mettre autre chose, même une vieille robe à moi. Tu as l'air d'une idiote là-dedans. C'est trop petit, et la couleur est vraiment horrible.

Estelle se redressa. Une colère énorme gonflait dans sa poitrine comme un ballon. Quand elle ouvrit la bouche, sa fureur explosa.

— Tu es trop bête ! hurla-t-elle. C'est une très jolie couleur, et tu es jalouse parce que ta robe à toi te donne l'air d'une banane. Jaune, bossue et pas maligne. Tu crois que je vais rentrer en pleurant parce que tu n'aimes pas ma robe ? Eh bien, tu te trompes ! Je suis invitée, et tu n'as rien à dire !

Comme elles arrivaient à la porte, Paula ne répondit que par un regard de haine, qu'Estelle lui rendit. Quelle méchante, cette Paula ! pensa-t-elle. Je la déteste, mais elle ne me gâchera pas ma journée. Pourtant, elle ne parvint pas à s'amuser. Restait à ne pas perdre la face. Pendant les jeux et le goûter, elle s'ingénia à ne pas montrer sa peine, et prétendit ne pas voir que Paula, Marjorie et les autres grandes faisaient des messes basses en la regardant. Elles disent du mal de moi. Je les connais. Mais ça m'est égal. Je m'en fiche. Je les vaux bien, ces idiotes ! Elles ne me feront pas partir. Sûrement pas ! Pour se changer les idées, elle essaya d'écrire dans sa tête la lettre qu'elle enverrait à sa grand-mère pour raconter l'anniversaire.

À son arrivée en Angleterre, Estelle dépendait de sa tante pour prendre connaissance de la lettre hebdomadaire de sa grand-mère. Elle n'avait droit qu'à une seule lecture.

Si elle en redemandait une plus tard, sa tante n'acceptait que de très mauvaise grâce. Au début, connaissant mal l'alphabet, elle dessinait pour répondre, et tante Rhoda expédiait ces missives en France dans des enveloppes brunes.

Avec la guerre, les échanges se firent plus rares. La vie était devenue très difficile. Paula s'amusait à effrayer Estelle en lui racontant des histoires de bombardements, et le soir, la famille se rassemblait autour de la grande radio de la salle de séjour pour écouter les informations. Estelle ne comprenait pas toujours, mais n'osait pas demander d'explications. Son père lui écrivit pour lui annoncer que, à cause de la guerre, il ne pourrait pas venir la voir en Angleterre, et qu'il espérait qu'elle se portait bien et ne fatiguait pas trop les Wellick. Il envoyait aussi de l'argent à l'oncle Bob pour payer sa pension. Chaque fois qu'Estelle ouvrait une lettre de son père, elle rêvait d'y lire : *Quand la guerre sera finie, tu pourras rentrer en France. Il faut que tu reviennes à la maison.* Rêve qui ne se réalisa bien sûr jamais.

À Noël, les Wellick emmenaient les enfants au spectacle à Bradford, au théâtre de l'Alhambra. C'était une sortie familiale que tante Rhoda et oncle Bob aimaient beaucoup, et qui, pour une fois, les déridait un peu. L'année de ses neuf ans, ils allèrent voir *Le Petit Chaperon rouge*, le conte préféré d'Estelle. Sa grand-mère le lui lisait dans un gros livre relié de cuir, et lui montrait l'illustration du Petit Chaperon rouge au lit avec le loup. Le loup, coiffé de son bonnet de nuit à dentelles, l'amusait tout en la terrorisant. L'histoire avait beau la transir d'effroi, elle l'adorait. Vers le début du premier acte, une danseuse qui jouait le rôle d'une fée de la forêt entra sur scène. Estelle n'avait jamais entendu de musique aussi belle ni vu danser de cette façon. Elle fut subjuguée, trouvant magique cette légèreté, cette délicatesse ; la ballerine tourbillonnait sur des notes ravissantes, se balançait comme une fleur, en équilibre sur la pointe des pieds. Et ses vêtements ! Estelle la dévorait des yeux. Une guirlande de feuilles était tressée dans ses cheveux, et sa jupe verte vaporeuse, parsemée de pétales de roses, flottait autour de ses jambes comme de la brume.

Quand la danseuse quitta la scène, Estelle se sentit dépossédée. Elle ne pensa plus qu'à cette créature de rêve baignée par une lumière féerique. Ces quelques minutes de beauté se logèrent pour toujours dans sa tête. À la moindre occasion, dès qu'elle se retrouvait seule dans la chambre, elle essayait d'imiter les pas. Cela lui avait semblé si facile, si naturel, mais s'avérait tout simplement impossible.

L'hiver suivant apporta du nouveau dans le château à l'autre bout du village. Marjorie annonça qu'une dame russe avait acheté le manoir. Sa mère lui avait appris que cette Russe, dont elle ne se souvenait pas du nom, avait été une ballerine très célèbre.

— Elle ne parlera à personne, si elle est russe, commenta Paula. Elle ne doit pas savoir l'anglais. Pourquoi elle vient nous embêter ici ?

— Maman a dit qu'elle connaissait les Cranley, expliqua Marjorie. La famille qui vit dans la maison blanche sur la route de Leeds. La dame russe est une amie du fils des Cranley, qui travaille dans la danse. Je ne sais pas s'il est danseur, ou quoi.

Estelle fut aussitôt fascinée par cette mystérieuse voisine. Elle sut par Betty, l'épicière qui était toujours au courant de tout, qu'elle s'appelait Mme Olga Rakovska. Par la même occasion, elle apprit que le vrai nom du château était le manoir de Wychwood. On racontait beaucoup d'histoires sur Mme Olga : qu'elle avait fui la révolution russe et s'était réfugiée à Paris sans un sou. Ou, au contraire, qu'elle était riche comme Crésus : elle avait emporté des liasses de billets de banque cousues dans la doublure de ses vêtements. Un jour, elle n'avait pas de quoi se nourrir ; un autre, c'était une avare qui cachait des rubis gros comme des œufs sous son plancher. Ou alors c'était une criminelle échappée de prison. Les rumeurs n'en finissaient pas.

Estelle la voyait parfois aux abords de l'épicerie, toujours très droite dans son manteau noir à col de fourrure. Le bas balayait la poussière tandis qu'elle descendait la grand-rue de sa démarche élégante et fière, sa peau très blanche transparaissant sous les motifs de ses gants de dentelle. Elle avait les cheveux châtain foncé, tirés en chignon sur la nuque, et elle portait un chapeau qui ressemblait énormément à l'un de ceux de sa grand-mère : une petite toque de velours noir qu'elle aimait beaucoup, avec une voilette à pois tombant sur le haut du visage. Estelle mourait d'envie de lui parler, sans oser l'aborder. Elle aurait voulu savoir si elle dansait encore.

Et puis un après-midi, alors que Paula jouait chez Marjorie, la curiosité d'Estelle l'emporta sur sa timidité. Elle sortit sans bruit de la maison, et traversa le village en courant jusqu'à la grille du manoir de Wychwood. Le jour tombait, et la bâtisse noire, au bout de son allée mal entretenue, l'effraya. Rassemblant son courage, elle poussa le lourd portail puis regarda autour d'elle, s'attendant à ce qu'on l'arrête. Il n'y avait personne.

Je devrais rentrer à la maison, songea-t-elle. Et si les fantômes existaient ? Et si quelqu'un se cachait dans les buissons pour m'attraper ? Plus morte que vive, elle avança, et quand elle fut assez proche pour voir par les fenêtres, toutes ses peurs s'envolèrent.

Mme Olga n'avait pas encore tiré les rideaux du rez-de-chaussée. Estelle vit une très grande pièce au beau parquet ciré couleur de miel. Un piano droit occupait un coin, tout un côté était couvert de miroirs, et une sorte de rampe était fixée sur le mur opposé. Dos à la fenêtre, Mme Olga se découpait dans la lumière. Elle portait une robe noire qui descendait aux chevilles et des chaussons roses. Sa main gauche reposait sur la rampe, et elle penchait le buste en avant.

Dès cet instant, Estelle comprit que cette salle de danse, cette maison et cette femme joueraient un rôle décisif dans sa vie. Un destin mystérieux l'attendait ; elle était au bord d'un précipice, prête à se jeter dans le vide. Son cœur battait la chamade, et un vertige merveilleux la grisait. Elle ne rêvait que de sauter, mais la panique la prenait à l'idée que ce bonheur immense pourrait lui être arraché avant qu'elle n'ait le temps d'en profiter.

Le lendemain, au petit déjeuner, elle lança la conversation sur le manoir de Wychwood, curieuse de savoir ce que sa tante pensait de Mme Olga. Contrairement à ses habitudes, celle-ci se montra assez loquace.

— Je crois que la Russe est professeur de danse. Je ne vois vraiment pas pourquoi elle est venue s'installer ici ! Elle aurait beaucoup plus d'élèves en ville.

Elle avala une cuillerée de porridge grumeleux et continua.

— Ça doit être parce qu'elle connaît les Cranley. Sans doute qu'ils l'ont aidée à trouver la maison. Les Cranley ont beaucoup de relations dans le coin. Le manoir était vide depuis trop longtemps, c'est mieux qu'il soit occupé, mais ce n'est pas l'idéal. Je ne vois pas l'intérêt d'avoir une danseuse au village. C'est malheureux, mais c'est comme ça. C'est à cause de la guerre. Avant la guerre, il n'y avait pas autant d'étrangers chez nous. Je me demande combien d'élèves elle va réussir à récupérer, avec le rationnement d'essence. Remarque, ça ne m'étonnerait pas qu'il y en ait quand même pour envoyer leur fille à ses cours, tu vas voir.

Estelle ne pipa mot, mais son cœur s'emballait. Elle trouverait bien le moyen d'arriver à ses fins. Prendre des cours de danse, c'était son rêve depuis le spectacle de Noël. Elle apprendrait les mouvements si difficiles à imiter. Comment s'inscrire ? Elle décida d'aller parler à

Mme Olga. Ce serait trop risqué de demander la permission aux Wellick, qui refuseraient certainement. Elle irait à Wychwood à leur insu. Ce serait son secret.

L'occasion se présenta très vite car tante Rhoda s'occupait très peu d'elle, et elle jouissait ainsi de beaucoup de liberté. *Va jouer dehors*, s'entendait-elle ordonner à tout bout de champ.

Le lendemain, assez angoissée, elle passa la grille noire restée entrouverte. En plein jour, elle vit mieux le domaine. Des arbres laissés à l'abandon formaient un bosquet derrière la maison, les haies avaient grand besoin d'être taillées, et l'herbe haute se couchait sur le sol. Quand elle atteignit l'entrée, elle remarqua que le perron était encore couvert des feuilles mortes de l'automne. Rassemblant son courage, elle frappa.

Elle dut attendre un long moment avant que Mme Olga ne vienne ouvrir. La dame russe sembla très étonnée de découvrir une petite fille sur le seuil de sa porte.

— Oui ?

On aurait cru une actrice. Elle avait le teint limpide, une peau de lait, et les lèvres dessinées d'un rouge qui, Estelle l'apprit plus tard, avait été créé par un parfumeur parisien. C'était une couleur plus sombre que celle que mettaient les femmes de son entourage. Mme Olga avait des sourcils effilés comme les stars de cinéma, et un nez fin légèrement busqué qui, avec ses yeux bien espacés, lui donnaient l'air d'un bel oiseau. Sur sa robe noire, elle avait jeté un immense châle orange et pourpre, rebrodé à l'or, magnifique. Elle portait aux pieds des ballerines noires, et à son cou pendait un objet curieux, qu'Estelle ne connaissait pas. Il s'agissait de lunettes sans branches, un face-à-main comme elle l'apprit plus tard, que l'on tenait devant les yeux par une sorte de manche. Mme Olga le leva justement et dévisagea Estelle avec un regard perçant.

— S'il vous plaît, madame, je voudrais apprendre à

danser. Vous allez donner des cours de danse ? Je peux venir ?

— Tu veux prendre des cours de danse ? L'année commence dans trois semaines. Tu vas venir, et je vais t'inscrire chez les débutantes. Il n'y a pas beaucoup d'élèves pour l'instant, c'est la guerre.

Estelle n'avait pas songé que les cours pourraient ne pas commencer tout de suite. Sa déception fut telle qu'elle en eut la nausée. Remarquant sa consternation, Mme Olga la prit par la main.

— Entre, petite fille. Suis-moi. Comment t'appelles-tu ?

— Estelle Prévert.

Mme Olga eut un hochement de tête, et la fit entrer dans la maison.

Le manoir était très sombre, et immense. On devinait des enfilades de pièces, de longs couloirs, et un escalier inquiétant montait dans la pénombre. L'appréhension d'Estelle se dissipa quand elle pénétra dans le petit salon. Elle se retrouvait soudain chez elle, en France, dans l'univers de sa grand-mère bien-aimée. Elle prit place dans un fauteuil tapissé de velours rose, et admira le mobilier ancien, les lourds rideaux de brocart bronze, qui lui semblèrent somptueux malgré l'usure du temps. Les murs, bleu pastel, étaient parsemés de cadres contenant des photos de ballerines. Elles étaient belles, impressionnantes, figées dans leurs positions parfaites.

— Pourquoi veux-tu apprendre à danser ?

Estelle chercha ses mots, ne sachant comment expliquer ce besoin qui l'habitait.

— Je crois, finit-elle par dire, que les mouvements sont enfermés dans mes pieds, mais que je ne sais pas comment les faire sortir.

Mme Olga sourit.

— Allons dans la salle de danse. Viens avec moi, et enlève tes chaussures pour protéger le parquet.

Prête à lui obéir en tout point, Estelle retraversa le hall

avec elle, et se mit en chaussettes avant d'entrer dans la salle qu'elle avait aperçue du jardin. Le bois lui sembla très doux sous ses pieds.

— Bien, maintenant, prends cette position.

Mme Olga lança son superbe châle sur le dossier d'une chaise et se mit en première position. Estelle l'imita. Son professeur approuva de la tête sans mot dire, puis passa à la deuxième position, puis à la troisième, et aux suivantes, tandis qu'Estelle copiait ses gestes. Ensuite, il fallut lever les bras. Mme Olga ne commentait toujours pas. Elle approcha de la rampe en bois.

— Ceci, c'est la barre, expliqua-t-elle. Pose ta main dessus, légère, comme moi.

Estelle ne vit pas le temps passer. Quand elles retournèrent dans le salon, le jour tombait, et elle prit peur. Tante Rhoda avait sûrement remarqué sa disparition. Depuis combien de temps était-elle au manoir ?

— Il faut que je rentre chez moi ! C'est l'heure du dîner.

— Oui, mais tu vas revenir. Je crois que tu seras bonne danseuse. Oui, très bonne danseuse.

Mme Olga ponctua par un signe de tête approbateur, et Estelle fut si heureuse que son cœur s'envola comme un oiseau.

Pendant le dîner, elle demanda à sa tante, qui servait sa purée à l'oncle Bob, la permission de prendre des cours de danse. Celle-ci ouvrit de grands yeux et se figea, louche en l'air.

— Sûrement pas.

— Pourquoi ?

En temps normal, Estelle n'aurait jamais osé se rebeller, mais là, l'enjeu était trop important.

— Estelle va pleurer ! jubila Paula.

— Non, je ne vais pas pleurer ! Je veux seulement savoir pourquoi je n'ai pas le droit de prendre des cours de danse !

41

— Parce que, même avec l'argent que nous envoie ton père, nous n'avons pas les moyens. Et puis nous ne connaissons pas cette dame. De toute façon, la danse, c'est rien que des chichis. Ça vous monte à la tête, on se donne des airs de princesse, on se croit au-dessus de tout le monde !

Estelle considéra la purée insipide dont sa tante avait rempli son assiette.

— Je n'ai pas faim ! s'écria-t-elle. Je veux apprendre à danser ! Je vais écrire à mon père. Il m'enverra de l'argent si je lui demande. Ma mère était danseuse. Je veux faire comme elle, et personne n'a le droit de m'en empêcher !

Elle repoussa sa chaise et quitta la table en courant. Sans laisser le temps à personne de la rattraper, elle partit comme une flèche chez Mme Olga. Elle frappa à la porte, frappa, frappa pendant des heures lui sembla-t-il, en larmes, tremblant de déception.

— *Moia galoubouchka !* Ma petite enfant...

Mme Rakovska la prit dans ses bras, puis l'entoura de son châle.

— Pourquoi pleures-tu ? Que se passe-t-il ?

— Personne ne me comprend ! Il faut que je danse ! C'est obligé ! Ma tante ne pense qu'à l'argent. Je me suis sauvée de la maison. Je n'y retournerai jamais. Je veux danser !

— Ne t'inquiète pas, calme-toi. Je te donnerai des cours, je te le promets. Rentre chez toi, j'irai trouver ta tante pour lui faire comprendre. Tout va s'arranger, tu verras.

Estelle ne sut jamais au juste comment Mme Olga parvint à convaincre les Wellick. Elle leur rendit visite pendant que Paula et Estelle étaient en classe. Sans doute proposa-t-elle de la prendre gratuitement. Tante Rhoda ne mentionna pas leur conversation, mais emmena Estelle de mauvais gré à Leeds pour lui acheter une paire de demi-pointes roses garnies de très jolis rubans de satin pour les attacher, et un justaucorps pourvu d'un tutu souple en tulle. À l'aller, pendant tout le trajet en car, tante Rhoda maugréa sans discontinuer : on lui faisait gâcher des coupons de rationnement pour des caprices, et d'abord, jamais elles ne trouveraient ce qu'elles cherchaient en temps de guerre... Par chance, leurs achats ne présentèrent aucune difficulté.

— Je ne vois pas à quoi ça va te mener, grommela-t-elle encore en rentrant. Enfin, si c'est ce que tu veux, on s'y fera.

Ainsi débuta sa grande passion. Les mercredis et les samedis après-midi, Estelle voyageait dans un autre monde, un monde de musique et de mouvement. Elle s'étirait, montait les bras, les jambes, et sa tête s'emplissait de rêves. Elle se voyait bondir, évoluer avec grâce et légèreté, s'imprégnait des mélodies du piano dont le souvenir la suivait jusque chez elle. Trois autres élèves seulement fréquentaient le cours de danse, sans doute à cause de la pénurie d'essence, mais cela ne dérangeait pas Estelle. Elle admirait ses camarades, toutes plus âgées qu'elle, et s'efforçait de les imiter. Dans le grand miroir de la salle de danse, les quatre élèves de Mme Olga se reflétaient, exécutant les mêmes mouvements, et Estelle était fascinée par le joli spectacle de cet ensemble dédoublé qui se mouvait à l'unisson sur des airs de Chopin ou de Delibes.

Les cours apportaient aussi une stabilité à sa vie. Leur régularité, leur rigueur, lui donnaient une sensation de sécurité. Les mêmes exercices se répétaient, toujours dans le même ordre. Estelle aimait aussi l'idée qu'en travaillant dur, en réussissant un enchaînement parfait, elle s'attirerait les louanges de Mme Olga.

— Donnez-vous à fond ! commandait cette dernière. Travaillez, poussez votre corps.

À Wychwood, Estelle ne s'épargnait pas. Elle découvrit qu'en focalisant ses pensées sur sa passion, elle parvenait à considérer ses malheurs avec plus de détachement. La nourriture, pour commencer, devenait rare et mauvaise à cause de la prolongation de la guerre. Elle avait horreur des œufs en poudre, redoutait l'épuisement des rations de sucre, ce qui arrivait presque toutes les semaines. En dansant, elle oubliait la réalité. Tante Rhoda et oncle Bob croyaient l'épargner en lui cachant les nouvelles, mais ils prenaient des précautions inutiles : quand Estelle entendait parler de la situation française, elle ne faisait pas vraiment le lien avec son père et sa grand-mère. Une lettre lui apprit le remariage de son père avec une jeune femme du nom d'Yvonne. Elle parvint à enfermer cette information dans le compartiment étanche de sa tête où elle reléguait ce qui l'ennuyait. Elle arrivait de mieux en mieux à se détacher de ce qui pouvait la blesser, et finit par devenir experte dans l'art de l'indifférence.

Un jour, peu de temps après la fin de la guerre, sa tante l'appela dans la cuisine pour lui « dire un petit mot ». Dès qu'elle la vit à la table, toute raide, un paquet devant elle et une lettre à la main, Estelle comprit qu'elle allait lui annoncer une très mauvaise nouvelle.

— Viens t'asseoir, Estelle.

— Que se passe-t-il ?

— Je suis désolée. C'est ta grand-mère... Elle était très vieille, tu sais. Il faut se dire qu'elle repose en paix, maintenant.

Tante Rhoda lui tendit la feuille. Devant ses yeux remplis de larmes, dansa la petite écriture de son père.

Ma chère Estelle,

Je suis navré de t'apprendre que ma mère est morte il y a deux semaines à l'hôpital. Elle était faible de la poitrine, et elle est décédée paisiblement, sans souffrir. L'enterrement a eu lieu hier. Je sais que tu seras très peinée, et je suis désolé de te causer ce chagrin. Ta grand-mère a absolument tenu à ce que je te fasse parvenir cette chaîne. Tu l'attends, paraît-il, et sais pourquoi elle te la lègue. Je te

conseille de la placer dans un coffre à la banque (défor-
mation professionnelle de ma part, peut-être !) De cette
façon, tu n'auras pas à craindre de la perdre.

— Il m'a aussi écrit, reprit sa tante en posant la main
sur celle d'Estelle. Ta grand-mère t'a laissé un peu
d'argent, tu sais.

Estelle se moquait de l'héritage. Elle n'avait d'yeux que
pour le paquet.

— Et ça, c'est pour moi ?

— Oui. Tiens. C'est un collier. Ton père conseille de le
mettre à la banque.

— Non ! cria Estelle qui tremblait de peur que sa tante
n'essaie de lui prendre sa chaîne. Je veux la garder, je l'ai
promis à grand-maman.

— Ce n'est pas prudent. Tu en feras quoi ?

— Je la rangerai. Je ne la perdrai pas. Il faut que je la
garde.

N'y tenant plus, Estelle s'empara du paquet et se sauva
dans sa chambre. Elle se jeta sur son lit, secouée par
d'énormes sanglots, l'écrin serré contre son cœur. Une
colère terrible l'envahit. Comment son père avait-il pu
l'écarter à un moment pareil ? Pourquoi s'était-il contenté
d'écrire pour lui annoncer la mort de sa grand-mère ? S'il
avait téléphoné à temps, ou envoyé un télégramme, elle
aurait pu aller en France pour lui faire ses adieux. Elle
était assez grande à présent pour voyager seule. Pourquoi
ce délai ? Il ne voulait pas de moi, songea-t-elle. Et
d'ailleurs, pouvait-on le croire ? Grand-maman était-elle
vraiment morte ? Papa ne voulait pas que je rencontre
Yvonne. Ou alors Yvonne lui a demandé de ne pas me
faire venir. Si j'avais été prévenue, j'aurais pu assister à
l'enterrement, me recueillir sur sa tombe pour qu'elle sache
combien je l'aimais. Je ne la reverrai plus jamais.

Paula venait de rentrer. Estelle l'entendait parler en bas.
Bientôt, elle allait monter et lui demanderait pourquoi elle

pleurait. Estelle se redressa et sécha ses larmes. Elle prit Antoinette dans ses bras et cacha son visage contre elle. La chaîne qu'elle portait jour et nuit lui donnait de la force. L'autre moitié était maintenant en sa possession, et elle en devenait la gardienne. Son père la connaissait bien mal pour lui suggérer de la mettre dans un coffre-fort. Jamais elle ne confierait à une banque le collier que sa grand-mère avait porté. Elle en prendrait grand soin. Pourquoi la soupçonner d'une possible négligence ? Il devait la croire très bête.

Elle ouvrit le paquet et découvrit une boîte ronde en écaille. À l'intérieur se trouvait la chaîne qu'elle avait promis de passer au cou de l'enfant qu'elle aurait. Il fallait la cacher avant que Paula ne monte. Si elle me demande quelque chose, je lui dirai que ça ne la regarde pas, ce n'est pas difficile, songea Estelle pour se rassurer. Elle se leva et glissa son trésor sous ses chemisettes, tout au fond de son tiroir, dans la commode qu'elle partageait avec sa cousine. Sans doute n'irait-elle pas fouiller là.

La nuit venue, elle sanglota sous ses draps en pensant à sa grand-mère. Comme autrefois à son arrivée chez les Wellick, elle se mit l'oreiller sur la tête pour que Paula ne l'entende pas. Elle se remémora la chambre parisienne avec son lit haut où s'empilaient les coussins garnis de dentelles, les cartons à chapeaux, les bijoux, la voix bien-aimée qui lui chantait des chansons et savait si bien la réconforter. Dès son réveil, elle fut de nouveau envahie par la peine. Quand elle fut habillée, elle déchira la lettre de son père, en rassembla les morceaux, et les fit brûler sur le feu de charbon. Ils se racornirent, devinrent incandescents, puis se transformèrent en cendre. Je dois oublier que j'ai reçu cette lettre, se dit-elle.

Quand elle dansait chez Mme Olga, elle imaginait que sa grand-mère était encore en vie, à Paris, et pensait à elle avec amour. Finalement, il n'y avait pas une telle différence entre la mort et l'éloignement : on ne voyait plus les gens qu'on aimait, sauf, bien sûr, que c'était pour toujours.

25 décembre 1986

Assise à table, face à sa mère, Alison Drake s'exaspérait. Claudia Drake, la reine de l'univers. Ballerine archi-célèbre, super-belle, star internationale. Tu parles ! Une vraie maniaque à moitié anorexique, oui ! Elle triturait deux minuscules morceaux de pomme de terre au four depuis le début du dîner sans les manger. Ses repas se déroulaient toujours ainsi : elle disposait artistiquement trois cuillerées de nourriture dans son assiette, picorait une demi-miette, et jouait avec le reste du bout de la four-chette pendant des heures. Alison se retenait de ne pas lui envoyer la dinde rôtie de supermarché à la tête. C'était mauvais, c'était sec, et sa mère, cette égoïste, s'en fichait.

— Tu aurais pu faire un effort, cette année, maman. C'est complètement raté, comme Noël.

— Je t'avais avertie que je n'aurais pas le temps de préparer un bon repas. Il a fallu que je fasse les valises pour notre départ. Nous devons arriver dans le York-shire dimanche, puisque les répétitions commencent lundi. Et puis on ne pouvait pas prévoir trop large : on ne peut pas laisser des restes un mois au réfrigérateur.

C'était de la provocation : un repas de Noël ignoble, même pas de sapin, même pas une guirlande, et la pers-pective de se faire traîner au fin fond de la cambrousse par-dessus le marché. Alison explosa.

— Tu ne penses qu'à tes fichus spectacles ! Avec toi, on

47

n'a pas le temps de vivre, parce que tu passes ta vie à danser, à répéter. Ça te tuerait, de manquer un cours un jour ? Oui, évidemment, parce que tu es une vraie pro, et que les vraies pro ne manquent jamais une classe ! Tu ne fais même plus la différence entre la scène et la réalité. La danse, c'est débile. Je ne veux plus voir un ballet de ma vie !

— Je te prie de t'adresser à moi sur un autre ton ! Tu sais bien que je me mets en quatre pour m'occuper de toi. Excuse-toi ! Excuse-toi tout de suite, ou je t'enferme dans ta chambre jusqu'à dimanche pour te calmer.

— Je regrette de t'avoir mal parlé, maugréa Alison dans sa barbe, mais j'ai le droit de ne pas aimer la danse. Je peux quand même m'exprimer. Toi non plus, tu ne t'intéresses pas à ce qui me plaît.

Alison comprit au sourire de sa mère qu'elle estimait ses excuses suffisantes.

— Enfin, ma chérie, il faut reconnaître que tu ne vises pas très haut. Tu veux devenir sage-femme ! Tout un programme ! Moi qui ne supporte pas la vue du sang... Tu ne pourrais pas trouver des ambitions un peu plus... Je ne sais pas moi... un peu plus artistiques ?

Ce genre de discussion n'aboutissait jamais à rien. Ce que sa mère appelait « ambition artistique », c'était le spectacle. Alison n'avait aucune envie de devenir célèbre, mais la sublime Claudia Drake avait du mal à le comprendre. Elle ne voyait pas l'intérêt d'une vie loin des feux de la rampe. Alison abandonna ce vain débat pour passer au grief suivant.

— Et je ferai quoi, moi, dans le Yorkshire, pendant que tu répéteras ? Je ne vois toujours pas pourquoi je suis obligée de t'accompagner.

— Tu le sais très bien. Ta tante Mavis ne pouvait pas te prendre. Elle a été invitée pour une croisière en Égypte.

— C'est nul. On dirait que tu ne connais qu'une seule

personne au monde. Les autres gens ont des solutions de rechange. Ils ont des sœurs, des frères.

— Chérie, ce n'est pas ma faute si je suis fille unique. Et je n'y peux rien si ton père est incapable de s'occuper de toi. Rien ne l'obligeait à aller vivre en Amérique avec sa nouvelle femme... s'ils sont mariés, d'ailleurs... Je me demande ce qu'il fabrique avec cette traînée, bête comme ses pieds, de surcroît.

— Ce n'est pas vrai, papa n'est pas incapable de s'occuper de moi ! Il a téléphoné hier soir, et il m'a parlé pendant des heures. Et Jeanette n'est pas bête. Tu ne la connais même pas, ce n'est pas la peine de dire du mal d'elle. Ils sont mariés, je ne vois pas pourquoi tu veux faire croire le contraire.

Claudia fit la grimace.

— C'est ce qu'ils racontent ! Je t'assure que ce n'est pas bien malin d'attirer un homme avec des décolletés plongeants et des sous-vêtements inexistants. Ton père est un imbécile et un salaud, un point c'est tout.

Alison ne pouvait que sortir perdante de cette querelle. Cela faisait trop mal, et elle ne trouvait pas d'arguments. Vite, il fallait ramener l'attention de sa mère sur un autre sujet.

— Je pourrais rester ici toute seule. J'ai quatorze ans, je suis assez grande.

L'absence de réaction de Claudia mit Alison en fureur.

— Tu pourrais avoir plus d'amis ! C'est fou que tu ne connaisses personne qui puisse m'accueillir ! Remarque, ce n'est pas étonnant. Si mamie n'était pas morte, elle se serait occupée de moi, ou elle aurait trouvé une solution, elle.

Claudia semblait prête à la gifler. Elle respirait fort, comme toujours quand elle avait du mal à garder son calme, et ne répondit qu'au bout d'une longue minute d'un ton faussement enjoué.

— J'ai beaucoup d'amis, comme tu le sais, mais ce sont

des artistes, comme moi, et ils n'ont pas de temps non plus.

Alison fut soulagée par sa modération. Claudia aurait pu être beaucoup plus cruelle, par exemple en lui rappelant qu'elle non plus n'avait pas d'amis. Aucune camarade de classe ne lui proposait de la recevoir quelques jours. Elle sait très bien pourquoi ! Je viens de changer de pension, et puis qui voudrait d'une copine comme moi, grosse et bigleuse ? (« Ali la taupe ». Ils auraient quand même pu trouver un surnom plus original.) Personne n'a envie de s'encombrer de moi pour les vacances.

La gorge nouée, Alison préféra se taire : elle avait horreur des pleurnicheries. D'ailleurs, on ne la détestait même pas. Elle était invisible. On ne la remarquait pas, ne lui parlait pas, et c'était tout. Si elle ne s'intégrait pas, elle n'avait à s'en prendre qu'à elle-même. Elle n'était pas intéressante. Pour se consoler, elle essayait de se convaincre que l'indifférence des autres lui était égal, mais ce n'était pas facile. Et puis elle n'était pas si grosse, non plus. La comparaison avec une mère squelettique n'aurait été avantageuse pour personne.

Elle se demandait souvent si sa mère ne regrettait pas d'avoir obtenu le droit de garde. Papa aurait très bien pu me prendre, songea-t-elle. Si je vivais en Amérique avec lui et Jeanette, ce serait maman que je ne verrais jamais, au lieu de papa.

Alison avait cinq ans quand Patrick Drake était parti avec armes et bagages. Dès cet instant, Claudia avait tout fait pour l'éloigner de sa fille. Elle n'en finissait pas de se venger de lui. Sans doute l'avait-elle vraiment aimé, sinon elle n'aurait pas été aussi acharnée. Ce n'est pas le genre de ma mère de divorcer à l'amiable, ah ! ça non ! se dit Alison pour la millième fois. La quitter, c'était un crime de lèse-majesté, surtout pour partir avec une autre femme. Alison, quant à elle, ne comprenait que trop bien qu'on puisse se lasser de Claudia.

Sans même parler de son caractère, sa mère avait un emploi du temps impossible. Elle partait en tournée presque toute l'année, et quand elle rentrait, elle avait ses répétitions, ses cours, des séances photos, et n'était jamais à la maison. Sans doute n'avait-elle pas été plus disponible pour son mari que pour sa fille. Les nounous s'étaient succédé, et Claudia n'avait même pas essayé d'aménager leur mode de vie. Alison ne parvenait pas à en vouloir à son père d'être tombé amoureux de quelqu'un d'autre. Jeanette était une étudiante américaine qui avait suivi les cours qu'il donnait à l'université, et même si elle n'était pas aussi belle que Claudia, elle avait du charme, elle était gentille, et surtout, elle était là.

Après le divorce, en attendant de la mettre en pension, Claudia avait traîné Alison autour du monde, la confiant à des gardes d'enfants, si bien que son père restait parfois pendant des mois sans la voir. Alison s'en indignait encore. Sa mère n'avait pas le droit ! Elle l'avait fait vivre dans des chambres d'hôtel pendant des semaines et des semaines. Pourtant, avant le départ de son père pour l'Amérique, qui ne remontait qu'à six ans, Claudia aurait pu lui demander de s'occuper d'Alison, mais elle ne l'avait pas fait une seule fois.

Les larmes lui montèrent aux yeux. Le sujet la rendait trop sensible. Elle ne voyait quasiment plus son père. Il vivait trop loin pour venir lui rendre visite souvent, et c'était un piètre correspondant. Au début, il lui avait envoyé des cartes postales avec des petits poèmes, des cadeaux, mais les messages s'espaçaient de plus en plus.

Juste avant Noël, Alison avait dessiné une carte pour lui, qui les montraient, elle et Claudia, ensevelies jusqu'au cou dans la neige, coiffées de bonnets à pompons, devant un manoir de film d'horreur. Mais elle regrettait son mot d'accompagnement, dans lequel elle avait décrit le Festival de Wychwood en termes peu flatteurs. Je n'aurais pas dû me plaindre autant, pensa-t-elle. Il n'aime pas ça.

Claudia lui sourit.

— Je ne vois pas de solution, chérie, il va falloir te faire une raison. Ça ne durera pas très longtemps. Moi aussi, je déteste la campagne, mais je me réjouis de travailler avec Hugo. Ce sera très agréable, du moins je l'espère. Il est tellement exigeant, et il ne fait pas d'exception pour moi. Quel dommage qu'il ait dû passer Noël chez son père ! J'ai hâte de le retrouver.

Alison devina qu'elle était vexée qu'il ne lui ait pas proposé de l'accompagner. Bien fait pour elle !

Hugo Carradine était l'amant de sa mère depuis deux ans. Alison savait Claudia plus attachée à lui qu'à ses prédécesseurs, parce qu'elle lui avait appris la nouvelle à peine quelques jours après leur rencontre.

— Tu es une grande fille, maintenant, avait-elle déclaré. À douze ans, on est capable de comprendre ce genre de choses. Je l'aime, chérie...

Parlez franchement à vos enfants, ouvrez-vous à eux. Alison était convaincue que sa mère avait lu ce conseil dans un magazine.

— J'espère que tu l'apprécieras aussi, et que tu feras de gros efforts.

Alison l'avait rassurée. Elle trouvait Hugo plus sympathique que ses autres amoureux.

Quant à Wychwood, il allait falloir se résoudre à y gâcher ses vacances. Claudia aurait le dernier mot, comme d'habitude. Elle se servit une bonne part de Christmas pudding. Ça, au moins, personne ne va me le disputer. Maman n'ose même pas le regarder par peur que les calories ne lui sautent à la figure. Et la crème au beurre, inutile d'en parler !

27 décembre 1986

Installé dans un fauteuil d'orchestre de la salle de l'Arcadia, Hugo Carradine goûtait à ses derniers moments de tranquillité. D'ici quelques heures, la troupe arriverait. Impatient de reconnaître les lieux, il s'était levé tôt et avait quitté la maison de son père à l'aube pour se rendre dans le Yorkshire. Il disposait d'encore un peu de temps pour savourer l'atmosphère si particulière des théâtres vides. Le rideau était ouvert, et la scène était baignée par la lumière nacrée de cet après-midi hivernal. Le jour pénétrait par des lucarnes percées dans le toit, au-dessus des cintres et des passerelles. Une fois allumées, les rampes de projecteurs noirs métamorphosaient le décor, tableau après tableau. Il suffisait de changer les couleurs pour modifier les volumes et les atmosphères, et ce prodige s'opérait uniquement grâce à des feuilles de celluloïd colorées, les gélatines, placées devant les lampes.

Le théâtre plaisait beaucoup à Hugo. Les rideaux de velours et les fauteuils vieux rose ; les guirlandes de fleurs, de harpes et de rubans peintes à l'or ; les épais tapis violine. Ce lieu dégageait un charme vieillot et décadent, une atmosphère de maison close de la fin du XIXe siècle.

Il était temps de rentrer au manoir. Il sortit de sa rangée et quitta la salle, se demandant s'il prendrait le passage couvert ou le chemin du jardin. Hester Fielding avait exigé la construction d'un couloir entre la maison et le théâtre.

Elle lui avait rapporté sa conversation avec l'architecte en lui faisant visiter les lieux : « On ne peut pas laisser les danseurs se geler pour aller sur scène, ou pour rentrer des classes, ils risqueraient un claquage. » Personne n'avait discuté. C'était une femme de caractère qui ne supportait pas la contradiction, mais elle avait raison.

Même si le trajet extérieur était plus long, Hugo décida de l'emprunter. La pluie s'était arrêtée, mais le vent le surprit, et il eut froid. Il enroula autour du cou son écharpe en cachemire (un cadeau de Noël de Claudia), et suivit l'allée qui serpentait à travers le parc.

À sa droite, la pelouse, blanche de givre, s'étendait jusqu'à la haie de clôture. La route passait derrière, parallèle à la rivière. Il apercevait l'eau paresseuse et brune, basse en cette saison, et les pâturages sur la rive opposée. Il n'y avait aucune habitation, pas âme qui vive. Où que se porte le regard, on ne voyait que de l'herbe rase et des moutons.

Un vrai désert, avait-il pensé à son arrivée à Wychwood. On était loin de tout, mais quelle beauté ! Pas étonnant que le théâtre affiche complet pendant le festival. La gare la plus proche étant à huit kilomètres, et la compagnie de taxi du village ne disposant que de deux Ford Escort, il était nettement plus pratique de venir à Wychwood en voiture. Hester Fielding avait tout prévu. Elle avait persuadé le fermier voisin de lui vendre un champ pour aménager un parking qui, caché derrière un rideau d'arbres, était invisible du manoir.

Comme le ciel est immense, songea-t-il. On aurait dit un dôme posé sur la Terre, animé par les jeux de lumière des nuages. Dans son métier, il n'évoluait qu'à l'intérieur d'espaces clos. Les décors des ballets représentaient des forêts, des montagnes, des places de villages, des royaumes enchantés, mais le fond de toile peinte était plat, infranchissable comme un mur. De la salle, on avait l'illusion d'une perspective illimitée, mais les univers créés par les décorateurs et les éclairagistes étaient factices. C'était précisément de là que naissait la magie.

Il passa devant des massifs de terre retournée. Les rosiers taillés devaient être magnifiques en été. Des camélias, des rhododendrons anciens s'élevaient, hauts comme des arbres. On lui avait dit que des gens du village entretenaient la propriété, qui restait impeccable quelle que soit la saison.

Une soudaine exaltation s'empara de lui. Enfin, il était à Wychwood ! D'ici quelques jours, tous les critiques du pays, toutes les sommités du monde de la danse prendraient place sur les fauteuils de velours rose pour juger son travail. Il les étonnerait : il allait monter un ballet différent de tous les autres.

Hugo connaissait sa réputation. On le respectait, tout en regrettant son traditionalisme. Certains le traitaient d'incurable romantique, de nostalgique de Petipa et de Diaghilev. Il ne parvenait toujours pas à oublier un certain article qui l'assassinait en une ligne (on se souvient toujours mieux de ceux-là). *Quand on regarde un ballet de Carradine, on se croirait revenu cinquante ans en arrière.* Cet Alasdair Clough ! Quel imbécile ! Il prendrait un autre ton après le succès de *Sarabande*. Il aurait d'ailleurs déjà changé d'avis s'il s'était donné la peine d'aller voir ses *Belles d'argent*. Sa transposition de *Giselle* dans les années 1970, avec les Wilis en danseuses disco dans une boîte de nuit, avait enthousiasmé les journalistes. La version contemporaine de cette tragédie au romantisme échevelé avait étonnamment bien fonctionné, et le contraste entre la musique et le décor avait produit un effet saisissant.

Pour *Sarabande*, il lui fallait des danseurs exceptionnels, et il fondait de grands espoirs sur Silver McConnell. Cette jeune ballerine avait la trempe d'une future étoile. Son immense talent lui permettrait d'atteindre des sommets si seulement on la poussait un peu. Lors de l'audition, il avait été frappé par sa facilité, et c'était sans doute là son seul défaut. Les gens très doués se reposaient parfois sur leurs lauriers et faisaient moins d'efforts que les autres. Eh bien, elle comprendrait vite à qui elle avait affaire. Il demandait le maximum à sa troupe, et n'avait pas peur de combattre la paresse. Sa réputation de perfectionniste le poursuivait, mais quelle autre ambition pouvait-on avoir ? Hugo n'aimait pas perdre son temps, et il faudrait que Silver se montre à la hauteur. Elle en était au tout début de sa carrière. Le rôle de l'ange la servirait. Déjà, il pensait à de nouveaux pas, à de nouveaux enchaînements à intégrer à sa chorégraphie pour mettre en valeur sa taille, sa jeunesse, sa virtuosité. Oui, il se réjouissait de travailler avec elle, de lui montrer le décor, de lui faire écouter la musique. Comment réagirait-elle en la découvrant ?

L'œuvre d'Edmund Norland convenait à son projet à la perfection. Ce serait un vrai coup de tonnerre dans la profession. Jusqu'à présent, il n'avait fait entendre le morceau qu'à Claudia. *Magnifique, chéri*, avait-elle commenté du ton machinal qu'elle utilisait pour tout. On ne savait jamais ce qu'elle pensait vraiment. Par chance, elle n'avait pas participé aux *Belles d'argent*, parce qu'elle avait accepté une tournée en France pour danser le rôle de la fée Dragée dans *Casse-Noisette*. En sa présence, Hugo s'était lamenté de ne pouvoir l'inclure dans son ballet, mais au fond, il avait été soulagé. Giselle devait être très vulnérable, très jeune : seize ans tout au plus, et il avait découvert Ilene. Claudia, à trente-six ans, n'avait plus l'âge de jouer Giselle depuis longtemps, comme beaucoup d'autres personnages, d'ailleurs. Pour *Sarabande*, il avait dû trouver une astuce. La princesse n'avait pas besoin d'être trop jeune. Il avait créé son ballet autour de Claudia en lui bâtissant un personnage sur mesure, pas trop physique, pas trop fatiguant. Se rendait-elle compte des contraintes qu'elle lui imposait ? Probablement pas. Les rôles de Silver et de Nick seraient nettement plus intéressants, aussi bien pour les solos que les pas de deux. Claudia, elle, n'avait qu'à les accompagner. Elle se débrouillerait certainement très bien, et la princesse étant sur scène du début à la fin, elle s'imaginerait tenir le rôle principal. Hugo s'interrogeait parfois sur l'intelligence de sa maîtresse, mais réprimait ses doutes. Elle était belle, elle lui plaisait, et disait l'aimer. Que demander de plus ? Il n'aurait même pas dû se poser la question.

Avec un soupir, il chassa ces préoccupations. Inutile de s'inquiéter tant que cela ne deviendrait pas absolument nécessaire. Tout allait bien ; il exerçait le métier dont il avait toujours rêvé ; il montait tous les ballets qu'il souhaitait, poussait les danseurs à sauter plus haut, à tourner plus vite, à tout donner pour lui. Et maintenant, la grande Hester Fielding l'avait choisi parmi des dizaines d'autres chorégraphes. C'était une étape décisive dans sa carrière.

Il avait découvert la chorégraphie grâce à un heureux concours de circonstances. Dans son enfance, il avait adoré la danse, et pris des cours avec assiduité. Malheureusement, à dix-sept ans, avec son mètre quatre-vingt-dix, il avait dû se résoudre à abandonner. Il était bien trop grand pour devenir danseur, et d'ailleurs, ses goûts changeaient Grand amateur de littérature, il avait d'abord pensé se tourner vers l'écriture, ou le journalisme. Au cours de ses études de lettres au Queen's College, à Oxford, il était revenu un jour à la danse classique par un ami. Celui-ci mettait en scène le *Songe d'une nuit d'été*, et avait besoin d'un bref divertissement pour les fées. Mis à contribution dans cette petite production, Hugo s'était amusé comme un fou. Il avait même été tellement enchanté de retrouver le monde du mouvement et de la musique qu'il avait eu l'idée d'en faire son métier.

En sortant d'Oxford, il avait trouvé une place d'assistant dans la compagnie Julian Flannard, et n'en était plus parti. Quand Julian avait pris sa retraite, Hugo lui avait succédé à la tête de la compagnie, à laquelle il avait donné son nom.

Devant sa troupe, il se métamorphosait. L'homme courtois et charmant disparaissait pour laisser place à un véritable despote. Il entendait qu'on lui obéisse, et ne craignait pas de brusquer les danseurs pour obtenir ce qu'il désirait. Il lui arrivait même souvent de faire pleurer les plus jeunes pendant les classes ou aux répétitions. Bien entendu, il se rattrapait ensuite, et se montrait tellement adorable qu'on ne pouvait pas lui en vouloir longtemps. Le pardon venait d'ailleurs d'autant plus facilement que les danseurs constataient leurs progrès fulgurants. Hugo avait un immense sens de la musique, une grande intelligence, et était bourré d'imagination. Si on le trouvait trop strict, peu importait : ses danseurs savaient qu'il agissait pour leur bien.

Il regarda sa montre. Claudia allait bientôt arriver avec Alison. Sa présence ramènerait ses doutes. Leur relation n'était pas simple, mais il avait horreur des complications. Il préférait éviter les affrontements : parfois, les difficultés s'aplanissaient d'elles-mêmes, et on gagnait à attendre. Avec Claudia, cette attitude ne conviendrait peut-être plus longtemps. Il se posait de sérieuses questions. Souvent, elle l'irritait, et il la trouvait très dure avec sa fille. S'il osait prendre la défense de la pauvre Alison, Claudia se mettait en colère, boudait, et lui faisait des scènes : il n'était pas le père, et n'avait pas à se mêler de son éducation. Sa lassitude le conduisait à envisager la rupture. Sa décision était presque prise quand il avait gagné le concours de Wychwood. Il avait alors préféré temporiser, parce que le rôle de la princesse avait été écrit pour elle. Pour l'instant, il fallait donc se contenter du statu quo.

Claudia était encore très belle, mais elle trichait sur son âge. Combien de temps resterait-elle crédible comme jeune première ? Combien de temps parviendrait-elle à danser les rôles vraiment physiques qui demandaient puissance et souplesse ? Plus très longtemps. Bientôt, on ne lui donnerait plus que des emplois secondaires. Si elle ne se rendait pas compte toute seule qu'il fallait arrêter, quelqu'un devrait se charger de le lui suggérer, mais Hugo ne tenait pas à jouer ce rôle ingrat. On verra, se dit-il avec un soupir.

Il décida d'aller à la cuisine pour se préparer un sandwich. En chemin, il pensa à Hester Fielding et au trac qu'il avait eu au moment de leur entretien. Il avait dû l'attendre dans son bureau, et avait été fasciné par les photos de sa jeunesse. Sur certaines d'entre elles, elle n'avait pas plus de quinze ans, et quand il s'était trouvé face à l'ancienne étoile en chair et en os, il avait retrouvé les traces de cette jeune fille qu'il venait de découvrir.

1947

Les cours de danse étaient annulés à cause de la neige. D'énormes congères s'amoncelaient dans les caniveaux, et le verglas rendait la circulation périlleuse. Par prudence, Mme Olga avait décidé de prolonger un peu les vacances de Noël. Vivant à deux pas de Wychwood, Estelle était privilégiée. On l'autorisait à traverser le village à condition de bien se couvrir. Elle en profitait pour aller s'entraîner tous les jours.

C'était le paradis d'avoir Mme Olga pour elle toute seule. Elle jouait à la châtelaine, s'imaginait qu'elle ne vivait pas chez les Wellick mais dans ce manoir plein de mystère. Elle avait beau suivre les cours depuis quatre ans, Mme Olga commençait seulement à la traiter comme une élève à part. Le mauvais temps acheva de la rapprocher de son professeur.

— En Russie, on verse le thé dans des verres comme ceux-ci, expliqua Mme Olga en s'asseyant à la table de la cuisine.

Souriante, elle servit en ajoutant :

— Je n'ai pas de samovar, mais je vénère les verres à thé de ma mère.

— Un samovar, qu'est-ce que c'est ?

— C'est le récipient pour faire le thé. Comme... Comment dire ? Comme une grande bouilloire. Et attends de découvrir mes biscuits.

Ils étaient rangés dans un tiroir du vaisselier. Estelle se demanda comment Mme Olga s'était débrouillée pour rassembler les ingrédients. À l'évidence, il avait fallu beaucoup de rations de beurre, de farine et de sucre. Ces biscuits longs, minces et croustillants s'appelaient des langues de chat. Elles s'en régalèrent tandis que Mme Olga, nostalgique, lui racontait des anecdotes du temps où elle était danseuse.

— Je voudrais tellement devenir comme vous, soupira Estelle.

Elle adorait les photos accrochées au mur du salon, se délectait des détails des costumes, des coiffures, des chaussons. Elle connaissait les noms de tous les ballets dans lesquels Mme Olga avait dansé. *Le Lac des cygnes*, *La Belle au bois dormant*, *Coppélia*, *Ondine*, *L'Oiseau de feu*. Surtout *L'Oiseau de feu*. Quand Mme Olga lui avait raconté l'histoire de l'oiseau d'or qui avait aidé le prince Ivan à vaincre le méchant enchanteur, elle avait pensé que ce rôle avait dû convenir à son professeur mieux que tout autre, parce qu'elle ressemblait déjà à un oiseau. Même ses châles aux couleurs chaudes, brochés d'or, évoquaient un plumage flamboyant.

— Tu me dépasseras. Je te le promets, ma petite fille.

Mme Olga prit une gorgée de thé puis posa un regard grave sur Estelle.

— Ne laisse personne t'arrêter, crois-moi. Bientôt, il sera temps pour toi de te former sérieusement. Tu dois aller à Londres pour te perfectionner. Très vite, peut-être.

Une douleur fulgurante la saisit. Mme Olga allait-elle la chasser, elle aussi ?

— Mais je ne veux pas vous quitter. Je veux que vous restiez toujours mon professeur.

— Cela m'aurait fait grand plaisir, mais tu as trop de talent. Il te faut grandir. La semaine prochaine, je te présenterai à Piers Cranley. Je t'ai déjà souvent parlé de lui. C'est un très bon ami. Sa famille a été charmante avec moi depuis mon arrivée en Angleterre. Ce sont mes seules connaissances ici. Piers est mon préféré. Je lui ai demandé de venir te voir danser. S'il te trouve du talent, s'il accepte de t'engager dans sa compagnie, tu ne dois pas hésiter. Ce serait une chance unique.

— On ne me laissera jamais partir.

— Ton père ? Il ne voudra pas ?

— Je ne sais pas. Je ne lui écris pas très souvent. Je pourrais toujours lui poser la question, mais je crois qu'il préférerait que j'entre dans l'enseignement, ou que je sois infirmière.

— Toi ? Infirmière ? Sûrement pas !

Mme Olga avait l'air atterré.

— Non, je ne veux pas être infirmière. Je veux être danseuse. Comme vous.

— Alors, il faut attendre Piers. Ton avenir dépendra de lui. S'il te trouve aussi extraordinaire que moi, alors tu entreras dans sa troupe. J'arrangerai votre rencontre. Laisse-moi me charger de ta carrière.

La semaine suivante passa comme un rêve. Elle se voyait déjà à Londres, dans une vraie compagnie de danse. Il faudrait travailler dur : cours le matin, répétitions l'après-midi, et représentations le soir. Mme Olga lui avait tout expliqué. Y avait-il des rôles pour une fille d'à peine quatorze ans ? Clara, dans *Casse-Noisette*, pour commencer. Elle pourrait peut-être jouer un jeune cygne, dans *Le Lac des cygnes*. Quel bonheur ce serait de danser sur ces airs qu'elle aimait tant !

Pendant que Paula dormait, Estelle, dans son lit, pensait aux costumes qu'elle allait porter : constellés d'ornements colorés, soyeux, avec des plumes, de l'organdi, du tulle. Des pointes en satin, et pas une paire, mais des dizaines. Il lui en faudrait des noires, des blanches, des roses, des bleues, même des rouges. Elle ferait la révérence dans la lumière ambre ou bleue des projecteurs ; le public jetterait des fleurs à ses pieds.

Mais sur sa joie planait une ombre. Quand le pessimisme l'emportait, elle pensait que Mme Olga n'obtiendrait pas la permission de son père. Il lui claquerait la porte au nez, ou plutôt, il expédierait une lettre de France... *Il est hors de question que j'autorise ma fille à devenir danseuse. Elle est beaucoup trop jeune pour quitter la famille Wellick et vivre seule à Londres. Je l'ai envoyée en Angleterre pour qu'elle soit éduquée convenablement, un point c'est tout. Vous perdez votre temps, chère Madame.*

Quand vint le jour de l'audition, Estelle ne croyait plus à son beau rêve. Elle serait condamnée à rester chez les Wellick, au fin fond de cette campagne sinistre, jusqu'à ses vingt et un ans. Et il serait alors beaucoup trop tard. Cette pensée la faisait invariablement fondre en larmes.

Elle ne se confia à personne. Ses amies – Pam et Betty, du cours de danse, et Felicity à l'école – ne soupçonnaient aucunement ses ambitions. Elles l'auraient accusée de « crâner ». Il n'y avait pas plus prétentieux, de leur point de vue, que de vouloir devenir artiste et danser sur scène. Ce n'était pas facile de la connaître. Timide, elle se livrait peu et ne donnait jamais son opinion à moins qu'on ne la sollicite. Quand on l'interrogeait en classe, elle répondait correctement. Mlle Wilcox l'avait remarqué.

— Tu es un cas, Estelle. Je suis sûre que tu serais capable de beaucoup mieux faire, surtout en anglais.

Elle se contentait de prendre l'air entendu. Inspirée par le cinéma, elle cultivait une expression énigmatique. Parfois, trop rarement, tante Rhoda les emmenait voir un film à Leeds. Estelle dévorait les magazines. Elle étudiait les visages des stars : Greta Garbo, Marlene Dietrich, Vivien Leigh, Merle Oberon. Leur demi-sourire mystérieux l'impressionnait. Alors elle les imitait, avec succès, d'ailleurs. Pour elle, c'était un complément à sa formation de ballerine. Mme Olga ne lui répétait-elle pas qu'une danseuse devait savoir jouer la comédie ?

— Toi, ma petite, tu es douée, disait-elle souvent à

Estelle. Si le public ressent ton émotion à travers ton jeu, il sera conquis. Quand tu es Giselle, ton amour et ta folie m'atteignent là, en plein cœur !

Elle se frappait la poitrine avec le poing, puis sa main s'envolait comme un beau papillon blanc.

Bien sûr, à treize ans, Estelle n'avait jamais dansé *Giselle* en entier. Dans un cours, on ne pouvait pas monter un ballet dans son intégralité. Mme Olga avait chorégraphié deux petits solos pour son élève sur la musique d'Adolphe Adam. Elle lui avait raconté l'histoire avec un grand luxe de détails, pour qu'elle comprenne bien son rôle, et ce qu'elle était censée éprouver. Dans le premier, elle rayonnait de bonheur en avouant son amour pour Loys, et dans le deuxième, elle perdait la raison parce qu'elle découvrait que l'homme de ses rêves l'avait trompée sur son identité et était déjà fiancé. Estelle n'avait aucune expérience de la folie, ni de la passion, mais elle ressentait tout très profondément. Les livres décrivaient ces émotions, les films les représentaient à l'écran, et par ce biais, elle arrivait à les imaginer. Aidée par la musique, elle parvenait à exprimer la douceur d'un premier amour, puis le choc, la douleur, l'angoisse. Mme Olga lui apprenait la technique, les pas, mais Estelle savait d'instinct comment utiliser son corps pour traduire par ses mouvements les sentiments les plus bouleversants.

Piers Cranley avait pris place sur la meilleure chaise de Mme Olga, tout au bout de la salle de danse. Il avait gardé son pardessus sur ses épaules, car la pièce était mal chauffée. Estelle avait un trac si terrible qu'elle arrivait à peine à respirer, mais en approchant, elle fut rassurée de découvrir un petit homme aimable au teint fleuri. Elle se détendit un peu et, guidée par la main de Mme Olga, elle s'arrêta à quelques pas de lui.

— Piers, je te présente Estelle Prévert.

Mme Olga se tourna alors vers son élève et lui souffla :

— Fais la révérence, ma fille. Une belle révérence comme je t'ai montré.

Estelle grelottait dans son justaucorps d'étude, mais elle obéit en exécutant un plié profond. Comme son juge était éclairé par l'arrière, elle ne put deviner sa réaction sur son visage.

— Très joli, très joli, approuva-t-il. Approche encore, mon enfant. N'aie pas peur. Je viens te voir parce qu'Olga affirme avoir découvert une vraie ballerine. A-t-elle raison ?

Estelle se demanda s'il fallait être modeste. Peut-être s'attendait-il à ce qu'elle réponde : « J'espère » ou « Je ne sais pas ». Mais elle aurait beau faire, elle n'y arriverait pas.

— Oui, lança-t-elle en le regardant droit dans les yeux.

Comme il avait l'air gentil, elle aurait presque osé ajouter : « Je veux devenir étoile », mais elle n'eut pas l'audace d'aller aussi loin.

— Si tu entres dans ma compagnie, il faudra changer de nom. Notre première danseuse s'appelle déjà Estelle. Deux, ce serait un peu trop. C'est étonnant, ce prénom français... Mais je suis bête, tu es à moitié française, je crois.

— Ça ne me dérange pas de changer.

L'idée d'être rebaptisée avait aussitôt plu à Estelle. Choisir un autre nom, ce serait un nouveau départ, une renaissance. Les vedettes de cinéma prenaient des pseudonymes, aussi. Peut-être cela attirerait-il la célébrité ! Un nom tout neuf lui porterait chance et la libérerait de son enfance.

— Hester, prononça Mme Olga d'un ton sans réplique. Elle semblait déjà avoir adopté le prénom.

— Hester ressemble beaucoup à Estelle, expliqua-t-elle. C'est peut-être même la transposition anglaise du même prénom.

Estelle se le répéta. *Hester*. Oui, c'était très bien, aussi plaisant que d'essayer une robe neuve qui par chance vous allait à merveille. Elle approuva de la tête.

— Il faut aussi changer le nom de famille, poursuivit Mme Olga. Cherchons-en un de plus anglais. Prévert, c'est « green field », voyons... *Field*...

Sourcils froncés, elle porta les doigts à ses tempes.

— Fielding ! s'exclama-t-elle. *Hester Fielding*. Oui. Je le vois sur les affiches, les programmes. Facile à prononcer. Alors, Hester Fielding, danse pour M. Cranley, je te prie.

Estelle avait disparu pour laisser place à Hester. Elle tenait à faire honneur à son prénom de scène, d'autant que Piers Cranley semblait impatient de la voir commencer.

— Je vais danser un solo que Mme Olga a arrangé pour moi, sur la musique de *Giselle*.

— Je vois que tu portes déjà une chaînette en or autour du cou. Tu connais l'histoire, j'imagine. Tu sais l'importance de ce bijou dans le ballet ?

Estelle, ou plutôt Hester, hocha la tête. Jamais plus elle ne serait Estelle. Cette démonstration marquerait la naissance d'Hester Fielding.

Mme Olga remonta le Gramophone et posa l'aiguille sur le disque. La salle de danse disparut, et Hester se retrouva sur une place de village, en train de célébrer le début de la fête des moissons.

Quand la musique s'emparait d'elle, elle devenait une autre, sans pour autant oublier son identité ni ce qu'elle faisait. La chorégraphie était complexe, et il fallait garder en mémoire les enchaînements, la logique des pas, visualiser les formes que dessinait le corps dans l'espace tout en traduisant les sentiments. La maîtrise de soi devait être parfaite, mais, intimement mêlé à la performance physique, on accueillait une nouvelle personnalité. Les espoirs, les désirs, les aspirations du personnage vous habitaient. On souffrait et on aimait comme lui, sans jamais perdre conscience de la technique nécessaire à l'accomplissement de cette métamorphose.

À la fin du solo, Hester posa les yeux sur Piers Cranley. Il garda un instant le silence, puis s'exclama :

— Ma chère Olga ! Tu avais tout à fait raison, comme toujours ! Cette petite est une vraie danseuse.

Il se leva et lui saisit la main.

— Il va falloir s'y mettre très vite. Je voudrais qu'Olga parle à tes tuteurs le plus tôt possible. Penses-tu qu'elle pourrait les voir dès cet après-midi ? Il est essentiel que tu commences la formation sans tarder.

Mme Olga téléphona à sa tante et à son oncle le jour même, et fut invitée à prendre le thé le lendemain. Ils avaient beau vivre dans le même village depuis des années, tante Rhoda la considérait toujours comme une étrangère, et n'avait jamais échangé un mot avec elle. Quant à Mme Olga, elle ne se fournissait plus beaucoup à l'épicerie, ses courses lui étant livrées par camionnette de Keighley, et elle avait peu d'occasions de rencontrer ses voisins.

Tante Rhoda servit des biscuits, et présenta le thé sur un plateau garni de son plus beau napperon. Oncle Bob avait allumé un feu au salon, et Hester avait été chargée d'épousseter la pièce à fond avant l'arrivée de l'invitée. Ce qui ne l'avait pas du tout gênée : elle s'était imaginée dans le rôle de Cendrillon et avait dansé de meuble en meuble tout en faisant le ménage.

En voyant Mme Olga arriver, Hester dut reconnaître qu'elle avait une allure d'excentrique. Indifférente à l'impression qu'elle laissait, son professeur prit place sur le canapé des Wellick, exhibant ses chaussures du dimanche. Elle portait la robe noire dans laquelle elle donnait parfois ses cours, agrémentée pour l'occasion d'un foulard rouge. Elle posa ses gants sur l'accoudoir et son sac à main par terre à côté d'elle.

Pendant que tante Rhoda servait le thé, Mme Olga s'ingénia à nourrir la conversation. Elle souriait d'un air enchanté dès que son hôtesse ouvrait la bouche, même si ce n'était que pour débiter des platitudes telles que : *Je ne sais pas quand le temps va se réchauffer ; on n'ose plus mettre le nez dehors* et *J'espère que vous aimez les sablés.*

Paula, au grand soulagement d'Hester, passait l'après-midi chez Marjorie. Oncle Bob semblait fort mal à l'aise, debout, dos au feu, sa tasse et sa soucoupe dans une main. Heureusement, Mme Olga entra vite dans le vif du sujet. Après quelques gorgées de thé et un biscuit qu'elle acheva en trois délicates bouchées, elle se lança :

— Cher monsieur, chère madame...

Hester eut envie de rire. On aurait dit qu'elle dictait une lettre.

— J'ai pris la liberté de vous importuner pour vous parler de l'avenir d'Hester.

— Hester ? Qui est-ce ? s'étonna tante Rhoda.

Mme Olga eut un sourire.

— Elle ne vous a pas raconté ? Je vais tout vous expliquer. Hester... (Elle se reprit en la désignant du doigt.) Estelle ne s'appelle plus Estelle, mais Hester.

Tante Rhoda se tenait sur la défensive, comme si elle attendait des reproches et voulait se justifier.

— Quelle drôle d'idée. Je n'y comprends rien.

— Hester Fielding, c'est un excellent nom d'artiste.

— Pourquoi Estelle a-t-elle besoin d'un nom d'artiste ? Je ne vois pas.

— Vraiment ? Elle va devenir danseuse, vous savez. J'espère qu'elle sera célèbre dans le monde entier.

— Mais voyons ! Ce n'est pas parce que vous lui donnez des cours... Elle est un peu jeune pour...

Mme Olga l'interrompit d'un geste impérieux.

— Dans la danse, on n'est jamais, jamais trop jeune. Je suis une amie de Piers Cranley, directeur de la compagnie Charleroi. Vous connaissez ?

Manifestement, tante Rhoda n'avait jamais entendu ce nom de sa vie. Mme Olga s'expliqua.

— C'est une compagnie londonienne. M. Cranley est fortuné par sa famille. Il monte beaucoup de ballets, et il peut engager les meilleurs danseurs. Hester a du talent. Elle a un don. Vous ne saviez pas ? Il l'a vue danser chez moi, et il veut l'engager dans sa troupe, à Londres. C'est une opportunité magnifique. Elle apprendra beaucoup, elle fera de la scène très jeune, ce sera excellent pour sa carrière. Les danseurs vivent ensemble dans une pension de famille. M. Cranley s'occupe des études de ses élèves. Des cours sont donnés par un professeur spécial quelques heures par jour. Piers forme environ douze danseuses et danseurs, je crois, mais Hester sera la plus jeune.

Mme Olga s'interrompit, son regard perçant rivé sur tante Rhoda. Elle la fixait comme pour l'hypnotiser.

— C'est une chance unique qu'il ne faut pas manquer, insista-t-elle. Avec la danse classique, le mieux, c'est de commencer sur scène dès quatorze ans. Un grand avantage.

Un long silence suivit. Mme Olga aurait lancé une grenade que son oncle et sa tante n'auraient pas été plus secoués. Peut-être, pensa Hester, aurait-il été plus habile d'amener la nouvelle avec davantage de ménagement, en laissant son changement de nom pour plus tard. Tante Rhoda était nerveuse ; oncle Bob, sourcils froncés, avait posé sa tasse sur la table basse et s'était rapproché de sa femme. Ils échangèrent un regard, puis tante Rhoda prit la parole.

— Vous êtes bien gentille mais...

Hester n'eut besoin que de ce début pour comprendre qu'elle allait refuser. Quelle déception ! Elle dut se mordre les lèvres pour s'empêcher de pleurer.

— ... ce n'est pas une vie respectable pour une jeune fille bien élevée. Vous voulez qu'on autorise Estelle à se montrer presque déshabillée. Vous êtes bien aimable de vous intéresser à son avenir, madame, mais il n'en est pas question. Quand elle sera majeure, nous en reparlerons.

— Il sera trop tard pour une carrière de danseuse, madame Wellick ! À vingt et un ans, elle sera trop vieille.

Il est nécessaire d'entraîner le corps quand il est souple. Vous comprenez ?

— Oui, très bien, mais ça ne change rien. Une jeune fille comme il faut ne se donne pas en spectacle, et c'est tout.

— Non, ce n'est pas tout. Il y a beaucoup, beaucoup plus ! Je ne vous parle pas de music-hall, de vulgarité, madame ! Je parle d'un art, d'un art noble. De grande musique. D'un talent hors du commun. De splendeur. De perfection. On ne peut pas dire non à la beauté !

— Beauté, beauté... bougonna l'oncle Bob de façon inattendue. C'est bien joli, mais elle va quand même montrer ses jambes à tout le monde !

Mme Olga se leva, et se dressa de toute sa taille.

— Madame, monsieur, je n'ai qu'une seule chose à ajouter avant de partir. Je vais demander à Hester l'adresse de son père. La compagnie Charleroi sera en tournée à Paris très bientôt. Piers Cranley ira voir M. Prévert lui-même.

Elle sortit un carnet à couverture de cuir ainsi qu'un stylo de son sac.

— Cela, vous ne pouvez pas l'interdire. Hester, je te prie, ma petite fille, donne-moi l'adresse de ton père à Paris. Je vais lui écrire.

Au comble du désespoir, révoltée, Hester la lui dicta d'une voix claire. Malgré leur hostilité, son oncle et sa tante ne s'interposèrent pas. Elle leur jeta un coup d'œil de défi tandis que Mme Olga prenait note. Après avoir rangé son carnet d'adresses, cette dernière lança un sourire satisfait aux Wellick.

— Je suis persuadée que M. Cranley parviendra à le convaincre. Si c'est le cas, j'espère que vous ferez de votre mieux pour faciliter le déménagement d'Hester à Londres. Je vous remercie pour votre hospitalité et vos biscuits délicieux. Au revoir.

Elle s'approcha d'Hester.

— Garde courage, mon enfant.

Elle lui souleva le menton et la regarda droit dans les yeux. Profitant de ce que les Wellick s'éloignaient pour quitter le salon, elle continua à voix basse.

— Je te prie de croire que ce n'est pas terminé. Tu as vu M. Cranley : il obtient toujours ce qu'il veut. Tu le connaîtras mieux quand tu danseras pour lui. Il parlera à ton père et tout ira bien. Fais-moi confiance. Je m'occupe de tout.

Elle reprit ses gants et son sac, puis sortit, accompagnée par les Wellick. Hester resta seule au salon. Malgré le feu et l'exiguïté de la pièce, il y faisait un froid glacial. Dans la pénombre de cette fin d'après-midi d'hiver, il n'était que trop facile de perdre espoir. L'entrevue n'aurait pas pu se dérouler plus mal. L'optimisme de Mme Olga semblait difficile à justifier. Comment imaginait-elle une seule seconde qu'on allait l'autoriser à quitter cette maison ? Une amertume horrible lui empoisonnait la bouche, et les larmes s'accumulaient dans ses yeux. Non, elle ne pleurerait pas ! Elle ne leur ferait pas ce plaisir. Ils saisiraient l'occasion pour prétendre qu'elle n'était encore qu'une petite fille incapable de vivre seule à Londres.

— Qu'est-ce que tu fabriques toute seule dans le noir ?

Paula venait d'entrer.

— Je réfléchis.

— Maman m'a dit que la dame russe du manoir de Wychwood lui a rendu visite. Il paraît qu'un monsieur veut t'emmener vivre à Londres. Sans doute que c'est pour te mettre dans son lit !

— Pas du tout ! C'est le directeur d'une compagnie de danse. Mme Olga pense que je peux devenir danseuse, et il accepte de me prendre dans sa troupe.

Paula éclata de rire.

— Quelle idiote ! Dire que tu te laisses attraper par des mensonges pareils ! Danseuse, en voilà une histoire ! Tu ne devines vraiment pas pourquoi il veut t'emmener ?

71

Mme Olga est une drôle de roublarde. Tu n'y avais même pas pensé ? Mais quel bébé !

— Tu te trompes. M. Cranley est un monsieur très sérieux, et il va me former. Toi, tu n'y connais rien. La danse, tu ne sais même pas ce que c'est.

— Oh ! La naïve ! Je te jure ! Une fois qu'il t'aura attirée à Londres, il te montrera dans les cabarets, là où les filles se trémoussent toutes nues devant les gens. Et même, ajouta Paula avec un tremblement théâtral dans la voix, il pourrait te mettre sur le trottoir !

— Jamais de la vie ! M. Cranley est un ami de Mme Olga et il n'a rien à voir avec la prostitution.

Hester se leva, pressée de quitter la pièce, mais avant de sortir elle se tourna vers Paula.

— Et je te signale que je ne m'appelle plus Estelle ! C'est Hester à partir de maintenant, sinon je ne te répondrai pas. Hester Fielding, c'est mon nouveau nom.

Paula essaya bien de ricaner, mais la porte se referma en claquant. Dans l'entrée, Hester hésita, ne sachant où aller. Impossible de se réfugier dans la cuisine où elle entendait sa tante laver les tasses. Ah ! Si seulement elle avait pu monter dans sa chambre, se jeter sur son lit, se cacher la tête dans l'oreiller ! Mais Paula s'empresserait de l'y poursuivre pour continuer à la narguer. Il faisait trop mauvais pour sortir dans le jardin ou pour se promener. *Je dois partir d'ici. Il faut absolument que j'arrive à quitter cette maison !*

La rigueur hivernale continua. Un froid polaire sévissait sur le Yorkshire, jour et nuit, sans répit. On en perdait espoir de revoir le printemps. Le moral d'Hester était aussi bas que la température. L'angoisse, la dépression assombrirent les quelques semaines qui suivirent la visite de Mme Olga. La grisaille de son quotidien n'était relevée que par ses rêveries. Parfois, elle parvenait à se projeter dans une vie londonienne féerique, mais ces petits bonheurs ne duraient jamais longtemps.

Elle ne vivait que pour les moments passés avec Mme Olga. Après les cours, elle la retrouvait dans la cuisine du manoir, où elles discutaient sans fin de la situation. Un jour, Mme Olga lui dit :

— Viens avec moi, Hester, ma petite fille, Je vais te montrer quelque chose.

Hester la suivit à l'étage, où elle n'était encore jamais montée. En dehors du hall, du salon, de la salle de danse et de la cuisine, elle n'avait rien visité. Mme Olga la précéda dans le large escalier, puis dans un couloir sombre au bout duquel elle ouvrit une porte.

— Ma chambre, annonça-t-elle.

Hester regarda autour d'elle. Les lourds rideaux vert amande étaient tirés. Cela n'aurait rien eu de surprenant, puisqu'il faisait nuit, si Mme Olga était remontée pour les fermer. Mais Hester, sachant qu'elle avait passé l'après-midi en bas, eut le sentiment qu'ils restaient toujours fermés.

— Assieds-toi, ordonna Mme Olga en désignant un petit tabouret près d'une coiffeuse.

La pièce sentait bon la violette.

— J'adore cette odeur, remarqua Hester. Ma grand-mère portait le même parfum.

— J'espère que je ne suis pas comme ta grand-mère, protesta Mme Olga avec un sourire. Je n'ai que cinquante ans.

Cela sembla un âge déjà respectable à Hester, qui ne sut que répondre, n'ayant jamais imaginé une telle conversation.

— Vous êtes très belle.

— Un compliment ! C'est très gentil. J'ai toujours aimé la violette. Attends, je vais te montrer quelque chose.

Elle alla ouvrir une énorme armoire de bois presque noir. Les portes étaient sculptées de fleurs et de feuilles, et la clé de cuivre étincelait. Il y eut un grincement. Mme Olga se pencha à l'intérieur, disparaissant presque dans la caverne sombre, et en sortit une mallette en cuir, qu'elle posa sur le lit.

— Viens, approche.

Hester tira son tabouret plus près. Cela lui rappelait les jeux avec la boîte à bijoux de sa grand-mère. Le souvenir lui fit monter les larmes aux yeux. Mais Mme Olga ne portait jamais de bijoux. Leur seul désaccord était justement né de son horreur des ornements. Elle avait mené la vie dure à Hester qui refusait de retirer sa chaînette pendant les cours. Pour avoir gain de cause, il avait même fallu menacer de ne plus venir danser.

— Mais enfin, mon enfant, que feras-tu si tu deviens danseuse ! Aucun costumier, aucun chorégraphe au monde ne t'autorisera à garder cette chaîne autour du cou sur scène. C'est impossible.

— Sur scène, je l'enlèverai, mais seulement sur scène. J'ai promis à ma grand-mère de ne jamais la quitter. Je ne veux pas m'en séparer pendant les cours.

Mme Olga l'avait bien regardée et, comprenant sa détermination, elle avait cédé. Il n'en avait plus jamais été question.

— Ouvre.

Hester obéit. Un spectacle à couper le souffle éblouit son regard. Qu'étaient les bijoux de sa grand-mère à côté du trésor qui étincelait sous ses yeux ? On se serait cru dans un roman d'aventures, devant le coffre des pirates. À l'intérieur de la mallette s'enchevêtraient des colliers sertis de pierres fabuleuses : rubis, saphirs, émeraudes. Des bracelets s'y mêlaient, des broches et des bagues avec des perles, des améthystes, des topazes, de l'onyx, du jais. Elle avait devant elle un monceau de joyaux. Mme Olga plongea la main dans ce chatoiement.

— Tu vois, tout ça ? Ce n'est pas du tout intéressant, tu sais. Ça ne vaut rien.

— Mais c'est...

Elle en perdait la voix. Puis une pensée lui vint : sans doute s'agissait-il d'ornements de théâtre.

— C'est pour mettre sur scène ? Ils sont faux ?

— Oh ! non ! s'exclama Mme Olga avec un rire. Ils sont vrais ! Ils m'ont été offerts par des admirateurs. Les hommes donnent quand ils vous aiment. Ils donnent quand ils ne vous aiment plus. Ils donnent en disant bonjour, et ils donnent en disant au revoir. Des ribambelles d'hommes ont été amoureux de moi. Ce que tu vois là, c'est ma banque. Ma fortune. Cela vaut beaucoup d'argent, je crois. Jamais je ne les porte. Quand je mourrai, ce sera à toi. C'est pour toi. Un jour, tu seras riche. Mais pas tout de suite ! Maintenant, je vais vendre des colliers, ou des broches, pour que tu puisses acheter ce dont tu auras besoin à Londres, dans la compagnie Charleroi.

— C'est trop... Je ne peux pas accepter. Ma grand-mère m'a laissé un héritage. Je m'en servirai.

— Mieux vaut prévoir large. Ne t'inquiète pas, je confierai l'argent à Piers pour toi. Il s'en occupera, ne te fais pas de soucis.

Tout en parlant, elle dégageait un œuf constellé de pierres rouges et vertes, orné de petites perles formant les lettres *o* et *r* : les initiales de Mme Olga. Son professeur leva son lorgnon pour mieux l'examiner.

— Un homme, bien sûr. Il me l'a offert quand je dansais *L'Oiseau de feu* à Paris. Après la révolution russe de 1917. Un Français. Un aristocrate. Richissime.

Mme Olga fit tourner l'œuf dans sa main. Les rubis et les émeraudes étincelèrent dans la lumière de la lampe.

— C'est un œuf de Fabergé, un joaillier très célèbre. Je n'ai jamais raconté ce qui est arrivé. Le monsieur très riche était fou d'amour pour moi. Je l'aimais aussi, naturellement, ou du moins, je le croyais, ce qui revient au même, non ? Tout alla bien jusqu'à ce que je tombe enceinte. Je ne lui ai rien dit. Je savais que s'il l'apprenait, il allait vouloir m'épouser. Moi, j'avais l'ambition de devenir la plus grande étoile de tous les temps, or quand on est enceinte, on ne peut plus danser. Pour moi, la danse n'était pas un travail ; c'était ma vie. J'étais mariée à mon art. Je m'en suis débarrassée.

— Comment ça ? Quelqu'un a adopté votre bébé ?

— Non. Je suis allée voir un médecin, et il l'a fait passer. Cela s'appelle un avortement. Tu es trop jeune, sûrement, pour en avoir entendu parler.

Hester ne répondit pas tant elle se sentait mal.

— Ne sois pas choquée. Beaucoup de femmes ont recours à ce genre d'intervention. J'étais triste, oui, bien sûr. Mais ce n'est pas dangereux si on trouve quelqu'un de bien.

— Mais le bébé... Il est mort...

— Non. Ce n'est pas encore un bébé quand on s'y prend assez tôt. On ne peut encore rien voir, ce n'est pas encore une personne. C'est beaucoup mieux comme ça. Je regrette de ne pas avoir d'enfants, mais mes élèves et mes amis sont ma famille, maintenant.

Hester ne savait trop que penser. Plus petite, elle rêvait d'avoir des frères et sœurs. Elle les imaginait comme des jumeaux, semblables à elle, qui l'aimaient de tout leur cœur, qui étaient toujours d'accord avec elle et à qui elle pouvait tout confier. C'est ça qu'elle aurait voulu avoir, une famille ordinaire, et non une mère disparue depuis si longtemps qu'elle s'en souvenait à peine et un père si éloigné, si distant, qu'elle n'y pensait pratiquement jamais.

— Et l'homme ? L'homme riche qui vous aimait, le père de l'enfant ?

— Je ne lui ai rien dit. Je l'ai quitté, mais il m'a poursuivie, m'a suppliée de l'épouser. Il m'a offert des cadeaux merveilleux, cet œuf, par exemple.

Elle le jeta dans la mallette sans plus d'égards que s'il s'était agi d'un vulgaire caillou. Sur son lit de pierreries, il ne semblait pas plus authentique que le reste.

Mme Olga se redressa avec un sourire.

— Quand j'ai rompu, je me suis bien juré que cela n'arriverait plus. Je me suis consacrée à la danse. Je voulais devenir la plus grande. Malheureusement, peu de temps plus tard, quelques années seulement, j'ai compris qu'il me manquait le talent nécessaire pour parvenir à la véritable excellence. Alors je me suis arrêtée avant de me rendre ridicule, et j'ai décidé de me tourner vers l'enseignement. Si je ne pouvais pas être la meilleure, je pouvais encore former des ballerines, des étoiles plus douées que moi. Je n'ai plus jamais porté un bijou après avoir dit adieu à cet homme. J'en ai vendu quelques-uns, pour acheter le manoir, par exemple. Tu as devant toi ce qui me reste.

— Vous n'avez pas peur des cambrioleurs ?

— Mais non ! s'exclama-t-elle avec un rire. Qui va penser que la pauvre dame russe mal habillée, dans sa vieille maison délabrée, a quelque chose à voler ? Personne. Mais tu as raison. Il ne faut pas laisser mon trésor dans une valise, dans une armoire, la clé dans la serrure. Je vais prendre un coffre à la banque. C'est promis.

Quelques jours plus tard, Hester entendit tambouriner à la porte des Wellick. Elle se leva de la table du petit déjeuner pour aller ouvrir, mais son oncle, qui partait au travail, arriva avant elle. Sur le seuil, Mme Olga agitait un papier. Son manteau n'était même pas fermé, et elle portait encore ses chaussures d'intérieur, trempées par la neige.

— Télégramme ! cria l'oncle Bob.

Tante Rhoda et Paula sortirent de la cuisine en courant. Oncle Bob avait pris le message des mains de Mme Olga qui annonçait déjà la nouvelle à Hester.

— Ton papa a accepté ! Tu peux aller à Londres. Tu vas rejoindre la troupe ! Que je suis heureuse. Heureuse ! Maintenant, tu vas devenir une vraie danseuse. Piers est un amour de nous avertir si vite !

— Je voudrais bien le lire, moi, ce télégramme, protesta tante Rhoda.

— Mais bien sûr, lisez, lisez ! Je le sais par cœur, et je peux vous le réciter. Piers a écrit : *Père jeune élève donne consentement stop Qu'elle vienne à Londres au plus tôt stop L'attendons 24 Moscow Road stop Tél. Bayswater 1551 stop Amitiés Piers*

— C'est fou ! s'écria Hester, au comble de l'extase. Il a dit oui ! Mon père a dit oui ! Il me laisse aller à Londres !

Elle était si heureuse qu'elle fit une série d'entrechats. Elle ne tenait plus en place. Sa tante, son oncle et sa cousine la contemplaient, médusés, sûrs qu'elle avait perdu l'esprit.

— Tout est bien qui finit bien, commenta Mme Olga. Je vous quitte. Hester, tu viendras me voir plus tard. Nous devons penser aux préparatifs. Au revoir, au revoir. Quelle belle journée !

Elle repartit comme elle était venue. Tante Rhoda la suivit du regard, le temps qu'elle sorte du jardin, puis se ressaisit.

— Si on n'y peut rien, on n'y peut rien, mais je voudrais bien qu'on me dise qui va payer les frais. C'est bien joli d'aller vivre à Londres, mais ça va faire de la dépense.

— J'ai l'argent de ma grand-mère ! J'ai mon héritage. J'irai à la banque. C'est beaucoup, je crois. Cinq cents livres. Et puis la pension qu'envoie papa me servira à Londres. Je la toucherai moi-même.

— Eh bien, c'est-à-dire que... commença son oncle.

Sa tante le fit taire d'un coup de coude.

— Va travailler, je m'en occupe, murmura-t-elle.

Hester eut très peur.

— Que se passe-t-il ?

— Viens dans la cuisine, Estelle, j'ai à te parler.

Sa tante pinçait les lèvres si fort qu'on ne les voyait quasiment plus. Hester la corrigea machinalement, la gorge serrée d'appréhension.

— Hester, je m'appelle Hester, maintenant.

Sa tante n'avait sûrement pas une bonne nouvelle à lui annoncer. Elle s'attendait au pire.

— Assieds-toi, ma chérie, dit sa tante d'une voix mielleuse. Ce que j'ai à t'apprendre ne va peut-être pas te plaire, mais c'est comme ça. Nous n'avons fait que notre devoir, personne n'a rien à y redire.

Hester la regardait en silence. Tante Rhoda continua, le regard inflexible.

— Il ne te reste pas autant d'argent que tu imagines. Nous avons eu de la dépense. Il a fallu se servir d'une partie de ce que t'a laissé ta grand-mère. C'était pour ton entretien, alors qu'on n'aille pas nous le reprocher ! C'est que ça coûte, une grande fille quand ça pousse. Il y a les vêtements, les fournitures scolaires, les chaussures. Et puis tes affaires de danse, c'est une ruine. Des chaussons par-ci, des tutus par-là...

— Vous avez dépensé mon héritage ? Pour des fournitures scolaires et des affaires de danse ?

Une haine froide montait en elle. Pour la première fois depuis son arrivée en Angleterre, elle se sentait libérée, détachée de cette personne monstrueuse qu'on lui avait présentée comme une seconde mère.

— Et combien reste-t-il ? demanda-t-elle avec angoisse.

— Environ cent cinquante livres. Largement de quoi t'installer comme un coq en pâte, je pense.

Le calcul était vite fait : on lui avait volé plus de trois cents livres. Comment tante Rhoda osait-elle prétendre que cette somme avait été utilisée pour son entretien ? Quelle malhonnêteté ! Ça ne se pouvait pas, puisque son père envoyait une allocation tous les mois. Son héritage avait été dépensé pour autre chose.

Elle se leva.

— Tu mens ! Vous m'avez pris mon argent ! Avec quoi avez-vous acheté votre voiture ? Maintenant je sais comment vous avez payé l'Austin ! Vous êtes des voleurs, je ne passerai pas une seconde de plus que nécessaire sous votre toit. Dès que j'aurai récupéré le peu qui me reste, je partirai ! Je vous déteste, je ne vous le pardonnerai jamais !

Elle éclata en sanglots, mais de rage plutôt que de tristesse. Sa tante ne s'avoua pas vaincue. Elle se redressa, écarlate.

— Ah, tu nous détestes ? Et nous, tu crois qu'on t'aime, espèce de pimbêche ? Tu es insupportable avec ta façon de nous regarder de haut, comme si on ne t'arrivait pas à la cheville ! Tu te crois supérieure à tout le monde, et ça te jouera des tours, ma petite. Nous qui t'avons recueillie gentiment parce que ton père ne voulait plus de toi, voilà comment tu nous remercies ! Jamais un mot gentil, jamais rien ! En huit ans, pas un merci ! Tu as envie de t'en aller ? Eh bien, va-t'en, et bon débarras ! Bob t'emmènera à la banque demain. Reprends ton argent, va à Londres, on verra combien de temps tu tiendras ! Ça ne durera pas cette lubie, je t'en fiche mon billet. Et maintenant, j'ai du travail, moi. Mon repassage m'attend.

Elle sortit de la cuisine comme une furie. Hester s'était figée, tremblante. Tant d'injustice la sidérait. Elle aurait voulu courir après sa tante pour lui crier : *De quoi fallait-il que je vous remercie ? La nourriture immangeable, la maison froide, l'absence d'affection ? Même quand j'avais cinq ans et que je pleurais, vous ne m'avez jamais prise dans vos bras, jamais câlinée. Pas une seule fois !*

Paula, qui avait assisté à la scène, sortit de la cuisine derrière sa mère, goguenarde. Elle n'aimait rien tant que de voir Hester subir des humiliations. La passion d'Hester pour la danse lui avait fourni bien des prétextes pour se moquer d'elle. Si par malheur elle la surprenait en train de s'exercer devant la glace, la main posée sur la tête de lit comme sur une barre, elle s'en donnait à cœur joie.

Je m'en fiche, pensa Hester. Je vais à Londres. Je vais vivre au 24, Moscow Road, et je vais devenir danseuse. Mme Olga m'aidera. Tant pis, elle vendra un peu de son trésor pour me permettre de réaliser mon rêve. Elle me l'a proposé, alors pourquoi pas ? Je ne reviendrai plus jamais ici, de toute ma vie.

Hester dut encore rester deux semaines chez les Wellick. Quinze longues journées pendant lesquelles ils s'adressèrent à peine la parole. Elle tint à faire ses préparatifs toute seule. Le jour du départ, quand le taxi arriva avec Mme Olga, les Wellick sortirent quand même sur le pas de la porte pour lui dire au revoir. S'ils ne s'étaient pas montrés, les commérages auraient vite fait le tour des voisins. Ils se conduisirent donc comme une famille normale qui se fait ses adieux. Hester serra la main de son oncle et se força à embrasser sa tante et sa cousine sur la joue. À tante Rhoda, elle dit : « Merci de m'avoir reçue », comme s'il s'était agi d'un goûter d'anniversaire et non pas de huit ans de sa vie.

Dans le taxi, elle ne se retourna pas. Plus elle s'éloignait du village, plus elle se sentait légère, joyeuse, comme si des boulets se détachaient de ses poignets et de ses chevilles.

Ce fut une tout autre affaire de quitter son professeur bien-aimé à la gare de Leeds. Hester se jeta dans ses bras en sanglotant. Mme Olga lui essuya les larmes avec un mouchoir parfumé à la violette.

— Ne pleure pas, ma petite fille. C'est bien, il faut partir. Tu as un grand talent. Ne l'oublie jamais, mon enfant. Je viendrai te voir danser, ne sois pas triste. Piers m'invitera. Je vendrai des bijoux, et j'irai très souvent à Londres. J'applaudirai la nouvelle grande étoile. Et toi, tu m'écriras, n'est-ce pas ? Je veux que tu me racontes tout, tous les détails. Dieu te garde, chérie.

— Merci, merci. Merci de m'avoir appris...

— Non, ne me remercie pas, Hester. Tu ne m'as apporté que du bonheur. Je vais me réjouir de tes succès comme s'il s'agissait des miens.

Hester se remit à pleurer à chaudes larmes.

— Vous allez me manquer ! Vous êtes comme une mère pour moi. Mieux qu'une mère. Je ne sais pas comment vous montrer ma reconnaissance !

— Tu me remercieras par ton travail, ma petite fille. Je ne te demande rien d'autre. Ne gâche pas ton talent. C'est un don sacré. Nous nous reverrons bientôt, pour ton premier spectacle. J'ai hâte. Va, maintenant. Monte prendre une place.

Hester souleva sa valise. C'était celle qui l'avait accompagnée en Angleterre, et que sa grand-mère lui avait préparée avec tant d'amour. Elle emportait ses vêtements, la photo de sa mère, ainsi qu'Antoinette. Elle était trop grande à présent pour avoir une poupée, mais elle ne pouvait pas la laisser chez les Wellick !

Elle se pencha à la fenêtre pour voir Mme Olga, vêtue de son manteau à col de renard, son inévitable chapeau à voilette sur la tête. Elle agitait la main avec des sourires, et Hester fit de même. La tristesse qui l'envahissait était celle qu'elle avait ressentie lors de ses adieux à sa grand-mère. Était-ce son destin de devoir toujours quitter les gens qu'elle aimait ?

27 décembre 1986

Silver McConnell sortit du lit deux petites minutes après avoir ouvert les yeux, parfaitement réveillée. Elle se demandait toujours pourquoi les autres mettaient si longtemps à émerger. On dormait, ou on ne dormait pas ; elle ne connaissait pas d'état intermédiaire. Contrairement à sa mère qui se plaignait de ne pas être « du matin », Silver n'était jamais en plus grande forme qu'au réveil. De surcroît, elle avait besoin de très peu de sommeil, et récupérait même après des nuits brèves. Son secret, c'étaient les petits sommes. Dix minutes dans sa loge avant un spectacle, et elle retrouvait assez d'énergie pour tenir jusque tard le soir.

Ce matin, elle se réjouissait particulièrement de la journée qui s'annonçait ; raison de plus pour ne pas traîner au lit. Elle devait rejoindre la compagnie Carradine au manoir de Wychwood dans le Yorkshire. Une grande propriété avec un théâtre, c'était une sorte de rêve. L'Arcadia était une salle très réputée. Elle avait appris son existence par un magazine, et avait décidé sur-le-champ qu'un jour elle se produirait dans ce théâtre créé par Hester Fielding, son idole, son modèle.

Silver se savait douée : c'était clair quand elle se comparait aux danseuses de son âge. Elle ne se sentait vraiment bien que quand elle dansait, que ce soit aux répétitions, pendant les classes, ou sur scène. Elle était alors en parfaite harmonie avec son corps, et le plaisir qu'elle retirait de ses performances physiques se communiquait aux spectateurs. Il lui importait peu, finalement, que les critiques la couvrent de louanges, que les autres ballerines l'envient et l'admirent, que les chorégraphes défilent à sa porte pour lui demander de travailler pour eux. Les compliments donnaient confiance en soi, certes, mais elle attachait plus d'importance à son propre jugement. La danse était venue à elle sans effort, dès son tout premier jour de cours, quand elle n'était qu'une petite fille. Une facilité qui lui restait aujourd'hui encore, une capacité à satisfaire toutes les exigences. Elle s'était fait une promesse : tant qu'elle se sentirait en pleine possession de ses moyens, elle continuerait, mais à la seconde où elle faiblirait, elle se retirerait. La danse classique réclamait la perfection. Elle l'avait encore déclaré à la télévision le mois précédent, et elle y croyait plus qu'à tout. À quatorze ans, elle avait lu une interview où Hester Fielding disait la même chose. Silver avait une admiration sans bornes pour cette femme. Elles avaient la même vision de leur art, et elle avait hâte de la rencontrer.

Mais Claudia Drake ? Comment une aussi grande danseuse pouvait-elle s'autoriser à monter sur scène quand elle n'était plus au sommet de sa forme ? Elle était trop vieille. Vérité brutale, peut-être, mais était-il plus terrible d'arrêter sa carrière que de s'accrocher piteusement à une gloire passée ?

Le danger le plus grave, songea Silver en entrant sous le jet puissant de la douche, c'est d'écouter le public. Il ne faut à aucun prix se juger d'après ses admirateurs. Quand on vous dit dans tous les magazines que vous êtes la plus grande, la plus belle, la plus douée, vous ne voyez pas de raison de ne pas le croire. Moi, je ferai attention, se promit-elle en s'enveloppant dans son drap de bain. Je ne croirai que ce que je vois, ce que je ressens quand je travaille.

Malgré son calme légendaire, elle avait eu le trac pour son audition avec Hugo Carradine. D'ordinaire, elle prêtait peu d'attention à ce rituel. On lui proposait tellement de rôles qu'elle n'avait jamais peur de ne pas danser. Cette fois pourtant, l'enjeu était important. Elle y tenait, à ce ballet. En entrant en scène, elle avait regardé dans la salle et vu la tache claire du visage d'Hugo, à peine discernable dans la pénombre.

— Je vais danser le solo du premier acte des *Cloches du paradis* que je viens de jouer à Sadler's Wells.

La voix d'Hugo Carradine avait répondu :

— Parfait, je vous regarde.

Il avait dû être satisfait, puisqu'il lui avait proposé le rôle de l'ange, seulement il ne lui avait pas semblé totalement conquis. Il avait beau n'avoir émis aucune critique, elle craignait qu'il n'ait pas été à cent pour cent convaincu, ce qui la contrariait.

Le petit appartement qu'elle partageait avec Gina n'avait rien d'un palace, mais Silver l'aimait bien. À côté de l'horrible bicoque où elle avait grandi dans le sud de Londres, c'était luxueux. Le quartier de son enfance était pauvre, délabré, sinistre. Aucune verdure, mis à part un square aux arbres et aux buissons décatis, épuisés par l'effort de produire quelques feuilles. Le père de Silver, chauffeur routier, restait absent pendant de longues périodes. Quand il rentrait, la vie familiale ne changeait guère. On ne remarquait pas sa présence, avachi qu'il était devant la télévision, adressant à peine la parole à sa famille. Pourtant, il aimait bien sa fille, mais comme on peut aimer un animal domestique un peu exotique, en se méfiant de ses réactions.

Ses deux frères, tous deux plus âgés qu'elle, la gâtaient, sans la comprendre eux non plus. L'histoire de son prénom, par exemple, était pour eux un sujet de plaisanterie. Elle avait été baptisée Sylvia, mais elle l'avait prononcé « Silver » dès le début, quand elle apprenait à parler. L'habitude était restée, d'autant que, préférant de loin Silver à Sylvia, elle avait encouragé sa famille à continuer. Bien entendu, ses frères trouvaient ridicule ce désir de se distinguer, et ne l'épargnaient pas. Peu importait : elle riait avec eux.

Ils s'en étaient aussi donné à cœur joie quand elle avait demandé à prendre des cours de danse. Ils parodiaient ses premiers pas en exécutant des sauts de carpe dans leurs grosses chaussures de sport, accompagnés de mouvements de bras affectés. Toutes ces moqueries mettaient l'humour de Silver à rude épreuve, et il était arrivé que leur mère soit obligée de prendre sa défense en les chassant à coups de torchon de la cuisine.

Seule sa mère partageait son amour de la danse. Grâce à sa petite dernière, elle avait enfin la satisfaction de pouvoir acheter des chaussons et des tutus. Le manque d'argent la rendait ingénieuse. Elle fouinait dans les marchés, dénichait des trésors dans les friperies, épluchait les catalogues. Même s'il fallait se priver, sa mère lui avait toujours fourni une tenue complète. Sans doute aussi avait-elle pris beaucoup de plaisir à lui tricoter des cache-cœurs roses et lilas. Il lui était souvent arrivé d'assister aux cours dans la salle paroissiale mal chauffée où officiait Valérie, le jeune professeur de danse. Aujourd'hui, sa mère se chargeait de découper les articles la concernant ; elle venait à ses spectacles, et montrait une foi inébranlable en ses capacités. Heureusement que sa mère était là ! Valérie aussi l'avait beaucoup soutenue. Elle n'était pas très pédagogue, songea Silver, mais au moins, elle a remarqué que je sortais du lot, et c'est grâce à elle que j'ai pu aller à la Royal Ballet School.

Après l'école de danse, Silver avait été engagée pour de petits rôles, puis pour de plus grands. Sa vie l'avait éloignée des siens. Elle aimait sa famille, mais les différences s'accentuaient. Souvent, elle se sentait coupable. Elle n'allait pas assez les voir, et même si sa mère ne manquait pas un spectacle, Silver se reprochait de ne la traiter qu'en spectatrice privilégiée, et de ne pas passer plus de temps avec elle. Chaque fois, elle se jurait d'être plus attentionnée, d'aller leur rendre visite, mais les ballets se succédaient, les répétitions, les représentations. Cela n'aurait pourtant pas dû l'empêcher de donner au moins un coup de fil, ou d'écrire. Elle s'assit à sa coiffeuse et dit tout haut en se regardant bien en face : « Je vais faire un effort. Ce sera ma résolution de nouvelle année. Je serai plus gentille avec mes parents et avec mes frères. »

Poussant un soupir, elle commença à se maquiller. Elle adorait se créer un visage, un masque qui la cachait aux yeux du monde. Jamais on ne l'aurait deviné, mais Silver n'était pas convaincue d'être belle. Il lui semblait devoir tricher pour le paraître. Je ne suis pas comme les gens l'imaginent, songea-t-elle en étalant son fond de teint.

Les noms des cosmétiques la faisaient rêver. Celui-ci s'appelait « Porcelaine ». La nuance s'harmonisait parfaitement avec sa peau, et donnait l'image qu'elle recherchait : délicate, pâle, pure. Dès son premier spectacle, elle avait eu une révélation. La scène était le meilleur moyen de s'échapper de soi-même. Tout comme elle se créait un masque, Silver s'était inventé un personnage de toutes pièces. Elle prenait l'apparence d'une jeune femme élégante, soignée, brillante et vive, sophistiquée comme son prénom. Le déclic s'était produit vers l'âge de dix-huit ans. À l'époque, elle rentrait encore le week-end chez ses parents, mais vivait pendant la semaine dans un studio minuscule au-dessus d'une laverie. Grâce à ses premiers rôles, elle commençait à avoir les moyens de dépenser un peu d'argent. Sa mère avait failli avoir une attaque en la voyant jeter sur son lit presque tous les vêtements qui encombraient la penderie de sa chambre.

— Mais qu'est-ce qui te prend ? Depuis que madame est entrée dans son école de danse et qu'elle a quitté la maison, ses habits ne sont plus assez bien pour elle, c'est ça ?

— Attends, tu vas voir, j'ai eu une idée.

Silver répondait toujours d'autant plus calmement à sa mère que celle-ci s'énervait. Elle avait découvert très jeune que si elle ne réagissait pas, ou presque, sa mère se calmait à son tour. On ne pouvait pas se disputer toute seule.

— J'ai décidé de ne plus porter de couleurs.

— Ah ! Oui, c'est ça ! Que je suis bête ! Plus de couleurs ! Et tu vas mettre quoi, du transparent ?

— Je veux dire plus de vêtements criards, rouges, bleus, verts. À partir de maintenant, je ne m'achète plus que du blanc, du noir, du gris ou du beige. Et de l'argenté, bien sûr, pour les soirées.

— Et avec quoi tu vas te les payer ?

— Je constituerai ma garde-robe petit à petit. J'ai déjà pas mal d'affaires dans ces teintes. Ce sera une bonne base, et puis je me fournirai au marché, ou dans des friperies. C'est fou ce qu'on peut trouver quand on sait ce qu'on cherche.

— Et que veux-tu que je fasse de tout ça ?

— On n'a qu'à les mettre dans des sacs pour la Croix-Rouge. Moi, de toute façon, je n'en veux plus.

— Je me demande si ça ne plairait pas à Maureen…

Silver ne jugea pas opportun de lui rappeler que sa cousine, de deux ans sa cadette, avait le double de corpulence. Il valait mieux ne pas soulever la question.

Assise à son miroir, Silver achevait de se maquiller. Elle n'avait pas regretté sa décision une seule seconde, et s'y était strictement tenue pendant plusieurs années. À présent, elle ajoutait parfois une touche de couleur pour créer des effets. Elle portait un châle de velours abricot avec sa robe de soie noire, se nouait parfois autour du cou ou dans les cheveux des foulards émeraude, turquoise ou vert foncé. La robe en satin qu'elle avait choisie pour la réception du soir de la première était rouge, mais d'un ton si profond qu'elle en paraissait presque noire.

Aujourd'hui, elle se sentait d'humeur à mettre un rouge à lèvres clair. Une teinte appelée *Si la rose*. Je suis une innocente jeune fille, se dit-elle en se contemplant, une étincelle malicieuse dans les yeux. Je suis sage. Je suis contente de rencontrer les autres membres de la troupe. Je travaille dur, je suis consciencieuse. Elle avait trois autres tubes de rouge dans son coffret à maquillage, dont un très sombre, séduisant mais presque effrayant, dont elle se servait quand elle voulait se sentir forte. Les rouges à lèvres étaient ses baguettes magiques. La comparaison était si familière qu'elle aurait pu l'avoir entendue dans une publicité à la télévision. Possible, mais cela ne changeait rien. C'était bien trouvé.

Une fois maquillée, elle était transformée. Elle vit devant elle une jeune fille sociable et énergique. Satisfaite, elle sortit son manteau de la penderie et quitta la chambre.

Tout en prenant son petit déjeuner, elle songea que le Festival de Wychwood était sans doute le seul festival de danse à avoir lieu l'hiver. Elle se demanda si la campagne serait enneigée. Son premier grand rôle avait été celui de Clara, dans *Casse-Noisette*, quand elle venait tout juste d'avoir quinze ans. Le ballet se passait en hiver, et, dans une scène, des flocons de neige scintillants descendaient des cintres en voletant et se déposaient sur ses cheveux. « Des débuts magiques », avaient commenté les critiques. Certains avaient même usé du fameux « Une étoile est née ».

Silver avala une gorgée de café, touchée par ce souvenir. Aussi peu original que soit le compliment, cela faisait toujours plaisir ! Au cours des neuf ans qui avaient suivi, elle avait dansé presque tous les grands rôles du répertoire. Odette/Odile était son préféré, un personnage taillé à sa mesure. Une critique lui avait tout particulièrement fait plaisir. Les journalistes écrivaient souvent n'importe quoi, mais celui-ci connaissait son sujet. Elle en avait retenu des passages entiers par cœur ; son préféré la comparait à Hester Fielding :

« Depuis la légendaire Odette/Odile d'Hester Fielding en 1959, on n'avait encore jamais vu danseuse aussi proche de cette perfection. Avec Silver McConnell, le mythe redevient réalité. Elle apporte à ce double personnage non seulement la grâce et l'émotion qu'on en attend, mais aussi la puissance presque surhumaine qui est l'apanage des vrais cygnes. Sa beauté bouleversante se teinte d'élégance et de froideur, comme l'exige la mutation de la femme en animal. On a peine à croire qu'elle n'est pas un peu oiseau, et devant ce miracle, on reste émerveillé. »

Depuis qu'elle avait accepté le rôle de l'ange dans *Sarabande*, il lui était arrivé de se demander si la décision avait été bien sage. Tout arrêter pendant plus de trois semaines pour danser devant un public aussi restreint, pour dix représentations seulement, c'était un luxe un peu fou. Jacques Bodette, qui devait attendre la fin du festival pour commencer avec elle les répétitions de *Cellophane en sol*, avait essayé de la dissuader de perdre son temps à Wychwood. Mais comment passer à côté de cette occasion de séjourner quelques jours chez Hester Fielding et de se produire devant elle ? Depuis son enfance, Silver collectionnait les vidéos de la grande étoile. Ses enregistrements du *Lac des cygnes*, de *Giselle* et de *La Belle au bois dormant* étaient devenus pratiquement inutilisables tant elle les avait regardés. Elle avait été intraitable avec Bodette, qui, au fond, comprenait parfaitement. « Naturellement, avait-il dit, je m'incline, ma chère. Qui pourrait refuser une invitation de la divine Fielding ? »

Entre-temps, Gina, sa colocataire, était venue s'attabler en face d'elle dans la cuisine et attaquait un bol de céréales. C'était une charmante écervelée qui s'adaptait mal à la discipline très stricte de la danse classique.

— Alors, Silver, fin prête ? N'oublie pas de prendre un

pull épais. Il fait un froid de canard, dans le Yorkshire. Tu vas geler.

— Merci pour ces encouragements, mais ça ne m'arrêtera pas ! Allez, j'y vais. Au revoir !

Silver se pencha pour embrasser Gina, puis elle prit sa valise et descendit leurs trois étages.

Claudia rétrograda avec un soupir, se sentant désorientée. Comment ne pas l'être avec pour seul repère la lande à perte de vue, et quelques rares moutons pour rompre la monotonie. Il ne pleuvait pas vraiment, mais une fine bruine rendait l'atmosphère froide et désagréablement humide. Alison n'était pas d'un grand secours. Claudia la soupçonnait de faire semblant d'être assoupie pour éviter d'avoir à lui parler.

— Chérie, tu dors ?

— J'essaie. Qu'est-ce que tu veux encore ?

— Rien... J'avais envie de discuter d'Hugo, ça t'embête ?

Alison se redressa avec une mine exaspérée.

— Vas-y, je t'écoute...

— Tu n'as rien remarqué, la dernière fois que tu l'as vu ? Tu ne l'as pas trouvé changé ?

— C'était quand, déjà ?

— Mais enfin, Alison, tu le fais exprès ! C'était juste avant son départ chez son père. L'autre jour !

Alison réfléchit un peu.

— Je ne sais pas. Il était peut-être un peu excité.

— Excité comment ?

— Heu... frétillant, content. C'est tout ? Je peux me rendormir ?

Claudia hocha la tête, ayant de quoi s'occuper l'esprit pour un moment. Oui, sa fille avait raison. Il avait eu son air conquérant de séducteur, sans doute parce qu'il avait réussi à persuader la petite McConnell de venir danser dans ce trou perdu. Pas un mince triomphe ! Il progressait dans sa carrière.

Elle tenta de se remémorer leur dernière conversation. Elle était encore au lit et le regardait faire sa valise, tout de noir vêtu, comme d'habitude : col roulé noir, pantalon noir. Au début de leur liaison, il ne la quittait qu'avec le plus grand mal et souffrait de la plus courte séparation. Il traînait au lit avec elle le plus longtemps possible, retardait l'heure du départ. Une visite de Noël à son père veuf et esseulé n'expliquait pas cet enthousiasme, cette hâte de partir. C'était la petite McConnell, elle en aurait mis sa main à couper. Hugo n'avait que son nom à la bouche.

Il n'était pas le seul à l'admirer, d'ailleurs. Le monde de la danse ne tarissait pas d'éloges à son égard depuis deux ans. Claudia avait suivi son ascension, lu les critiques, les interviews. Elle ne la jalousait pas, bien évidemment, puisqu'elle se savait la plus grande et n'avait rien à envier à personne, mais elle lui reconnaissait l'avantage de la jeunesse. Silver avait dansé Odette/Odile dans le *Lac des cygnes* l'an passé, à Sadler's Wells, et on parlait encore de son interprétation. Hugo avait dû la repérer pour *Sarabande* à cette occasion.

Après l'audition de Silver, Claudia n'avait pas laissé s'écouler une heure avant de retrouver Hugo. Il n'avait pas caché son enthousiasme.

— Elle est fantastique ! Et parfaite pour le rôle de l'ange.

— Je me demande où elle a été chercher son prénom, avait ricané Claudia. Elle doit être douée d'une imagination folle, cette petite.

— C'est une déformation de Sylvia, qui date de son enfance. Le surnom lui est resté et il lui va à merveille, si tu veux mon avis. Elle scintille, cette fille. Tu verras.

— Je m'étonne que nos chemins ne se soient pas déjà croisés.

— Elle a beaucoup travaillé à l'Opéra de Paris. Elle a

du style. Elle ne portait que du noir et du blanc, et des boucles d'oreilles en argent magnifiques. Des sortes d'éclairs. Elle a le cou très long, très pur, très gracieux. Une belle peau. On dirait tout à fait un portrait de studio par un grand photographe.

Claudia se souvenait avec jalousie de l'expression d'Hugo. Un certain pli des lèvres, disparu à peine formé, pas un sourire exactement, mais un air satisfait. C'était clair : il pensait avoir découvert un immense talent. Tu t'inquiètes pour rien, se dit-elle. Tu es l'étoile de la troupe. Oui, sûrement, mais une petite voix intérieure lui soufflait l'impensable : *Ta carrière de danseuse est terminée. Silver McConnell est très jeune. On ne parle plus que d'elle, c'est la nouvelle star. Elle vient au festival. Et si Hugo l'engageait dans la compagnie ? Elle va prendre ta place.*

Elle tenta de se rassurer. Je n'ai rien à craindre. Silver va danser pour Bodette après Wychwood, et une fois qu'elle sera à Paris, la compagnie Carradine ne l'intéressera plus beaucoup. Je suis encore en excellente forme physique, je n'ai pas à m'inquiéter. Nous verrons plus tard. Le plus dangereux, c'est le doute, la peur de ne pas rester au meilleur niveau. Ces inquiétudes lui empoisonnaient l'existence depuis des mois, mais il fallait absolument les chasser. C'est moi l'étoile de la troupe, moi la vedette. Hugo ne jure que par moi. Et puis j'ai reçu tous ces appels me proposant de devenir mannequin. Au moins quatre magazines dans les six derniers mois ont voulu me faire poser pour les meilleurs photographes. *Mademoiselle Drake, vous présenteriez si bien les collections, acceptez !* Surprenant, car elle avait toujours cru que les top models devaient être encore plus jeunes que les danseuses. Apparemment, la célébrité vous accordait quelques années supplémentaires.

Elle était certainement assez mince pour être mannequin, et la presse people se passionnait pour ses faits et gestes. Même si elle avait toujours refusé ces offres, elle les trouvait réconfortantes.

Alison avait fini par vraiment s'endormir. Il était heureux qu'elle s'entende si bien avec Hugo. Un véritable soulagement, après un passage difficile. Alison lui avait mené la vie dure. Elle se conduisait en chipie dès qu'un homme mettait les pieds chez elles. Par miracle, Hugo avait trouvé grâce à ses yeux, sans doute parce qu'il la respectait. Il était diplomate et d'une gentillesse admirable, et mille fois plus tolérant qu'elle. Je suis une mauvaise mère, se reprochait-elle souvent. C'est terrible de s'en rendre compte tout en étant incapable de changer !

Quand Patrick l'avait quittée pour Jeanette, le choc avait été rude. Elle avait souffert, s'était sentie humiliée. Seuls les cours de danse, la rigueur et la discipline l'avaient empêchée de remâcher sa rancœur et de perdre son temps à chercher des moyens de se venger. Pour s'occuper d'Alison, encore petite à l'époque, elle s'était reposée sur une gouvernante, Yvana, et avait poussé son entraînement jusqu'aux limites du supportable. Elle avait martyrisé son corps, épuisé ses muscles, tenu les positions les plus contraignantes pour se distraire du fiasco de sa vie sentimentale.

Ce travail, ajouté à son talent, lui avait apporté la célébrité. On lui avait offert les grands rôles : Aurore, l'Oiseau de feu, et son plus magnifique succès, Coppélia. Elle était dans tous les magazines, on l'adulait, et les réceptions, disait-on, ne pouvaient plus réussir sans sa présence. Sa beauté rayonnait sur les cartes postales, les affiches. Si elle avait reçu un centime chaque fois que la phrase « La beauté aux cheveux de feu » avait été imprimée, elle aurait été millionnaire. Elle était devenue une immense vedette.

La réussite avait apporté son cortège d'admirateurs. Les hommes se pressaient autour d'elle. Dans les cocktails, elle devait se frayer un passage dans la foule de ses courtisans. Ils la dévoraient des yeux, se conduisaient comme si son parfum les envoûtait. La plupart lui étaient indifférents, mais, parfois, l'un d'entre eux attirait son attention, et elle lui proposait de la raccompagner chez elle.

Elle etait aussi inspirée au lit que sur scène. En dehors de la danse, faire l'amour était la seule chose qui l'empêchait de penser. Avec un homme, plus rien n'existait que l'émotion et le plaisir. Les difficultés disparaissaient, les désillusions, les querelles, la rancœur s'oubliaient. Rien n'était meilleur que la passion physique. C'était si bon, ce corps-à-corps, pourquoi s'en priver ?

Hugo avait été amoureux fou. Il avait assisté à la première de *Coppélia*, et était revenu tous les soirs malgré une mise en scène du plus parfait mauvais goût. Décor de banlieue sordide des années 1950, avec le Dr Coppélius en collectionneur de poupées libidineux, voyeur embusqué derrière sa fenêtre. La critique avait pourtant apprécié l'originalité de la chorégraphie et chanté les louanges de Claudia. Elle se souvenait encore de son costume : des collants résille, et un justaucorps très décolleté qui révélait sa poitrine, traditionnellement comprimée dans les tutus classiques.

Hugo lui avait fait une cour acharnée. Il paraissait systématiquement aux soirées où elle était invitée, et venait s'infiltrer dans toutes ses conversations. À la réception de clôture de *Coppélia*, elle avait fini par réagir.

Ce soir-là, elle discutait avec un jeune homme qui lui plaisait beaucoup, quand Hugo avait surgi. Il était comme toujours vêtu de noir. Ses cheveux tombaient sur son front haut et pâle, et son regard avait une fixité de visionnaire. Elle n'avait pas remarqué la couleur de ses yeux, mais leur insistance avait fini par la subjuguer.

Le pauvre jeune homme, jusque-là plein d'espoir, avait jeté un seul coup d'œil à Hugo et était parti, l'oreille basse.

— C'est un comble, s'était-elle écrié, vous l'avez fait fuir ! Quel dommage.

— Vous méritez mieux, c'est un raseur.

Claudia avait mis un point d'honneur à ne pas répondre à son sourire.

— Je ne le trouvais pas du tout ennuyeux, moi. Je ne dirais pas la même chose de vous ! Vous me poursuivez depuis des semaines.

— Je vous admire. Je suis venu vous voir tous les soirs. Il fallait que je vous parle. Vous êtes extrêmement belle.

— Bien sûr, puisque tout le monde le dit !

Si elle n'avait pas été un peu ivre, sûrement n'aurait-elle pas laissé échapper une énormité pareille.

— J'aimerais créer un ballet pour vous. Je pense que vous avez encore plus de talent qu'on ne l'imagine. Moi, je ferai ressortir ce qu'il y a de meilleur en vous. Il n'y a que moi qui vous comprenne. Venez danser dans ma troupe. La compagnie Carradine.

— Je ne connais pas.

Elle mentait. La compagnie Carradine avait très bonne réputation. Hugo eut un sourire montrant qu'il l'avait percée à jour.

— D'ici un an, on ne parlera plus que de nous, prédit-il.

— Et vous voulez seulement me proposer de m'engager ? Vous n'avez pas d'autre idée derrière la tête, bien entendu ? Notre association serait purement professionnelle ?

Elle devait lever le visage pour le regarder, or les hommes grands l'attiraient tout particulièrement. Un désir soudain l'envahit, et elle s'imagina en train d'embrasser cette bouche séduisante.

— Non, non, pas purement professionnelle. Vous devez le sentir...

Son sourire fit fondre Claudia.

— Mon intérêt est très, très personnel, ajouta-t-il. Si nous partions ? Il y a trop de bruit, trop de monde. Je n'entends pas ce que vous me dites, et j'ai envie d'être seul avec vous. S'il vous plaît ?

Elle n'hésita pas plus d'une seconde.

— Pourquoi pas… Vous me raccompagnez chez moi ?

— Certainement, si cela vous fait plaisir. Sortons, en tout cas, nous verrons ensuite.

Au souvenir de leur première nuit, les mains de Claudia se crispèrent sur le volant. Leur promenade l'avait ramenée à ses seize ans, ou tout du moins à ce que ses seize ans auraient dû être si sa jeunesse n'avait pas été entièrement prise par la danse. Avec quelques années de retard, elle vivait cette époque volée.

Ils avaient suivi les quais de la Tamise.

— Je ne suis jamais descendue ici la nuit, avait confié Claudia. Que c'est beau !

— Les lieux communs ne mentent pas : l'eau scintille comme un collier de diamant posé sur un velours noir… C'est tout à fait vrai ! Je vous ai vue dans tous vos rôles. Je ne sais pas si vous vous rendez compte que vous êtes presque impossible à approcher. D'ordinaire, je vais très rarement aux soirées, mais vous n'en manquez pas une, et il fallait que je vous parle.

— Eh bien, maintenant que vous m'avez toute à vous, parlez-moi.

— Ma proposition était tout à fait sérieuse, vous savez. Je veux créer un ballet pour vous. Vous danseriez une de mes chorégraphies ?

— Mais bien sûr, Hugo. Cela me ferait très plaisir.

— Il faudrait qu'il rende justice à votre talent. Qu'il soit aussi beau que vous. Aussi original que vous.

Tout en conduisant dans la lumière déclinante, Claudia s'attarda sur ce souvenir. Les compliments d'Hugo étaient toujours aussi doux à son oreille. Comme elle avait aimé l'entendre lui parler ainsi !

— Vous êtes une danseuse exceptionnelle, avait-il ajouté. Vous êtes capable de donner beaucoup. Vous êtes plus intelligente, plus disciplinée que les autres danseuses. Souvent, les ballerines se laissent emporter par leurs senti-ments, mais vous, vous vous contrôlez parfaitement. Ce qui ne vous empêche pas d'exprimer la passion. On sent cette force en vous, cette furie qui ne demande qu'à sortir, à être exploitée, révélée.

Claudia s'appuyait à son bras tout en marchant, souriante.

— Je vous avais remarqué, avoua-t-elle. Aux réceptions où vous m'avez suivie. C'est facile de vous repérer, avec votre grande taille. Je suis heureuse de vous entendre parler de moi ainsi. Vous m'avez comprise.

— Oui, j'ai l'impression de vous connaître.

— Alors que moi, je ne sais rien de vous. Dites-moi tout. Vous êtes marié ?

Il rit comme s'il trouvait cette suggestion ridicule.

— Moi non plus, confia Claudia. Enfin, je suis divorcée. Mon mari m'a quittée. J'ai une fille.

— Si elle vous ressemble, elle doit être adorable.

Évidemment, songea Claudia dans sa voiture, je me suis empressée de changer de sujet. Nous avons parlé de tout, de sa vie, de la mienne, de mon mariage, de son travail, de la difficulté de monter des ballets, d'être pris au sérieux quand on veut faire de la danse son métier. Nous avons discuté pendant des heures, et puis nous sommes arrivés devant chez lui.

— Montez prendre le petit déjeuner, avait-il proposé. C'est presque le matin.

Elle était entrée sans rien dire, et s'était arrêtée dans l'étroit corridor. Il avait refermé derrière elle. Elle était restée là, sans bouger, et avait senti les mains d'Hugo sur ses épaules. Il l'avait attirée à lui, et l'avait embrassée avec une telle passion qu'elle avait dû appuyer le dos à la porte, et s'était laissée envahir par une sorte de vertige. La chaleur, l'obscurité lui vidaient la tête ; il n'y avait plus rien d'autre que son besoin de lui, son désir.

Ils n'avaient pas prononcé un mot. C'était un peu, songea Claudia, comme s'ils avaient chorégraphié un ballet. Nous inventions les pas, les mouvements. Que c'était beau ! Stop ! Il ne faut pas penser à ça pendant que je conduis. Même si ces souvenirs remontaient à plusieurs années, ils avaient encore le don de l'émouvoir. Ce jour-là, elle avait trouvé qu'il n'y a rien de plus beau sur terre. Ils avaient fait l'amour, puis, presque aussitôt, ils avaient recommencé. Ensuite, ils s'étaient endormis. Au réveil, ils avaient refait l'amour, puis s'étaient rendormis, et quand elle avait ouvert les yeux et vu le fin visage d'Hugo à côté d'elle, il était trop tard, elle était déjà éperdument amoureuse. Cela ne lui était jamais arrivé, et pourtant, elle avait eu beaucoup d'amants. Cette fois, c'était différent. Elle n'avait jamais désiré personne comme lui.

La passion avait duré assez longtemps. Au début, Claudia avait eu besoin de parler de lui sans cesse, à n'importe qui. Ses lèvres tremblaient à la mention de son nom, et elle disait « Hugo » à tout bout de champ, pour le plaisir. Naturellement, le désir avait fini pas s'atténuer. Avec l'intimité, on devenait trop familier, et l'esprit d'aventure revenait.

Claudia rougit presque au souvenir de sa dernière infidélité avec un jeune et charmant machiniste pendant sa tournée française. Entre la matinée et la représentation du soir, vêtue de son peignoir de soie, elle le retrouvait dans les coulisses. Nous étions insatiables, se remémora-t-elle avec un réveil du désir. Il s'appelait Dylan. Il avait les cheveux longs et blonds, les cuisses musclées, une langue et des doigts de feu.

Elle ne pouvait pas rompre avec Hugo maintenant, ce serait suicidaire. Il lui avait proposé le rôle de la princesse au bon moment, alors qu'elle commençait à se sentir un peu vieillir. Dans *Sarabande*, elle allait tout donner, il le fallait absolument. Si elle ne frappait pas les esprits, elle se retrouverait très vite à jouer les rôles secondaires, et on finirait par la mettre à la retraite sans lui demander son avis.

— Hé, maman ! C'est là qu'on tourne ! Il y a un panneau à droite.

— Pardon, chérie, j'étais dans les nuages.

— Tu ne fais jamais attention à rien ! Heureusement que je me suis réveillée, sinon, je ne sais pas où on aurait atterri.

Claudia passa le haut portail de fer forgé encadré de gros piliers carrés. L'allée d'accès à la propriété était longue et incurvée. De part et d'autre, éclairés par les phares, elle voyait défiler des buissons.

— C'est grand ! s'exclama Alison quand le manoir apparut devant elles. C'est beau, tout illuminé !

— Elle a les moyens de payer sa note d'électricité, marmonna Claudia.

C'était en effet un bâtiment immense dont les fenêtres scintillaient sur un ciel noir. Sous l'auvent brillait une lampe accueillante. La porte, haute et massive, était pourvue d'un énorme heurtoir en cuivre. Tout autour, la nature était congelée par une pluie mêlée de grésil. Claudia frissonna : elle était persuadée que derrière la porte se tenait un majordome en livrée noire, livide, tout droit sorti d'un film d'horreur.

— Au secours, gémit-elle. Jamais je n'aurais dû venir.

Alison n'arrivait pas à s'endormir. Elle alluma la lampe de chevet, mit ses lunettes et regarda sa montre. Une heure et demie. Peut-être s'était-elle quand même un peu assoupie. Si c'était le cas, elle pouvait s'attendre à une longue insomnie, d'autant qu'elle avait faim. Elle se redressa, arrangea son oreiller et se rallongea, les yeux au plafond. Il y avait encore longtemps d'ici au petit déjeuner. Jamais elle ne tiendrait. Elle examina sa chambre, qui était plutôt agréable. Un peu comme un hôtel. Il y avait même une douche et des toilettes. En haut de l'escalier du hall, on tombait sur un couloir qui desservait les chambres. Si on avait effacé les cloisons, on aurait vu les membres de la troupe dans leurs lits, en rang sous les couettes, comme dans les dortoirs des petites, à la pension.

Pourquoi est-ce que j'ai toujours envie de manger ? se demanda-t-elle. Ça ne doit pas être normal. Le plus dur, quand on est la fille d'une danseuse, c'est qu'on ne peut pas se nourrir correctement. Claudia Drake ne peut pas grossir, ah ! ça non, quelle horreur ! Alors les placards de la cuisine et le frigo sont vides. Maintenant qu'elle a décidé que je devais arrêter de prendre du poids, ça s'est encore aggravé. Il n'y a plus une miette nulle part. Quelle naïve ! Elle ne sait pas que les magasins, ça existe ? Je suis quand même assez grande pour aller m'acheter ce que je veux. Elle ne se rend même pas compte que je mange un Mars dès que je sors !

Alison avait horreur de la danse classique. Quel intérêt, se demandait-elle, alors qu'on était fait de chair comme tout le monde, de vouloir donner l'impression d'être léger comme une plume, diaphane, irréel ? Et tout ça, en travaillant comme des brutes. Pire que des sportifs. Ils torturent leurs corps et leurs pieds, se désarticulent, et, le comble, ils n'ont même pas le droit de manger. Ils pensent que s'ils manquaient un seul cours, leurs muscles redeviendraient mous comme de la guimauve. Claudia ne sautait jamais un seul entraînement. Même si on m'emmenait d'urgence à l'hôpital pour une opération très grave, une péritonite, par exemple, elle irait quand même à son cours. L'ambulance arriverait avec la sirène, des brancardiers en bondiraient. Ils monteraient l'escalier en quatrième vitesse sans même prendre l'ascenseur, et maman, elle, partirait en disant : *Ma chérie, désolée, je n'ai pas le temps. Tu comprends, il faut que j'aille à ma classe... Tu seras bien courageuse, hein chérie ?* Un beau sourire, et au revoir.

Bien calée sur son oreiller, Alison s'autorisa un petit rêve de bonheur. Elle imagina qu'elle avait une mère normale, et un père normal, par la même occasion. Sa mère resterait à la maison, et elle, elle partirait le matin à l'école et rentrerait l'après-midi. Elle verrait son père autant qu'elle voudrait. Il aimerait toujours sa mère, et il aurait un travail comme tout le monde, en Angleterre. Il se sentirait tellement bien avec sa femme et sa fille qu'il n'aurait jamais l'idée de les abandonner. Il s'occuperait d'elles, et ils seraient heureux.

J'étais encore petite, quand il est parti, songea-t-elle. Je n'avais que cinq ans, mais je me souviens de beaucoup de choses. Quand on allait au zoo, on imitait les animaux. Il me faisait rire avec ses grimaces. Il me portait sur ses épaules, et pour me mettre au lit, il me balançait et puis il me laissait tomber. Il me lisait des histoires. Maintenant, maman raconte que ce n'est pas vrai, que c'était toujours elle qui me couchait, mais je sais bien que non. Elle, il fallait qu'elle parte tôt à ses spectacles. Quand Alison le lui avait fait remarquer, Claudia était devenue écarlate, ce qui était révélateur. Elle s'était mise à crier : *Comment peux-tu t'en souvenir ? Tu étais trop petite !* Tu parles... Je n'ai rien répondu, mais j'étais assez grande pour savoir qui était là. Il a même écrit un livre rien que pour moi ! Maman l'a oublié parce que je le cache. Des poèmes, tapés à la machine, avec des dessins à chaque page, et agrafés comme un vrai livre. Tiens, je vais le regarder.

Elle se leva pour chercher son atlas dans sa valise, restée ouverte par terre sous la fenêtre. Au cas où sa mère se serait donné la peine de lui demander pourquoi elle l'emportait, Alison avait une réponse toute prête : pour ses devoirs. Mais en fait, elle y rangeait depuis toujours son livre d'enfant parce qu'il gardait les feuilles bien à plat. Et aussi, qui aurait l'idée d'ouvrir un atlas ? Elle retourna au lit et sortit son livre de sa cachette. Elle avait beau le connaître par cœur depuis ses trois ans, elle adorait le feuilleter. Les illustrations la faisaient toujours sourire. Mon père dessine très bien, j'ai dû hériter ce goût de lui, songea-t-elle. C'est lui qui m'a appris à aimer peindre et à fabriquer des objets. Maman n'est pas du tout douée de ses mains. Elle arrive à peine à coudre les rubans de ses pointes ! Tout en tournant les pages, elle entendait la voix de son père qui lui lisait les comptines.

Regarde ce petit ourson,
Tout doux et tout marron.
Il raconte des histoires
De grands ours dans des grottes noires.
Il te chuchote à mi-voix,
Ne crains rien, je suis avec toi.

Elle se sentit aussitôt mieux et referma son livre. Si seulement elle n'avait pas eu si faim, elle aurait pu se rendormir. Il y avait une solution : elle savait où était la cuisine. Elle n'avait qu'à aller voir ce qu'elle pourrait trouver. Elle posa l'atlas sur la table de nuit, se leva, passa son peignoir et sortit à pas de loup dans le couloir.

On avait laissé une lumière dans le hall. Alison descendit tout doucement et se glissa dans la cuisine. C'était la pièce la plus moderne du manoir, avec un plafond haut, et des surfaces nettes et lisses. Les lignes des placards et des appareils électroménagers lui donnaient l'impression d'être dans un vaisseau spatial. Les couleurs lui plaisaient : blanc, bleu très pâle et chrome. La cuisinière était gigantesque, avec des quantités de plaques et un énorme four. Une hotte en cuivre poli coiffait l'ensemble.

Le réfrigérateur, immense lui aussi, ne bourdonnait pas comme chez elles. Alison l'ouvrit et faillit pousser un cri. Il était bourré de tout ce dont on pouvait rêver. Des œufs, du bacon, des saucisses, des yaourts aux fruits de quatre parfums différents, du yaourt grec, de la crème. Il y avait des paquets de croissants et de brioches, du jambon, et des pots de confiture, de marmelade, de mayonnaise, de moutarde. L'absence de fruits et de fromage signifiait sans doute qu'ils étaient conservés dans un garde-manger comme celui où sa grand-mère mettait les fruits et les légumes.

Elle ouvrit un paquet de croissants et en prit deux. Ça ne priverait personne : ça faisait tellement grossir que les membres de la troupe n'en voudraient pas. Elle les plaça sur un support spécial, au-dessus du grille-pain, pour les réchauffer, puis sortit le beurre du réfrigérateur et le posa sur la table avec un couteau qu'elle trouva dans un tiroir. Quand tout fut prêt, elle s'attabla.

À la fin du premier croissant, elle remarqua un chat qui dormait au pied de la cuisinière, voluptueusement allongé dans un panier. Elle se leva et s'approcha de lui en silence pour ne pas le déranger.

— Tu es drôlement balèze, toi ! murmura-t-elle en s'agenouillant près de lui.

Elle le caressa doucement. Il redressa sa tête rousse, la considéra de ses yeux vert clair, ouvrit une gueule toute rose pour bâiller, puis se recoucha sur ses pattes avant.

— Que tu es joli, chuchota Alison. Quel joli chat. Je me demande comment tu t'appelles...

Elle entendit un bruit. Quelqu'un entrait dans la cuisine. Elle se figea, accroupie devant le panier.

— Ah, c'est toi !

C'était Hester Fielding, la propriétaire du manoir. Une danseuse étoile très célèbre dans sa jeunesse, que même Claudia admirait.

— Tu t'appelles Alison, c'est bien ça ? Nous étions tous un peu bousculés, tout à l'heure, nous n'avons pas eu le temps de faire connaissance. Appelle-moi Hester, si tu veux bien. Autrement, ça me donne l'impression d'être une vieille dame. Tu n'es pas malade, j'espère. Je peux faire quelque chose pour toi ?

Alison s'était dépêchée de se relever, rouge comme une tomate. Mourant de timidité, elle bafouilla.

— Oui, non, mademoiselle Field... heu, Hester... Tout va bien, seulement... J'avais un peu faim, alors je me suis dit que je pouvais... Enfin, que ça ne dérangerait pas si je... Je croyais que tout le monde dormait. Je vais nettoyer derrière moi. Je n'aurais pas laissé de désordre. Je n'arrivais pas à dormir. Et puis j'ai vu le chat. Il est grand, hein ?

— Oui, Siggy est un gentil gros matou, n'est-ce pas, Siggy ? Ne t'inquiète pas. Finis ton croissant. Un petit en-cas, c'est toujours meilleur la nuit. Je venais me faire une tasse de thé.

Le peignoir d'Hester Fielding était plus beau qu'une robe du soir, songea Alison. Il était en velours, couleur... couleur yaourt au cassis. Il lui arrivait aux pieds, et était attaché à la taille par une large ceinture. Elle remarqua qu'Hester n'était pas plus épaisse que Claudia. (La minceur était ce qui la frappait toujours en premier chez les autres.) Elle avait gardé la ligne, malgré son âge. Claudia lui avait dit qu'Hester avait cinquante-trois ans ! Elle ne les faisait vraiment pas. *Évidemment, elle se teint les cheveux*, avait-elle entendu sa mère raconter à Hugo. *Elle a bien raison, d'ailleurs. Moi, je compte rester rousse jusqu'à mon dernier soupir.*

— Pourquoi avez-vous appelé votre chat Siggy ? C'est un drôle de nom.

Mlle Fielding, ou plutôt Hester, se tourna vers elle avec un sourire qui réchauffait le cœur. Ce n'était pas qu'elle était belle, exactement, pas comme Claudia était belle, mais on avait envie de la regarder. Quand elle souriait, ses yeux étaient tellement... C'était difficile à définir, mais Hester brillait d'une lumière intérieure.

— Siggy, c'est le diminutif de Siegfried. Le prince du *Lac des cygnes*. Il était élégant comme un prince, mais il s'est un peu laissé aller. Maintenant, il ne ressemble plus du tout à un prince, en tout cas pas à un prince de danse classique. Siggy saute, c'est vrai, mais pas avec la grâce de Noureïev, et pas autant qu'autrefois, je crois.

Elle ébouillanta la théière.

— J'espère que tu vas te plaire à Wychwood. Tu ne t'ennuieras pas, au moins ?

— Non, bien sûr que non !

Réponse étonnante, puisqu'elle se plaignait depuis des jours à Claudia de son séjour forcé à la campagne.

— Je suis certaine que je vais trouver des tas de choses à faire pour m'occuper. Je retourne me coucher. Je crois que j'ai sommeil, maintenant.

— Moi, je vais écrire quelques lettres, et puis j'essaierai de dormir aussi. La journée de demain sera chargée.

— Bonne nuit.

Alison porta son assiette à l'évier pour la rincer. Une bonne habitude que sa mère ne lui avait pas apprise, et n'appliquait pas elle-même. Claudia était d'une fainéantise exaspérante. Elle ne rangeait jamais rien, et lavait horriblement mal la vaisselle, ce qui mettait Alison en rage. Chez elles, elle préférait se charger de cette tâche afin d'éviter les mauvaises surprises. Sa mère aurait pu la remercier, eh bien non ! Elle en profitait même pour la tourner en ridicule devant les gens, en la traitant de parfaite petite ménagère. À l'entendre, on aurait cru que la propreté était une tare, une preuve de manque d'imagination. Quand on est une artiste comme moi, avait-elle l'air de dire, on ne se préoccupe pas de besognes bassement matérielles. C'était très déplaisant.

— Bonne nuit, Siggy, murmura-t-elle en quittant la cuisine.

Le chat, qui s'était rendormi dans son panier, ne bougea pas une moustache.

Une fois recouchée, Hester pensa à Alison Drake. Elle ne ressemblait pas du tout à sa mère. Le père était probablement très brun, comme sa fille, et trapu. Cela ne devait pas être facile pour elle d'avoir une mère aussi jolie. L'influence des mères était tellement importante... Elle-même avait sans doute voulu marcher dans les pas de sa mère en décidant de devenir danseuse. Il ne lui restait pourtant d'Helen Prévert que quelques souvenirs flous quand elle était arrivée chez les Wellick. Elle n'avait eu que la photo apportée dans sa valise. Mais c'était suffisant : la beauté et la grâce de cet être idéal, dans son cadre d'argent, avaient exercé sur elle une fascination totale. Pour Alison, c'était beaucoup plus difficile. Le physique de Claudia aurait semblé inaccessible même à une enfant moins disgracieuse.

Une enfant... Enfin, une adolescente, plutôt, songea Hester. Elle a quatorze ans, je crois. C'est à cet âge que je suis entrée à la compagnie Charleroi. À l'époque, je me considérais déjà comme une adulte, et j'étais plus que prête à commencer ma carrière.

1948

Londres était une ville gigantesque. Les voitures, la foule des passants sur les trottoirs, les immenses immeubles gris. À travers la vitre du taxi, Hester reconnaissait certains monuments qu'elle avait vus au cinéma, aux actualités en début de séance. La pluie fine formait des flaques qui scintillaient sous la lumière des réverbères. M. Cranley était venu la chercher à King's Cross. En descendant du train, elle l'avait aperçu au bout du quai près de la locomotive à vapeur. Elle avait agité le bras pour attirer son attention, et quand il l'avait vue, elle s'était rassurée. La peur qui lui étreignait le cœur à la perspective de sa grande aventure se calma. Tout allait bien se passer.

De la gare à la pension de famille, dans le quartier de Bayswater, on ne passait devant aucun théâtre.

— Tu les verras tous très bientôt, assura M. Cranley. Surtout notre cher Royalty, dans Craven Road. Le Royalty a connu des jours plus beaux, mais il reste magnifique.

Si elle l'avait osé, Hester lui aurait dit que n'importe quelle salle de spectacle délabrée lui semblerait un paradis à côté de la maison des Wellick. M. Cranley l'observait dans la pénombre du taxi.

— J'espère que ton ancienne vie ne va pas te manquer.

— Sûrement pas, lâcha-t-elle avec un rire. Enfin si, Mme Olga me manquera, mais elle a promis de venir me voir danser dès que je serai prête. Je voulais vous remercier pour... pour tout. Je vais travailler très dur, je vous le jure.

— J'en suis certain. Je ne prends pas de paresseuses, et Olga m'a rassuré sur ce point. Ma compagnie est petite, mais elle a bonne réputation. Mes ballerines sont souvent invitées à danser à Sadler's Wells et à l'Opéra, tu sais.

Hester lui trouvait l'air d'un gentil père Noël. Il avait les cheveux blancs, une barbiche beaucoup trop bien taillée pour le rôle, mais ses yeux étaient d'un bleu étincelant et ses joues, toutes roses.

— J'ai remarqué quelque chose, Hester. Tu es seule au monde. Peut-être n'en souffres-tu pas, mais, Olga exceptée, bien sûr, tu n'as personne. Elle m'a appris que tu as été livrée à toi-même très tôt, depuis que ton père t'a envoyée en Angleterre, et peut-être même avant, parce que ta mère est morte quand tu étais toute jeune. Qui sait quel impact cela peut avoir sur un enfant...

Hester ne comprenait pas où il voulait en venir, mais elle eut un pincement au cœur en entendant ce petit discours. Il avait raison. Elle avait été totalement isolée avant que Mme Olga ne s'intéresse à elle. Elle frissonna et frotta ses mains gantées l'une contre l'autre. M. Cranley continua.

— Quand j'ai rencontré ton père, il s'est montré fort courtois. Heureusement, il connaît la danse, car j'aurais eu beaucoup plus de mal à convaincre un béotien. Mais, bien qu'aimable, il ne m'a pas semblé être une personne très... très chaleureuse. Et sa femme, si tu veux bien m'excuser, n'a pas l'air non plus de savoir ce qu'est la gentillesse.

— Je ne l'ai jamais rencontrée. Je ne suis pas retournée en France depuis mes cinq ans. Mon père n'est venu me voir que trois fois chez les Wellick.

— Cela rend ma tâche plus facile. J'ai horreur de dire du mal des familles, Hester, mais je dois avouer que tu n'as pas eu beaucoup de chance dans ce domaine.

— J'avais ma grand-mère. Ma grand-mère était très gentille. Je me souviens bien d'elle.

— C'est déjà ça, seulement, elle n'est plus là. Je te semble peut-être brutal, mais il n'y a personne pour veiller sur toi. Olga s'inquiète. Comme tu le sais, c'est une très vieille amie, et elle m'a chargé de remplacer un peu ta famille. Je n'y manquerai pas. Je veux que tu saches que je suis là, que tu peux tout me dire, me demander de l'aide ou des conseils, en toute circonstance. Je m'occuperai de toi de mon mieux.

Hester prit peur. N'était-ce pas trop généreux ? N'avait-il pas d'arrière-pensée ? Et si Paula avait vu juste sur ses intentions ? À moins, bien sûr, qu'il ne se considère comme le père de toutes ses danseuses...

— Merci, dit-elle après un silence, mais...

M. Cranley éclata de rire.

— On lit en toi à livre ouvert ! Tu es très expressive, ce qui est essentiel, sur scène. Tu redoutes que je n'exige quelque chose en retour, Dieu sait quelles horreurs ! N'y pense plus. Je ne te demande que de bien travailler. Je suis le patriarche de ma petite troupe, comme tes camarades te le diront. Toi, bien sûr, tu es un cas à part, car les autres ont des parents, des grands-parents, des tantes, des oncles et des kyrielles de frères et sœurs.

— Merci, monsieur Cranley. C'est très... très...

— Ne me remercie pas, Hester. C'est normal. Et s'il te plaît, appelle-moi Piers. Toute la troupe m'appelle par mon prénom. Nous sommes arrivés.

Hester attendit sur le trottoir avec sa valise pendant que M. Cranley, ou plutôt Piers, réglait la course. Levant la tête vers les fenêtres éclairées du 24, Moscow Road, elle se sentit libérée. Je m'étais renfermée, songea-t-elle. Je me protégeais comme si je devais résister à la tempête. Je ne pouvais me détendre que chez Mme Olga. Ici, je vais être heureuse.

— Tu partageras une chambre avec Dinah et Nell, expliqua Piers en la rejoignant. Deux filles très

110

sympathiques, très ouvertes. Leur contact te fera beaucoup de bien.

Il souleva la valise et frappa quelques coups à la porte avec le heurtoir à tête de lion.

De l'extérieur, la maison était assez belle, avec trois marches qui menaient à un auvent soutenu par des piliers. Par contraste, l'intérieur ne payait pas de mine. L'entrée, exiguë et sombre, déçut Hester. Sous un miroir, une petite table occupait la moitié de l'espace. Le hall desservait deux pièces : le salon et la salle à manger. Elle apprit vite que le salon était appelé le « foyer » par la troupe, parce que c'était le nom de la pièce de détente des acteurs dans les théâtres. Les trois étages supérieurs abritaient les chambres. Les danseuses les plus anciennes logeaient au premier et au deuxième, et les plus jeunes se regroupaient au troisième, ainsi qu'au grenier. Hester se retrouva sous les combles, avec Dinah Rowland et Nell Osborne.

— Bienvenue dans notre trois-étoiles ! lança Dinah en accueillant Hester. C'est un grenier minable, mais sympathique.

Dinah était une grande fille au teint pâle, dont la principale beauté résidait dans son épaisse chevelure dorée. Nell, plus petite, était rouquine avec des taches de rousseur. Hester les estima plus âgées qu'elle ; elles devaient avoir environ seize ans.

Elle posa sa valise au bout de son lit, et inspecta la pièce. Quelques carpettes élimées s'étalaient sur le plancher brut.

— Je vois que tu as remarqué nos tapis, commenta Nell. Le matin, il faut sauter de l'un à l'autre comme pour traverser un gué, si on ne veut pas se planter des échardes dans les pieds.

La plaisanterie fit rire Hester. Elle défit sa valise, ce qui ne lui prit pas longtemps. Elle contenait fort peu de choses : ses vêtements, Antoinette, et la chaînette en or de

111

sa grand-mère dans sa petite boîte en écaille. Elle cala la poupée contre son oreiller, en espérant que Dinah et Nell ne se moqueraient pas d'elle. Il n'y eut pas un sourire.

Hester adorait son grenier trois-étoiles. Dinah et Nell ronchonnaient, mais elle s'y sentit tout de suite bien. Pour la première fois de sa vie, elle avait son coin à elle, et peu importait la vétusté des lieux. Elle s'habitua vite aux collants pendus en permanence au-dessus de la baignoire de la salle de bains glaciale. Rien ne séchait, et elle était obligée parfois de les enfiler encore humides. Dinah lui conseilla de les essorer dans une serviette après les avoir lavés.

— Dommage que les serviettes ne soient pas très absorbantes, commenta Hester.

— Absorbantes ? Elles sont transparentes, oui ! Regarde celle-ci, on dirait un voile.

Dinah agita sa serviette autour d'elle en remuant les hanches, comme une danseuse orientale.

— Je suis Salomé, je vais te montrer la danse des Sept Serviettes.

— Quand j'aurai une maison à moi, mes serviettes de toilette seront épaisses comme des édredons, et j'aurai des beaux tapis partout.

— On peut toujours rêver ! Allez, viens, habille-toi, on va au Lyons Corner House.

Ce grand café près de Marble Arch était le lieu préféré d'Hester à Londres. Cet endroit mis à part, la capitale l'avait un peu déçue. Comme s'il ne suffisait pas que la ville aux façades noircies soit triste et sombre, les gens ne portaient que du brun, du gris, du noir. Les traces des bombardements restaient visibles, et on voyait encore des maisons éventrées dont il ne subsistait qu'un mur intérieur, avec le papier peint et une cheminée suspendue dans le vide.

Dinah et Nell étaient ses premières véritables amies.

Elles avaient été gentilles dès le début et elle s'était très vite adaptée. Parfois Mme Olga lui manquait. Elle avait envie de remonter la rue du village comme autrefois, et de franchir la grille du manoir pour aller lui raconter sa nouvelle vie. Il fallait se contenter de lui écrire. Hester lui envoyait des lettres deux fois par semaine dans lesquelles elle lui décrivait ses activités par le menu. Les cours de Piers, la gentillesse des membres de la troupe avec leur plus jeune danseuse, et les projets de ballets. Mme Olga lui répondait sur des cartes postales blanches, remplies des deux côtés de sa petite écriture alambiquée. Elle lui prodiguait des conseils, l'assurait de son soutien, et la priait de continuer à lui écrire. Elle terminait toujours ainsi : *Je pense beaucoup à toi, et je t'envoie mon affection la plus sincère. Olga R.*

Les premiers mois, Hester avait craint de ne pas être à la hauteur des autres danseurs de la compagnie. Elle suivait sans difficulté les cours quotidiens, mais redoutait que ses performances ne soient jugées insuffisantes. Pourtant, elle pensait avoir une idée assez juste de ses propres capacités, et, malgré ses doutes, elle se reconnaissait du talent. Dans son for intérieur, elle était persuadée d'être capable de réussir. Elle avait de l'énergie, de la détermination, et était prête à se battre. Piers ne semblait pas mécontent de son travail, même s'il était avare de compliments. Une fille moins sûre d'elle se serait vite découragée.

Dinah et Nell lui indiquèrent les meilleures boutiques d'articles de danse, et lui firent découvrir les délices du Lyons, qui était exactement le genre de café animé dont Hester avait rêvé quand elle voulait quitter le Yorkshire. Elle se sentait délicieusement adulte en attendant devant la caisse avec Dinah et Nell pour régler sa note. Quel bonheur d'avoir un peu d'argent dans sa poche !

Leur théâtre, le Royalty, était un îlot de couleur au milieu de la grisaille environnante. Les fauteuils d'orchestre étaient rouge sang et le rideau d'un carmin encore plus intense, mais, la première admiration passée, on s'apercevait que le velours des sièges était usé, et que des reprises se cachaient entre les plis au bas du rideau.

— Piers entretient mal le théâtre.

Assise avec Hester et Nell à leur table habituelle du Corner House, Dinah reprenait ses éternels griefs.

— Je sais qu'il préfère dépenser son argent pour les costumes et pour nous emmener en tournée à l'étranger, mais tout de même, je ne crois pas comme lui que les gens se moquent du confort des fauteuils du moment que le ballet est bon.

Elle tendit sa cuillère à long manche pour chiper un peu de glace dans la coupe d'Hester. Elles prenaient toujours la même chose : trois boules, chocolat, vanille et fraise.

— S'ils sont trop mal assis, ils ne reviendront pas, conclut-elle.

— Les sièges ne sont pas mauvais, protesta Nell, ils sont juste un peu vieux. Ce n'est pas sale, heureusement, et il n'y a pas de puces !

Hester, assez indifférente, les écoutait en finissant sa glace. Quand, le premier jour, Piers lui avait fait visiter le théâtre, elle n'avait pas songé à inspecter l'état des fauteuils. Elle avait regardé la scène, et rêvé du jour où le rideau s'ouvrirait sur elle. Nell et Dinah, passant du coq à l'âne, parlaient à présent de la première danseuse de la compagnie, la fameuse Estelle à laquelle Hester devait d'avoir changé de prénom. Estelle Delamere avait un surnom, qu'on ne lui donnait bien sûr que derrière son dos.

— Pourquoi l'appelle-t-on « Madame P » ? demanda Hester.

La question lui avait déjà traversé l'esprit, mais elle n'avait pas encore eu l'occasion de la poser, tant il y avait de choses à comprendre.

— Oh, c'est comme on veut, répondit Dinah. Madame

Pénible, Pinailleuse, Pimbêche. C'est une vraie peste en tout cas, et tout le monde la déteste.

— Piers aussi ?

— Sûrement, mais il ne dit rien tant qu'elle danse correctement. Il faut admettre qu'elle est plutôt bonne, mais je n'aime pas son style. Moi, je la trouve froide. On peut l'admirer, mais pas l'aimer, si tu vois.

Hester hocha la tête sans trop comprendre.

— Elle est ridicule ! intervint Nell. Elle a plus de trente ans, vous ne croyez pas qu'il faudrait qu'elle pense à s'arrêter ? Elle doit bien se douter que ça ne va pas durer. Vous allez voir qu'elle va s'accrocher jusqu'à la fin. Elle montera sur scène avec une canne !

— Ça ne doit pas être facile de savoir quand il faut partir, commenta Dinah. On doit se raconter des histoires. Si au moins on entendait craquer les articulations pendant la classe !

Riant encore, elles quittèrent la chaleur de leur Corner House bien-aimé pour reprendre le métro, bras dessus, bras dessous.

— Notre palace nous attend, chantonna Nell.

— J'ai hâte de m'allonger mollement dans mon lit de plumes, remarqua Dinah en riant.

L'inconfort de leur grenier importait en réalité fort peu à Hester, Dinah et Nell, car elles n'y passaient que leurs nuits. Le plus clair de leur temps se déroulait à côté du théâtre, dans une salle paroissiale poussiéreuse. Elle était haute de plafond, balayée de courants d'air, froide même au cœur de l'été et glaciale en hiver. Hester ne se souciait guère de la température tant elle travaillait dur. Piers ne ressemblait plus du tout à un gentil père Noël quand il donnait ses cours ou qu'il dirigeait les répétitions.

— Hester, concentre-toi, je te prie !

Quelle honte ! Elle qu'on ne rappelait jamais à l'ordre ! Piers remarquait le moindre écart d'attention. Il était impitoyable avec les danseuses, ne supportait pas la désobéissance. Quand il se mettait en colère, il s'empourprait, et semblait sur le point de cracher du feu comme un dragon.

Par une froide matinée, alors qu'elles se levaient un peu tard, Dinah considéra Nell avec inquiétude tout en brossant ses longs cheveux blonds.

— Tu ne peux pas aller à la répétition dans ton état. Tu es trop malade. Tu tousses à t'arracher les poumons, et tu vas passer ta grippe à tout le monde. Piers sera fou de rage. La première de *Casse-Noisette*, c'est jeudi prochain si tu te rappelles. Tu imagines le désastre si les souris et les fleurs couvrent la musique avec leurs éternuements ?

— Tu es folle, je ne peux pas manquer la répétition. Je ne veux surtout pas que Piers donne mon rôle à Simone qui lorgne mon solo depuis le début. C'est mon premier, et je ne vais pas me laisser arrêter par une petite toux de rien du tout. J'ai des pastilles.

Hester trouvait à Nell des airs de biche, avec sa façon de pencher la tête sur le côté pour regarder les gens. Elle n'avait pas les traits fins, mais était très expressive et souriante. Aujourd'hui, elle avait de grands cernes, le teint blême, et le front moite. La pauvre semblait très malade.

— Ce n'est pas une pastille qui va te guérir, protesta Dinah en fixant son chignon avec des épingles. Piers va se mettre en colère dès qu'il te verra.

Hester présageait mal la suite des événements. Elles étaient alignées devant leur professeur, Nell au premier rang. Hester ne la voyait que de dos, mais Piers la contemplait, sourcils froncés, avec de petits soupirs. C'était mauvais signe. Nell eut une quinte de toux, l'occasion qu'il attendait pour lever le bras et arrêter la répétition.

— Nell Osborne, viens ici ! ordonna-t-il.

Nell avança vers lui, tête basse. Hester eut le fol espoir qu'il allait la réconforter, lui proposer de boire un verre d'eau et de s'asseoir un moment pour se remettre. Quelle erreur ! Il commença ses remontrances assez calmement, mais sa colère alla crescendo.

— Tu es malade, Nell. Je le vois, inutile de nier. Tu as de la fièvre. Il fallait rester au lit, voyons ! Quelle idiote ! Venir dans cet état ! En assistant à la répétition, tu mets tout le monde en péril ! Tu es contagieuse, et tu viens ici ! Nous travaillons depuis des semaines à ce spectacle, et pour ta petite fierté, tu es prête à tout saboter ! C'est d'une bêtise, d'un égoïsme ! Allez, rentre ! Va te coucher !

Nell fondit en larmes.

— Et arrête de pleurer ! Tu vois bien que je me fais du souci pour toi !

Il jeta un coup d'œil autour de lui.

— Dinah, Hester, emmenez cette malade et mettez-la au lit tout de suite. Ensuite, vous irez chez moi… Vous savez où j'habite ? Bien. Allez trouver ma gouvernante et demandez-lui d'apporter à déjeuner à Nell et de s'occuper un peu d'elle, ensuite vous reviendrez. Ruby a été garde-malade. Et puis non, vous feriez mieux de passer chez moi avant d'aller à Moscow Road, ce sera plus pratique. Allez, ouste !

Les trois amies sortirent dans le vent glacé, et allèrent à une rue de là, chez Piers.

— Quel temps infect, se plaignit Dinah. Nous allons toutes attraper une pneumonie. Heureusement que Piers vit à deux pas du théâtre.

Hester et elle encadraient Nell pour la soutenir. Celle-ci, très affaiblie, pleurait toujours.

— Je ne serai jamais guérie pour le spectacle, gémit-elle. Je m'en voudrais tellement si vous attrapiez ma grippe ! Piers ne me pardonnera pas.

— Mais si, intervint Dinah. Il crie, mais il a bon cœur. Tu le connais. La preuve, il demande même à sa gouvernante de s'occuper de toi. Seulement, quand il nous fait danser, on dirait qu'il devient quelqu'un d'autre. Un peu comme Jekyll et Hyde.

— On y est, annonça Hester.

Elle laissa Nell au bras de Dinah, et alla appuyer sur la sonnette.

— Et si sa gouvernante n'est pas là ? On fait quoi ?

— Tu n'auras qu'à retourner à la répétition, moi je m'occuperai de Nell.

Mais la porte s'ouvrit sur une grande jeune femme, vêtue d'une jupe de tweed et d'un chemisier blanc. Elle devait avoir environ vingt-cinq ans, et Hester la trouva instantanément sympathique. Son regard avait un effet tranquillisant ; il était calme, doux et assuré, comme si elle n'avait peur de rien.

— Oui ?

Elle s'interrompit en voyant Nell.

— La pauvre petite ! Faites-la vite entrer.

— Vous êtes Ruby ? demanda Dinah.

— Oui, je suis la gouvernante de M. Cranley.

— Piers veut que nous ramenions notre amie au 24, Moscow Road. Il demande que vous lui apportiez à manger et que vous restiez un peu avec elle jusqu'à ce qu'elle se rétablisse.

— Mais bien sûr. Entrez. Installez-la sur le canapé, et attendez-moi. Je vais chercher ce qu'il faut. Je vous accompagne. Vous m'aiderez à porter les provisions, ce sera plus facile. Je vais préparer un panier.

Dinah et Hester conduisirent Nell dans le salon et la firent allonger sur le canapé en prenant bien soin que ses chaussures ne salissent pas les coussins. Depuis qu'elle avait quitté la France et le décor ouaté de sa grand-mère, c'était la première fois qu'Hester entrait dans une pièce vraiment confortable. Même chez Mme Olga, il faisait souvent froid, et la décoration donnait des signes de fatigue. Le salon de Piers respirait l'opulence, avec son papier à motifs de feuilles et de baies, ses rideaux de brocart cuivrés. La lampe, sur le guéridon, avait un abat-jour de verre coloré qui émerveilla Hester. Elle n'avait jamais rien vu d'aussi beau.

— Dites donc, il nage dans le luxe, commenta Dinah. À côté de notre trois-étoiles ! Il doit avoir plus d'argent qu'on ne croit.

Hester l'entendait à peine. Elle admirait une horloge dorée sur la commode, les tapis épais (des tapis sur une moquette, le comble de la magnificence !), les cartons d'invitation intercalés entre les ornements de la cheminée. Ce devait être merveilleux de s'installer dans cette pièce, sous la lampe allumée, devant un bon feu. Pour l'instant, l'âtre était vide, mais elle l'imaginait crépitant.

— Voilà, je suis prête, annonça Ruby en revenant, un panier à chaque bras. Vous pouvez m'en porter un ? demanda-t-elle à Hester avec un sourire. Comment vous appelez-vous ?

— Hester Fielding, répondit Hester en prenant le panier. Elle, c'est Dinah Rowland, et la malade s'appelle Nell Osborne.

Ruby hocha la tête. En repensant un peu plus tard à cette rencontre, Hester se rappela avec précision que quand elles s'étaient regardées pour la première fois, elle avait tout de suite su que Ruby était une femme de confiance.

Ruby rendit visite à Nell tous les jours pendant sa maladie. Elle lui tenait compagnie pendant qu'Hester et Dinah étaient en cours ou en répétition. À leur retour, elle partait préparer le dîner de Piers. Elle n'était pas très bavarde ; Hester la trouvait sympathique, mais l'aurait préférée un peu moins taciturne. Malgré sa discrétion sur sa vie privée, on devinait à son accent qu'elle était d'origine écossaise. Elle avait quatre frères et sœurs, et confia un jour à Hester qu'elle envoyait pratiquement toute sa paie à sa mère.

— Ce n'est pas trop dur de vivre à Londres, si loin de votre famille ? lui demanda Hester.

Ruby prit son temps pour réfléchir.

— Parfois, j'avoue même que je suis soulagée d'avoir quitté l'ambiance familiale, mais ils me manquent. Oui, c'est assez dur.

Au bout de trois jours, Nell fut presque guérie.

— Je retourne aux répétitions demain, annonça-t-elle à Ruby.

Elle était encore couchée, mais avait meilleure mine.

— Je me sens beaucoup mieux grâce à vous, Ruby. Vous m'avez soignée et nourrie comme une reine.

— Je n'y suis pour rien. Vous vous êtes vite remise parce que vous êtes forte et jeune.

— C'est beaucoup moins pénible d'être malade quand on s'occupe de vous, intervint Dinah. Vous avez été vraiment gentille, Ruby.

Ruby, penchée sur son canevas, ne répondit rien. Hester avait remarqué qu'elle ne restait jamais les mains vides. Quand elle venait à Moscow Road, elle apportait toujours un ouvrage, de la couture ou sa tapisserie. Elle avait même consacré tout un après-midi à repriser leurs collants avec une minutie extrême.

— C'est incroyable ! s'était exclamé Dinah. Vos reprises sont tellement parfaites qu'elles sont plus belles que le reste du collant ! Je me demande comment vous faites ! Moi, je n'aurais jamais la patience !

Quand Ruby fut partie, Hester, Dinah et Nell se lancèrent dans un débat à son sujet.

— Vous la trouvez jolie ? interrogea Nell. Moi, je ne sais pas. Parfois oui, et parfois non.

— Elle ne s'arrange pas assez, répondit Dinah, qui ne jurait que par les bigoudis et le rouge à joues. Vous pensez qu'elle couche avec Piers ?

— Sûrement pas ! s'exclamèrent les deux autres en cœur.

Longtemps, Hester n'avait eu qu'une idée très vague des choses de l'amour. Dinah et Nell avaient pris son éducation en main. Elles lui avaient expliqué en détail tout ce qui pouvait se passer entre les hommes et les femmes, et même entre les hommes et les hommes. Le sujet les passionnait, et elles en parlaient pendant des heures dans leur grenier trois-étoiles, même après l'extinction des feux. C'était plus facile d'être franche dans le noir. Hester avait été choquée les premiers temps, mais elle s'était habituée, et parvenait mieux à participer aux conversations.

— Piers et Ruby, sûrement pas, reprit Nell en riant. D'ailleurs, nous savons depuis longtemps qu'il ne s'intéresse qu'aux hommes. Anton, Miles et Jeremy ont beaucoup plus de chance avec lui que Ruby.

Les filles pouffèrent de rire. Les préférences des trois danseurs en question n'étaient un secret pour personne. Mais le public se trompait en supposant que l'homosexualité était universellement répandue dans ce milieu. Certains étaient homosexuels, d'autres pas. La question intriguait Hester ; elle y pensait, mais n'arrivait pas à savoir au juste ce qu'elle en pensait.

— Ça va aller ? chuchota Hester à Nell.

Elles se préparaient dans les loges du Royalty pour la première de *Casse-Noisette*. Hester jouait un enfant dans la scène de la fête, au début, et une fleur plus tard, lors de la visite de Clara au Pays des friandises. La perspective de monter pour la première fois sur le plateau la mettait dans un tel état de nervosité qu'elle parvenait à peine à appliquer son rouge à lèvres. Malgré son envie d'inviter Mme Olga à venir la voir danser, elle avait hésité. Consultées, Dinah et Nell le lui avaient déconseillé : était-ce bien nécessaire de la faire déplacer pour deux apparitions au sein du corps de ballet ? Non, bien sûr ! Elle l'avait avertie par lettre, tout en tâchant de rester objective : *Je voudrais bien que vous veniez, mais je n'ai que deux tout petits bouts de rôle, alors ça n'en vaut pas la peine. Attendez mon premier solo. Piers dit que ce sera pour bientôt.*

Madame P dansait la fée Dragée, bien entendu, et Nell avait décroché un court solo de danseuse orientale dans la scène du Pays des friandises.

Elles étaient arrivées depuis des heures pour se maquiller. Piers tenait tout particulièrement à ce que chacun prenne son temps pour éviter la précipitation et les paniques de dernier moment. Ainsi, juste avant le lever de rideau, alors que la sono leur transmettait la musique de l'ouverture, tous les danseurs étaient fin prêts depuis longtemps. N'ayant pas obtenu de réponse la première fois, Hester demanda de nouveau à Nell si elle se sentait bien. Celle-ci n'eut que le temps de hocher la tête, car on les appelait sur le plateau.

Le corps de ballet fit son entrée, et se retrouva dans le décor de la maison de Clara, avec un grand sapin dans un coin, chargé de boules rouge et or qui brillaient de mille feux sous les projecteurs. Toutes dansaient en attendant le Dr Drosselmeyer.

Le rôle du docteur, qui n'exigeait pas de prouesses particulières, était traditionnellement tenu par Piers.

Quand il arriva, tout de noir vêtu, il fit presque peur à Hester tant le costume et le maquillage étaient réussis. Il avait noirci sa barbe et portait un haut-de-forme. Dans le public, on entendit des enfants étouffer des cris. Des applaudissements énormes saluèrent sa sortie de scène.

Les élèves de l'école voisine jouaient les souris. Rassemblés dans les coulisses, ils s'agitaient au milieu d'un indescriptible brouhaha. C'était pour la puissance de leurs couinements, prétendit Dinah, qu'ils avaient été choisis. Piers dut crier pour dominer leur vacarme.

— Si vous ne vous taisez pas tout de suite, je vous coupe en rondelles, et je vous sers en sandwich pendant l'entracte ! C'est compris ?

Hester était transportée de bonheur. Elle devenait fleur, elle devenait enfant. Tout en maîtrisant parfaitement ses pas, et une chorégraphie qu'elle avait passé des heures à répéter, le personnage s'emparait d'elle aux premiers accords, et elle avait l'impression de se transformer, de se détacher de son corps.

Pendant l'entracte, Hester et Dinah cherchèrent Nell, sans succès.

— Tu as regardé dans les toilettes ? demanda Dinah.

Hester allait répondre par l'affirmative quand Piers entra en trombe dans la loge.

— Hester ! Vite, passe le costume de Nell ! Tu as répété son solo de l'acte deux avec tout le monde, je pense.

Hester hocha la tête, saisie par un trac épouvantable. Son cœur allait éclater.

— Ne prends pas cet air affolé. Dépêche-toi, tu la remplaces.

— Mais pourquoi...

— Elle est malade, bien sûr. Elle est rentrée se faire soigner par Ruby. On avait bien besoin de ça !

Dinah intervint :

— Ne vous inquiétez pas, Piers. Je vais la maquiller. Elle sera prête à temps.

Piers la remercia d'un signe de tête et sortit aussi vite qu'il était entré, sans doute pour avertir le reste de la troupe que la danseuse orientale serait remplacée.

— Tu as de la chance, soupira Dinah. Ne bouge pas, ou je vais te mettre du noir sur les joues.

— Mais il aurait dû demander à Simone, ou à toi ! Et si j'oublie les pas ?

Dinah méritait plus qu'elle de danser ce solo. Elle était dans la troupe depuis plus longtemps. C'était elle qui aurait dû être choisie.

— Tu vas très bien te débrouiller. Tu as suffisamment regardé Nell répéter. Il n'a pas choisi Simone parce que tu es meilleure qu'elle, et voilà tout. Et tu te débrouilles mieux que moi aussi. Ne t'en fais pas, Hester, ce n'est pas grave. Ouvre la bouche que je te mette ton rouge.

— Et Nell ? Elle ne va pas mal le prendre ?

— Que veux-tu qu'elle dise ? Elle n'est pas comme Madame P, heureusement. Elle sera contente pour toi. Nous ne sommes pas toutes dévorées de jalousie. Méfie-toi quand même, il y en a qui te feraient certainement un croche-pied avec plaisir !

— Quelle panique ! Mais si je danse mal, si je me trompe ? Si je déçois Piers ?

Dinah, qui venait d'achever de la maquiller, approcha son visage de celui d'Hester pour la regarder droit dans les yeux.

— Quelle petite gourde, tu ne te rends compte de rien, toi !

— Quoi ?

— Tu ne vois pas que tu n'es pas comme nous, Hester ? Nous, nous ne sommes pas mauvaises, mais nous sommes des ballerines ordinaires. Toi, tu as quelque chose en plus, une qualité que personne d'autre que toi n'a dans la compagnie. Personne.

— Mais quoi ?

— Tu as l'étoffe d'une grande étoile.

— Qu'est-ce que c'est ?

— Je ne sais pas… mais quand je la vois, je sais la reconnaître. Allez, remue-toi, montre-leur ce dont tu es capable.

Jamais, de sa vie entière, Hester n'avait connu ce qu'elle ressentit ce jour-là sur scène. Un souffle de terreur mêlée de bonheur la galvanisa. La musique la portait comme une vague. Elle se laissa prendre par elle, fusionna avec elle. Après quelques mesures, les notes ne furent plus que l'expression de ses gestes, des motifs qu'elle dessinait dans l'espace. Le public disparut, et pourtant, elle ne l'oubliait pas. Elle se donnait de toute son âme tout en anticipant les réactions des spectateurs comme on lit une carte routière.

Son corps lui obéissait comme jamais, franchissait des obstacles maintes fois abordés et manqués, l'emportait au plus haut de ses capacités. Tout lui était permis. À la fin de son solo, les applaudissements la tirèrent de sa transe. Elle redescendit sur terre, chassée du royaume enchanté qui avait été le sien pendant quelques minutes.

Quand le rideau fut tombé, après les saluts et les rappels, la troupe l'entoura pour l'embrasser et la féliciter. Estelle la croisa sur le chemin des loges, et, vu l'enthousiasme général, se sentit obligée de mentionner son solo sans parvenir à se départir de son air de rapace.

— On peut dire que tu as eu de la chance, ma petite... Tu iras loin.

— Merci.

Malgré son ambiguïté, le commentaire pouvait passer pour un compliment. Estelle n'était pas capable de mieux.

— Bravo ! cria Piers à toutes les danseuses en entrant dans la loge. Rhabillez-vous vite, j'emmène tout le monde manger un morceau chez Gino. Vous allez voir la presse demain ! Nous allons faire un triomphe.

Il approcha d'Hester et la prit à part pour lui chuchoter quelques mots.

— Tu as bien dansé. Tu t'es bien débrouillée dans l'ensemble, je te félicite. Reste un peu dans la loge, tu vas recevoir une visite.

— Moi ? Mais je ne connais personne. Qui est-ce ?

— C'est une surprise.

Cela ne pouvait être que Mme Olga. Pourvu que ce soit elle ! Pourvu qu'elle l'ait vue danser le solo ! Elle serait tellement fière.

Mal à l'aise dans le costume de Nell, elle prit place devant le miroir, ne se reconnaissant pas. Voilà, je suis danseuse, pensa-t-elle. Une vraie danseuse. Il faut que je me souvienne toute ma vie du bonheur que j'éprouve aujourd'hui.

Dinah et les autres étaient déjà à la porte, prêtes à partir.

125

— Vous ne m'attendez pas ? demanda Hester.

— On nous a priées de te laisser seule, expliqua Dinah. Il paraît que tu vas recevoir la visite d'un mystérieux admirateur.

Peu de temps plus tard, on frappa à la porte. Piers n'entrait jamais simplement dans une pièce : il faisait son entrée, comme au théâtre. Il parut la main posée sur l'épaule d'une femme en robe de soie noire, portant un renard autour du cou.

— Madame Olga ! Comme je suis contente ! Je me doutais que c'était vous. Quand êtes-vous arrivée ? Si vous saviez comme je suis heureuse de vous voir !

— Je vous laisse, annonça Piers, mais je reviens dans cinq minutes pour vous emmener au restaurant. Olga va se joindre à nous, bien entendu.

Il sortit avec autant de panache qu'il était entré. Dès qu'elles se retrouvèrent seules, Hester se jeta dans les bras de Mme Olga.

— Je ne peux pas m'empêcher de pleurer ! Vous m'avez tellement manqué !

— Non, ne pleure pas, ma fille. C'est un grand jour pour moi. À moi aussi, tu m'as manqué. Je pense à toi sans cesse. Le Yorkshire est froid et triste sans ma petite chérie. Ma maison est redevenue toute vide sans toi.

— Moi aussi, je pense à vous. Je suis partie depuis presque deux ans, vous imaginez ? J'attends vos lettres à tous les courriers, et je m'en veux de ne pas écrire plus souvent. Je sais que vous aimez recevoir des nouvelles, mais j'ai tellement peu de temps ! Piers nous fait travailler très dur. Nous ne prenons pratiquement jamais de repos. Il y a les cours, le spectacle à jouer, le suivant à préparer...

— Mais bien sûr, je comprends. Je connais la vie d'une troupe. J'adore tes lettres, ma petite. Elles sont délicieuses. Je les lis et je les relis.

— Vous saviez que j'allais danser un solo ? Piers vous

l'a écrit ? Mais je suis bête, il ne pouvait pas le prévoir ! Il a fallu remplacer Nell au dernier moment.

— Quelle bonne surprise pour moi, tu imagines ! Non, je suis venue sans savoir. Je me suis dit, pourquoi rester seule sous la pluie du Yorkshire, alors qu'il suffit de monter dans le train pour aller à Londres ? Je voulais tellement te voir ! J'ai bien fait. Tu as dansé un solo pour moi. Une merveille ! Je suis fière ! Fière de toi, fière de moi, aussi, parce que je suis ton professeur, que je t'ai donné de bonnes bases, et un maître talentueux pour te développer. Tu es ma jolie rose.

— Vous êtes à l'hôtel ? J'aurais voulu vous inviter chez moi, mais je vis dans une chambre minuscule avec mes deux amies et...

— Ne t'en fais pas. Je suis reçue comme une reine. Je loge chez Piers, dans sa belle maison. Mais mon grand plaisir, c'est de te voir, ma petite fille. Mon cœur déborde de joie quand tu danses. Je suis fière, très fière.

Au Royalty, le lendemain matin, la troupe se rassembla pour lire les critiques du ballet dans les journaux. Hester n'était mentionnée que dans le *Times*, ce qui n'était déjà pas si mal. L'article, peu élogieux dans l'ensemble, se terminait par deux phrases suffocantes : « La jeune Hester Fielding vient de faire des débuts très prometteurs. Nous lui souhaitons beaucoup de succès. »

— Et voilà ! s'écria Dinah en pointant le doigt sur la ligne. Tu as ton nom dans le *Times*. En route pour la gloire ! Tu n'as plus de soucis à te faire.

— Mais je ne redanserai sans doute pas de solo avant longtemps. N'oublie pas que je n'ai eu le rôle que parce que Nell était malade.

Elles allèrent à leur cours de danse en compagnie de Mme Olga qui devait y assister, puis l'emmenèrent déjeuner au Lyons Corner House. Hester tenait à montrer à son ancien professeur ce lieu qu'elle aimait tant. Ensuite, elle escorta Mme Olga à la gare de King's Cross en taxi. En regardant partir le train, elle eut un serrement de cœur, et se demanda quand elle allait la revoir.

Hester ne remplaça Nell que trois soirs, puis elle dut se contenter du corps de ballet. Elle n'avait intégré la compagnie Charleroi que depuis deux ans, et Piers mettait un point d'honneur à ne favoriser personne, mais, visiblement, il avait des projets pour elle. Elle n'était pas comme les autres ; il la destinait à de grands rôles, et n'attendait que le moment adéquat pour la révéler.

Dinah et Nell se moquaient beaucoup d'Hester car, à presque dix-sept ans, elle n'avait pas encore d'amoureux. Les autres filles flirtaient toutes avec l'un ou l'autre des jeunes hommes de la troupe, que Piers appelait « les garçons » ; les danseuses, c'était « les filles ».

— Tu devrais essayer Stefan Graves, il est plutôt mignon, conseilla Dinah un jour, à la fin d'un cours épuisant.

Les cheveux plaqués par la transpiration, Hester avait si mal aux jambes qu'elle se demandait si elle allait pouvoir marcher le lendemain. Elle fit semblant d'être trop essoufflée pour parler. Stefan Graves ne lui plaisait aucunement. Elle s'étonnait d'être si différente de ses camarades dans ce domaine. À son âge, elle aurait dû avoir fait l'expérience de ce qui semblait la grande préoccupation des autres. Elles trouvaient tel garçon « si beau », tel autre « craquant ». Hester ne ressentait pour sa part pas la moindre attirance pour eux, aussi adorables soient-ils. Peut-être fallait-il demander conseil à Dinah. Mais en aurait-elle le courage ?

— Il a les yeux un peu petits, répondit-elle quand Dinah insista.

— Tu es trop difficile, Hester. Il est grand, musclé. Et puis il est gentil et calme, pas comme Miles ou Jeremy, par exemple. Tu as tort de ne pas essayer, au moins. Il faut apprendre à les connaître pour les apprécier. Tu ne fais aucun effort.

— Je sais, c'est ma faute. J'ai peur de ne pas être normale.

— Mais bien sûr que si !

Dinah se redressa avec indignation sans finir de ranger ses chaussons dans son sac.

— Tu es très attirante ! Tu plais à tout le monde ! Je ne vois rien qui cloche.

— Ce n'est pas facile... Je ne comprends rien aux histoires de séduction.

— Tu as le trac, peut-être ?

— Non... Mais je ne ressens rien. Les garçons que nous fréquentons me laissent indifférente. Je n'imagine vraiment pas les embrasser sur la bouche. Ça doit être répugnant.

— Mais les acteurs de cinéma, par exemple, il y en a bien qui te plaisent ? Ils ne te font pas rêver ?

— Si, mais justement, ce ne sont que des rêves. Je ne connais aucun garçon réel qui me plaise. Je ne me marierai jamais. Je finirai vieille fille. C'est horrible.

— Inutile de t'affoler. Allons boire un verre. J'ai une soif terrible. Je suis sûre que tu rencontreras bientôt un garçon, mais tu dois y mettre un peu du tien. Vois du monde, sors un peu. Détends-toi ! Un jour, tu auras le coup de foudre. Tomber amoureuse, c'est vraiment fort. C'est tellement bon ! J'adore embrasser, ça me fait tourner la tête et battre le cœur.

— Tu as sans doute raison, répondit Hester avec un rire, mais je peux t'assurer que ce n'est pas Stefan Graves qui produira cet effet sur moi !

Quand elles retournèrent à la salle de répétition un peu plus tard, Hester et Dinah prirent place sur le banc à côté de Nell. Pendant que Piers faisait pratiquer leurs sauts aux garçons, elles en profitèrent pour chuchoter entre elles.

— Ce que je n'aime pas chez Stefan, souffla Hester,

c'est qu'il ne parle pas beaucoup. On a l'impression que rien ne l'intéresse.

— C'est la timidité. Il est fou de toi. Les garçons deviennent muets comme des carpes dès qu'on leur plaît.

— Eh bien, je n'aime pas ça. Il me suit partout, aussi, c'est énervant. Dès que je me retourne, je le vois en train de me regarder. Je me cogne à lui dans tous les coins des coulisses. Si je vais aux costumes, qui je trouve à la porte ? Lui, toujours lui et encore lui.

— Dinah a raison, intervint Nell. Il n'ose pas te parler. Ne sois pas trop dure. Il ne s'en sort pas. Sois gentille, aide-le.

— Sûrement pas. Je l'aime bien, mais je... Il ne me plaît pas du tout. Je ne pourrais jamais l'embrasser. Pouah !

Dinah et Nell étouffèrent des rires.

— Les filles ! cria Piers. Nous ne sommes pas dans une cour de récréation ! Veuillez vous taire, ou sortez !

— Pardon, Piers, lança Dinah. Nous n'allons plus dire un mot, promis.

— Ce serait trop beau... En tout cas, faites moins de bruit.

Hester conclut dans un souffle :

— De toute façon, Piers ne serait pas du tout content que je flirte avec Stefan. Je préfère rester prudente.

Piers veillait en effet jalousement sur sa troupe. Les « amourettes » n'étaient pas encouragées. Il ne portait pas de jugement moral, mais avait peur que les flirts ne déconcentrent ses danseurs et ses danseuses. Ils ne devaient vivre que pour la danse, travailler matin, midi et soir. Piers lui avait clairement exposé ces principes à son arrivée à Londres.

— Je ne peux pas t'interdire de tomber amoureuse, mais je n'y suis pas favorable. Ça occupe trop l'esprit, on se laisse distraire, on ne fait plus attention à rien. C'est mauvais pour l'ambiance. Alors tâche de choisir quelqu'un de... comment dire... quelqu'un qui ne soit pas trop problématique. Qui ne sème pas la perturbation dans le groupe. Enfin, sache que, comme je le dis à toutes les filles, si jamais tu te trouvais dans une situation embarrassante... tu vois de quoi je veux parler... tu pourras toujours venir me trouver. Quoi qu'il arrive, je te soutiendrai.

Hester décida de régler par elle-même la question de Stefan. Après avoir longuement hésité sur la meilleure attitude, elle se résolut à lui parler directement.

Un matin, après la classe, elle trouva l'occasion de prendre à part son amoureux transi. Piers répétait un enchaînement compliqué du prochain spectacle avec quelques danseurs, et elle se retrouva seule avec Stefan au bout de la salle. Bien entendu, le rapprochement n'était pas accidentel. Elle s'était éloignée du groupe, et, comme d'habitude, il l'avait suivie.

Elle s'assit sur une chaise d'école tandis qu'il restait debout devant elle, plus timide que jamais. Un instant, elle eut un regret. Dinah avait peut-être raison. Elle se montrait trop difficile. Mais l'idée de se forcer lui fit tellement horreur qu'elle n'eut plus aucun doute. Stefan ne lui plaisait pas. Non seulement il ne lui faisait pas battre le cœur, comme disait Dinah, mais elle ressentait une nette répulsion. Elle n'y pouvait rien. Mieux valait être franche avec lui. Elle tâcherait d'être aussi gentille que possible, mais il fallait qu'il cesse de la suivre. Elle prit la parole à mi-voix pour ne pas s'attirer les foudres de Piers.

— Stefan, je ne sais pas ce que tu veux de moi, mais je préférerais que tu arrêtes de me regarder comme ça tout le temps.

— Mais je ne te... Je... Je...

Il s'interrompit, et Hester, stoïque, attendit qu'il achève.

— Tu me plais, Hester... Tu dois t'en douter. Je rêve souvent de toi.

— Oui, je comprends, je ne t'en veux pas, mais ce n'est pas réciproque. Je t'aime bien, sans plus. Je ne veux pas te mentir. Tu me comprends ? Je suis sûre que tu trouveras une autre fille qui...

Elle s'arrêta, à court d'inspiration.

— Je ne veux pas d'une autre fille.

— Je suis désolée. Je ne sais pas comment m'exprimer mieux. Tu ne m'intéresses pas. Laisse-moi tranquille, si tu veux bien.

Tête basse, Stefan poussa un soupir.

— Je ne fais de mal à personne. Je peux bien te regarder et rêver un peu.

— C'est à toi que tu fais du mal.

Il soupira de nouveau.

— Bon, d'accord, si ça t'embête, je ne te regarderai plus.

— Merci.

Elle se leva alors, et rejoignit le reste de la troupe.

— Où étais-tu passée, Hester ? cria Piers. J'ai besoin de toi tout de suite. Viens au milieu avec les autres !

La mise au point lui avait fait du bien. Pour la première fois de sa vie, il lui semblait avoir eu du courage. Elle n'était plus impuissante ; elle avait pu imposer sa volonté. Dommage qu'il ne me plaise pas, tout de même, pensa-t-elle. Je voudrais bien avoir le coup de foudre. Je n'y crois pas trop, mais on peut toujours espérer.

Les représentations de *La Belle au bois dormant* commencèrent après six semaines de répétitions. Piers avait donné à Hester le rôle de l'Oiseau bleu, avec un court solo en fin de ballet. Elle avait aussi été choisie comme doublure de Simone dans le difficile rôle de la princesse Aurore.

— Ne te fais pas trop d'illusions, remarqua Nell. On n'a pas la même chance deux fois. Simone a une santé de fer, elle ne risque pas de te céder la place.

— De toute façon, ce n'est pas du temps perdu, jugea

Dinah. Comme ça, tu sauras le rôle pour plus tard, quand tu le danseras. Ce qui ne saurait manquer, je te le garantis.

— Je suis déjà bien contente de jouer l'Oiseau bleu. J'ai adoré les répétitions.

Mme Olga était à Londres depuis quelques jours, et avait assisté à la générale ainsi qu'à la classe, le matin de la première. Cette fois encore, elle était accueillie chez Piers, et venait à la réception. Dans la loge, pendant qu'elle se préparait pour le premier acte, Hester sentit monter le trac. Non seulement elle avait dû apprendre son propre solo, mais, l'Oiseau bleu ne dansant qu'à la fin, elle devait se joindre au corps de ballet pendant les deux premiers actes. Il ne faudrait pas se déconcentrer.

Pendant l'entracte, Dinah et Nell l'aidèrent à passer son costume d'Oiseau bleu.

— Je suis fourbue, leur avoua-t-elle.

Nell lui fit pencher la tête pour lui attacher sa parure de plumes bleues dans son chignon retenu par une résille.

— Piers fait des économies, grommela Dinah. Nous ne sommes pas assez nombreux.

Elle attacha à la taille d'Hester une sorte de tablier cousu de plumes bleues identiques à celles qui lui ornaient la tête.

— J'aimerais aussi qu'il y ait assez d'argent pour que nous ayons des costumes pour tous les rôles. J'en ai assez du rationnement. On se lasse de voir toujours le même tutu agrémenté d'accessoires.

Elle recula pour admirer son œuvre.

— Il faut un peu d'imagination pour se représenter un oiseau, mais j'ai fait de mon mieux. Bats des ailes, pour voir...

Hester obéit en riant. Au premier acte, elle avait joué une invitée au baptême de la princesse Aurore, dans le même tutu décoré de froufrous soyeux ; ensuite, elle avait dansé une convive à l'anniversaire des seize ans d'Aurore, cette fois avec un tablier piqué de roses. Pour son solo, elle portait des pointes neuves qui relevaient l'indigence de son costume. Piers avait coutume de fêter le premier vrai rôle de ses élèves en leur offrant une paire de chaussons. Les pointes d'Hester étaient en satin bleu ciel. Elle les trouvait sublimes.

La fin de son solo fut saluée par un tonnerre d'applaudissements. Elle avait rassemblé ses dernières forces pour sa courte apparition, et, portée par la musique, elle avait bien cru s'envoler.

— Bravo, tu n'as pas perdu trop de plumes !

Ce fut par ces mots que Piers l'accueillit à sa sortie de scène.

— Je déteste que mes volailles se dégarnissent. Je me souviens d'un *Lac des cygnes* où le plateau ressemblait à une basse-cour après une querelle de poules. Pauvre Tchaïkovski !

La soirée se termina chez Gino. Piers et Mme Olga partirent les premiers, et la troupe se déchaîna dès qu'ils eurent tourné le dos. Dans l'excitation générale, Hester eut soudain l'impression de s'échapper de son corps, de s'élever dans les airs juqu'au plafond et d'observer la scène de très haut : les voix, les rires, la lumière des bougies plantées dans de vieilles bouteilles de chianti. Elle crut se trouver mal.

— Hester ! Ça va ? s'écria Nell. Tu n'as pas l'air bien. Tu es toute pâle. Tu es fatiguée ?

— J'ai eu une drôle d'impression... Je ne sais pas comment dire... C'était comme d'être au bord d'une falaise très haute, et d'avoir peur de tomber dans le vide. Vous, vous étiez tout en bas. Quelle terreur ! Je dois avoir trop bu.

— Tu n'as pris qu'un demi-verre, protesta Dinah. Et tu l'as coupé d'eau !

— Je suis fatiguée, alors. Et puis je suis un peu triste parce que Mme Olga repart demain matin, et qu'elle va me manquer. Ne t'inquiète pas pour moi. Ça ira mieux après une bonne nuit de sommeil.

De retour au grenier, Hester eut tout juste la force de se déshabiller et de se coucher. Elle avait envie de pleurer, sans trop savoir pourquoi. Au cours de la soirée, les félicitations, très nombreuses, lui avaient déjà fait monter les larmes aux yeux.

— Bonne nuit, toutes les deux, dit Dinah d'une voix ensommeillée.

— Bonne nuit, répondit Nell.

— Bonne nuit, murmura Hester. Merci à toutes les deux de m'avoir aidée ce soir.

La lumière éteinte, elle put enfin laisser couler les larmes qu'elle retenait depuis plusieurs heures. Elles roulèrent sur ses tempes et mouillèrent ses cheveux. Elle se tourna sur le ventre et cacha son visage dans l'oreiller pour étouffer ses sanglots, priant que ses amies ne l'entendent pas. Pourquoi cette envie de pleurer ? Pourquoi ? Elle aurait dû être heureuse au contraire. C'était un des plus beaux jours de sa vie. Je pleure pour ma grand-mère, pensa-t-elle. Elle aurait été tellement fière, ce soir, si elle avait pu me voir. On l'aurait placée au premier rang, entre Olga et Piers. J'ai réussi, grand-maman, mais tu n'étais pas là...

La chaîne en or que lui avait donnée sa grand-mère tomba contre son menton, fraîche sur sa peau. Alors elle se tourna sur le dos, et, doucement, l'égrena, feuille à feuille.

28 décembre 1986

Dans le hall, Alison rencontra Hugo, ainsi qu'une jeune femme qui s'apprêtait à sortir. Elle était grande, mince, et portait un manteau blanc en fourrure synthétique. C'était sûrement la nouvelle danseuse qui intégrait la troupe pour *Sarabande*, pensa Alison. Dans un manteau comme le sien, moi, j'aurais l'air d'un nounours...

— Bonjour, Alison. Comment vas-tu ? demanda Hugo. Bonjour, Silver. Tu as déjà pris ton petit déjeuner ? Moi, j'y vais. Alison, je te présente Silver. Silver McConnell, Alison Drake, la fille de Claudia.

— Enchantée, dit Silver avec un large sourire.

Alison fut surprise pas sa cordialité, et par la main qu'elle lui tendait.

— Je vais faire un tour avant la répétition, expliqua Silver à Hugo. Le jardin a l'air joli.

— Bonjour, enchantée, marmonna Alison avec un temps de retard.

Se rendant compte qu'elle n'était guère polie, elle se rattrapa avec un sourire. Elle aurait voulu trouver un compliment, dire à Silver que son prénom lui allait bien, par exemple, mais Hugo continua avant qu'elle ne parvienne à assembler sa phrase.

— Tu vas te balader, Alison ?

— Oui...

Trop vite pour lui laisser le temps de mieux répondre, il

136

disparut dans la cuisine, tandis que Silver sortait en refermant la porte derrière elle. Alison se retrouva seule dans l'entrée.

Le parquet était en beau bois ciré, ainsi que l'escalier qui menait aux chambres. Au bout du couloir, Hester (c'était impressionnant d'appeler une telle femme par son prénom, même en pensée), Hester, donc, disposait d'un appartement privé. Un superbe tapis rehaussait la noblesse du hall. Le motif compliqué, d'arbres et de fleurs, se dessinait sur un fond grenat foncé, couleur reprise par les rideaux. On se serait cru dans un décor de théâtre. Alison aurait bien vu un duel à l'épée se dérouler dans l'escalier.

Quand Hugo lui avait demandé si elle partait se promener, l'idée lui avait paru détestable, mais maintenant elle commençait à trouver qu'il serait plus agréable de faire un tour que de rester enfermée. Elle avait à peine aperçu l'Arcadia en arrivant. Ce serait un bon but de promenade.

Une fois dehors, elle remonta l'allée gravillonnée et atteignit l'Arcadia en peu de temps. On aurait dit un château de conte de fées. Quel luxe, d'avoir un théâtre dans son jardin ! Alison eut la surprise de constater que la porte n'était pas fermée à clé. Elle entra dans le vestibule désert. Il était entièrement moquetté, d'un beau rouge sombre. Le plafond était décoré de torsades dorées, et un lustre, assez petit mais très joli avec ses pendeloques en cristal, ornait son milieu. À gauche, un escalier tournant devait mener au balcon. Bientôt, la troupe serait là pour la première répétition avec Hugo, et le discours de bienvenue qui la précéderait.

Elle appréciait Hugo, surtout comparativement aux autres fiancés de sa mère. La plupart s'étaient conduits comme si Alison n'existait pas et, d'une certaine façon, ils n'avaient pas tort. Je vais en pension depuis trois ans, songea-t-elle, alors c'est facile de m'oublier. Je parie que maman attend avec impatience la fin des vacances pour se débarrasser de moi. Des larmes lui montèrent aux yeux.

Arrête ! grosse nouille ! C'est minable de vouloir être aimée et reconnue à tout prix. Heureusement, elle réussissait très bien à dissimuler son profond besoin d'affection. Claudia ne se rendait compte de rien. Elle ne me connaît pas du tout, se désola Alison. Elle ridiculise tout ce qui me tient à cœur. Elle se moque de moi parce que je veux devenir sage-femme, elle ricane en racontant des histoires d'accouchement cauchemardesques et de nourrissons braillards. Elle n'imagine pas qu'on puisse exister sans être contemplée et applaudie à tout bout de champ.

Alison monta à l'étage. Elle trouva le bar, une pièce rectangulaire avec un comptoir à gauche, des tabourets rangés devant le zinc, un miroir et des bouteilles. Face à elle s'alignaient des fenêtres et, contre le mur de droite, se dressaient deux vitrines. Elle approcha de la première pour admirer une longue robe blanche vaporeuse, au corsage piqué de minuscules roses de satin blanc. Elle était présentée sur un fond de velours bleu nuit décoré d'une guirlande de roses plus grosses, cousues de feuilles de velours. Alison lut le carton : *Costume porté par Hester Fielding dans le célèbre* Giselle *de 1957.*

La robe était très étroite, mais, ayant rencontré sa propriétaire la veille, Alison ne s'en étonna pas. La taille, minuscule, aurait été trop serrée pour un enfant. Alison avait vu *Giselle* deux fois, dans des productions où sa mère jouait la reine des Wilis, ces femmes-fantômes qui obligeaient leurs anciens amoureux à danser jusqu'à la mort pour se venger d'avoir été trahies.

L'autre vitrine était tapissée de pointes, posées en rang sur le même velours bleu nuit. Satin rose, blanc, noir, lilas, rouge, les rubans enroulés à côté. Le carton indiquait : *Chaussons portés par Hester Fielding entre 1950 et 1963.*

On racontait des histoires terribles sur la difficulté du métier de danseuse. Par exemple, elle avait entendu dire que parfois, quand elles se déchaussaient à la fin d'un ballet, leurs pointes étaient rouges de sang à l'intérieur.

Quelle horreur ! C'était répugnant ! Heureusement, les chaussons de Claudia n'étaient jamais tachés.

Entre les vitrines, elle remarqua une porte, si bien camouflée par la tapisserie qu'elle aurait été invisible sans son bouton doré. Alison l'ouvrit, et se trouva au pied d'un escalier étroit et raide. Elle s'y engagea, se demandant si ce n'était pas interdit. Mais non, si on n'avait pas le droit de monter, la porte aurait été verrouillée, puisqu'il y avait une serrure sous la poignée, avec une clé en or, comme dans un conte de fées.

En haut des marches, elle trouva un couloir bordé de portes. Elle ouvrit la première, et recula vivement. Au fond de la pièce, une femme pleurait, assise sur une chaise.

— Oh ! Pardon ! Excusez-moi ! Je ne savais pas qu'il y avait quelqu'un ! Je ne voulais pas vous déranger !

— Ce n'est pas grave, dit la dame en se levant.

Elle s'essuya les yeux avec un mouchoir puis remit les lunettes qu'elle tenait à la main.

— Tu dois être Alison, la fille de Mlle Drake.

Alison hocha la tête, surprise d'être reconnue.

— Je suis l'assistante d'Hester. Ruby. J'ai été son habilleuse pendant quinze ans. Tu veux bien que je te tutoie ? Au théâtre, on ne fait pas de manières.

— J'espère que ça n'est pas interdit de venir ici... Je visitais. C'est très joli.

Ruby ressemblait davantage à une gentille institutrice à la retraite qu'à une habilleuse. Elle avait les cheveux gris, et portait une jupe de gros lainage et un cardigan bleu pâle sur un chemisier blanc fermé au col.

— Tu es la bienvenue. Hester demande simplement qu'il n'y ait personne en haut pendant les représentations. Cet étage est un peu bas de plafond, comme tu le vois, parce qu'il est situé au-dessus de la salle. Les planchers sont très épais, avec une bonne isolation phonique, mais c'est plus prudent. Les répétitions ont lieu à côté.

— Et c'est vous qui vous occupez de tous ces costumes ? s'exclama Alison, émerveillée.

Une immense penderie ouverte révélait des rangées de vêtements. Il y avait des tutus longs et transparents, d'autres rigides et courts, des tenues en velours de couleurs vives. De l'autre côté de la pièce, dans un placard, s'empilaient des collants roulés en boule, ainsi que des pointes, roses, bleues, beiges, noires.

Les danseurs usaient leurs chaussons à une vitesse vertigineuse. Alison se demandait pourquoi on n'en fabriquait pas de plus solides. Sans doute était-ce très utile d'en avoir de rechange au cas où, mais sa mère n'en aurait sûrement pas besoin. Elle ne se déplaçait jamais sans les siens, qu'elle transportait dans une valise spéciale. Dans son enfance, Alison adorait les prendre pour jouer, et les transformait en animaux ou en personnages. Elle leur donnait des noms et les rangeait soigneusement à leur place, comme ici, les rubans à l'intérieur.

— Et là, il y a quoi ? interrogea-t-elle en désignant une malle à côté du placard.

— Des rubans, répondit Ruby. On n'en a jamais trop. Ça rend des quantités de services.

— Je peux regarder ?

Ruby hocha la tête, et Alison souleva le couvercle. Elle eut un choc. Il devait y en avoir des milliers, proprement enroulés, de toutes les couleurs imaginables, et même avec des motifs. Elle en vit des gris tissés de fils noirs soyeux, des blancs parsemés d'étoiles rouges.

— C'est incroyable ! Où les avez-vous trouvés ?

— Je les accumule depuis des années. Dès que j'en vois un qui me plaît, je l'achète.

— Comme ils sont beaux ! Je les adore ! Vous allez en utiliser pour *Sarabande* ?

— Ce n'est pas moi qui me charge des costumes de cette production. Ils ont été fabriqués à Londres. Ils arriveront d'ici quelques jours. Sauf celui de ta mère, qu'elle a apporté dans sa valise.

— Peut-être... Je ne sais pas...

À la réflexion, elle se souvint de Claudia se pavanant dans le salon dans une sorte de pantalon bleu canard en mousseline et un haut qui ressemblait à une soutien-gorge à paillettes... Oui, c'était sûrement son costume, car malgré ses goûts excentriques, elle n'aurait pas osé aller à une soirée dans une tenue pareille.

— Je crois l'avoir vue essayer un costume bleu...

Alison avança jusqu'au grand miroir qui occupait un pan de mur. Elle remarqua que Ruby l'observait, et se tourna vers elle.

— Je vais vous laisser tranquille. Je ne sais pas pourquoi je me regarde. D'habitude, je déteste les glaces.

— Tiens, pourquoi donc ?

— Parce que je ne suis pas belle. Ma mère me trouve même affreuse. Elle ne le dit pas, mais elle le pense. C'est normal, elle est tellement jolie. Je ne lui arrive pas à la cheville. Je l'ai beaucoup déçue.

— Mais quelle idée ! Sûrement pas. Tu es très mignonne.

— Peut-être... Mais c'est difficile à côté d'elle. Ça me donne des complexes. Elle trouve que je ne sais pas me mettre en valeur. Pour elle, c'est presque plus grave que d'être laide. Ce n'est quand même pas ma faute si les lentilles de contact me font mal aux yeux ! Et je ne serai jamais danseuse. Je suis trop carrée, j'ai les jambes trop courtes.

— Moi, je te trouve très bien telle que tu es, même si tu n'as pas le physique d'une ballerine. Tu regrettes de ne pas pouvoir être danseuse comme ta maman ?

— Sûrement pas ! Vous m'imaginez en tutu ? Ça me ferait bien rire ! Je déteste la danse. Je ne vois pas à quoi ça sert. C'est plein de règles idiotes qui vous font sentir grosse et maladroite.

— Je suis un peu d'accord avec toi. Je n'ai jamais beaucoup aimé ça non plus. Et pourtant, j'ai passé une grande partie de ma vie à l'Opéra ! Ce qui me plaisait, c'était de rencontrer des gens, de travailler en équipe. On n'est jamais seule dans une troupe.

— Ma mère prétend le contraire. D'après elle, les autres danseuses ne sont pas bonnes camarades. Il paraît qu'elles n'attendent que l'occasion de vous pousser dans l'escalier pour vous voler votre rôle.

— Ça doit être le cas dans un peu tous les métiers. La jalousie n'est pas pire qu'ailleurs.

Tout en parlant, elle sélectionnait des vêtements sur les porte-manteaux et les jetait dans un panier en osier.

— Excuse-moi si je m'y remets, Alison. J'ai pris beaucoup de plaisir à bavarder avec toi, et si tu as envie de m'aider, je serais enchantée. Je m'ennuie toute seule, et j'ai du travail par-dessus la tête. Tu sais coudre ? Tu n'imagines pas dans quel état les danseurs mettent leurs costumes en quelques représentations. Ça demande un entretien constant. Et la poussière s'accumule même dans la penderie, regarde-moi ça ! J'entasse dans le panier tout ce qui doit être nettoyé, et George me descendra tout ça au sous-sol, dans la buanderie. George est mon mari.

Alison jeta un coup d'œil dehors. Par la petite fenêtre, on apercevait l'allée devant la maison.

— J'aimerais bien rester, mais ma mère se demande peut-être où je suis passée.

— Je descends avec toi.

La visite avait distrait Alison, mais pas assez pour lui faire oublier les larmes de Ruby. Pourquoi avait-elle de la peine ? Alison était toujours très angoissée quand elle voyait pleurer un adulte, sauf s'il s'agissait de sa mère, qui pleurnichait pour un oui, pour un non. Mais ça n'aurait pas dû arriver à quelqu'un comme Ruby, qui semblait une femme sensée, équilibrée. Alison s'étonnait de lui avoir autant parlé. Elle n'avait encore jamais avoué à personne sa crainte d'être méprisée par sa mère. À Ruby, on avait envie de tout dire parce qu'elle vous regardait avec intérêt, comme si elle comprenait vraiment. Alison se demanda si elle aurait dû essayer de la consoler, mais elle n'aurait jamais osé, d'autant plus que Ruby n'était pas du genre à se confier.

Faute d'avoir mieux à faire, Alison décida d'assister à la première répétition. Après être rentrée du théâtre, elle avait cherché sa mère sans succès, puis Siggy qu'elle n'avait pas trouvé non plus dans les pièces communes. Il faisait probablement la sieste dans l'appartement privé d'Hester. En l'absence du chat, elle serait toute seule dans le manoir pendant que la troupe suivait son premier cours avec Hester et Hugo. Le manoir ne faisait pas peur, mais tout de même. Elle se sentirait un peu perdue, et puis ce serait intéressant de voir comment Hester s'habillait pendant la journée. À en juger par le peignoir qu'elle portait la veille au soir, cela devait valoir le coup d'œil.

Alison trouva une chaise et s'assit tout au bout de la salle de répétition, contre le mur du fond. Elle avait l'impression d'être à l'école. Les autres étaient déjà installés en cercle au milieu de la pièce, et tous attendaient l'arrivée d'Hester. Enfin, presque tous : il manquait sa mère. Où était-elle passée ?

Elle étudia les danseurs les uns après les autres. Andy French ressemblait à un lutin, avec les yeux en amande et un nez pointu. Il avait un sourire espiègle qui révélait un joyeux caractère. C'était le clown de la bande. Dans toutes les écoles qu'elle avait fréquentées, il y avait au moins un spécimen de son espèce, qui bavardait et répondait aux professeurs (à Hugo en l'occurrence). Ils adoraient faire des blagues et se montraient charmants... tant qu'ils vous aimaient bien.

Ilene Evans et Silver McConnell, assises l'une à côté de l'autre, discutaient à voix basse. Ilene était fluette et très blonde ; Silver, beaucoup plus grande, avait l'air d'une star de cinéma. Alison était habituée à la grâce des danseuses, mais Silver, avec ses collants noirs et son justaucorps à manches longues, était l'élégance même. Rien qu'à la regarder, Alison se sentait l'allure d'un sac à patates. Elle se tourna vers la porte, se demandant quand Claudia allait arriver. Elle ne pouvait pas avoir oublié de se réveiller : Hugo s'en serait aperçu. Et si elle était malade ? De plus en plus inquiète, Alison avait envie d'aller la chercher, mais n'osa pas bouger.

Andy portait un vieux sweat-shirt et un jogging informe. Sans doute se changerait-il juste avant le début de la séance. Alison avait repéré les fourre-tout des danseurs sous une table, dans un coin.

— Désolé tout le monde, mes plus plates excuses...

La porte venait de s'ouvrir sur un homme qui s'arrêta sur le seuil. Il attendit que tout le monde se tourne vers lui avant d'avancer vers la chaise qu'Hugo lui désignait. Alison le suivait des yeux, fascinée. Ce devait être Nick Neary, qu'elle n'avait encore jamais rencontré. Il était très beau garçon. Des mèches blondes striaient ses cheveux châtain clair, et ses yeux bleu-vert rappelaient la couleur de la mer. Hugo se leva et s'éclaircit la voix.

L'amant de sa mère était grand et mince. Il avait les yeux marron foncé, les traits acérés, le front haut, la bouche généreuse. Il ne s'habillait qu'en noir avec des cols roulés. On ne pouvait pas dire qu'il était beau, mais quand il souriait, il se métamorphosait. Après avoir lancé un regard à la ronde, il s'adressa à la troupe.

— *Sarabande* est un conte. Comme vous le savez, j'ai créé une chorégraphie sur une musique d'Edmund Norland, dont j'ai repris le titre. Comme le morceau n'est pas très long, j'ai proposé au compositeur de jazz Frank Marron d'écrire des variations sur le thème. Le résultat est extraordinaire. Pendant les représentations, nous aurons la grande chance d'accueillir le Trio Mike Spreckley, piano, basse et batterie. Leur agenda étant très chargé, ils ne pourront pas se libérer avant la générale. Tant pis, j'ai un enregistrement qui nous permettra de répéter sans eux. Vous allez finir par le savoir par cœur, je vous le garantis. C'est magnifique. Claudia jouera la princesse, Ilene la nourrice, Andy le bouffon, évidemment…

Hugo s'interrompit pour attendre la fin des rires qui ne manquèrent pas de saluer son commentaire.

— Nick sera l'amant, reprit-il, et Silver, l'ange. Vous connaissez tous Silver McConnell de réputation, bien entendu, et nous avons beaucoup de chance qu'elle ait pu caser le festival dans un emploi du temps très chargé.

Silver inclina la tête pour répondre aux sourires qui lui étaient adressés. Alison se demanda pourquoi Hugo ne mentionnait pas l'absence de sa mère. Ils s'étaient peut-être disputés, et elle avait refusé de venir. Non, il aurait eu l'air plus ennuyé. Très détendu, au contraire, il continua son petit discours de présentation.

— L'histoire n'est pas très complexe. Il s'agit d'une princesse qui doit choisir entre les plaisirs de la vie, de l'amour, et l'attrait de la mort. Il n'y a rien d'autre, mais l'originalité réside dans cette attirance pour la mort, un thème rarement abordé sur scène. Le ballet se divise en dix séquences d'environ dix minutes chacune. Je ferai le point de détail avec chacun d'entre vous individuellement quand nous réglerons le planning des répétitions, mais je vous donne une idée générale. La nourrice veut convaincre la princesse de profiter de l'existence ; le fou dépeint toutes sortes de plaisirs possibles ; la nourrice lui vante les mérites de la vie de famille et du mariage ; la princesse rencontre un beau jeune homme ; ils tombent amoureux, ils dansent avec la nourrice, puis avec le fou. Ensuite, l'ange de la mort arrive et essaie d'éloigner la princesse de son amant. L'amant et l'ange dansent ensemble pour gagner les faveurs de la princesse. Elle choisit l'amour, et l'ange danse un solo d'adieu. La nourrice et le fou se réjouissent, et la princesse et l'amant font un pas de deux auquel se joint l'ensemble pour le final. En épilogue, l'ange et la princesse dansent pendant que l'amant sommeille : ce n'est que partie remise, ils se reverront quand la mort reviendra prendre la princesse, à la fin de sa vie.

« La tradition veut que les ballets montés à Wychwood ne soient pas trop longs. Le spectacle commence à 19 h 30 afin que les spectateurs puissent retrouver la civilisation avant la fermeture des restaurants. Le soir de la première, vous savez qu'il y a une réception, la traditionnelle fête de l'Épiphanie organisée par Hester pour la troupe, les Amis du Festival de Wychwood, et quelques invités d'honneur. Avant que j'oublie : je ne sais pas si elle vous l'a signalé, mais Mlle Fielding préfère être appelée par son prénom.

— Dis donc, t'es bien renseigné, coupa Andy. On dirait que tu es né ici ! Moi, je me sens plutôt dépaysé. C'est bluffant, ce luxe !

Son ton facétieux fit rire Hugo.

— Je suis venu à la première, l'année dernière. C'était une grande ambition pour moi de gagner le concours de Wychwood, et je ne puis vous dire à quel point je suis heureux de me retrouver ici avec des danseurs aussi talentueux. Vraiment, je suis sincère. Nous allons faire un triomphe, mais il va falloir s'engager à fond. Je veux que vous vous donniez à cent pour cent. Comme les anciens de la compagnie le savent, je n'aime pas la facilité. N'hésitez pas à me poser des questions, à discuter de votre rôle. D'accord ?

Il s'interrompit pour laisser aux danseurs la possibilité de réagir, mais comme tout le monde se contentait de hocher la tête en souriant, il continua. Pendant ce temps, Alison s'inquiétait de plus en plus. Ils devaient bien se rendre compte de l'absence de Claudia ! Son retard était inexcusable, mais Hugo ne voulait sans doute pas la critiquer en public.

— Le décor a été conçu par Aubrey Goldfeld. Vous

146

pourrez aller regarder la maquette dans la pièce des accessoires. C'est magnifique. J'ai estimé qu'il fallait compenser la simplicité de l'histoire et la brièveté du ballet par des décors et des costumes somptueux.

— Et ces costumes vont arriver quand, Hugo ? demanda Ilene.

— Normalement, après-demain. Vous aurez largement le temps de vous y habituer, ne vous inquiétez pas. Une autre question ? (Il regarda sa montre.) Hester doit venir d'un instant à l'autre pour nous accueillir officiellement. C'est elle qui vous donnera la première classe, selon la tradition.

— Ça, j'étais au courant ! intervint Andy. J'ai lu un article sur elle dans une revue. Regardez, j'ai mis mon seul sweat-shirt à peu près présentable en son honneur !

Il bondit de son siège et fit une pirouette qui amusa tout le monde. Les autres se levèrent aussi et repoussèrent les chaises contre les murs pour dégager la salle. Les garçons retirèrent leurs joggings, les rangèrent dans leurs sacs, et apparurent en tenue. Alison ne quittait pas Nick des yeux. Il portait un T-shirt beige et des collants noirs. Elle aurait presque eu envie de danser avec lui.

Les danseuses étaient toujours beaucoup plus lentes à se préparer. Elles respectaient des quantités de rituels : changer de chaussons, nouer les rubans des pointes, tirer les cheveux et remettre les épingles. Cela prenait des heures.

— Voilà Hester, annonça Hugo en allant à sa rencontre.

Elle salua l'assemblée avec un regard chaleureux et un sourire.

— Bien, tout le monde, commença Hugo, inutile de vous présenter Mlle Hester Fielding. Au nom de la compagnie, Hester, je veux vous dire à quel point nous sommes honorés d'être ici. Nous avons la ferme intention de monter le meilleur ballet de l'histoire du Festival de Wychwood. Hester va nous adresser quelques mots, et elle aura la gentillesse de vous donner le premier cours. Mesdemoiselles et messieurs, Hester Fielding.

Alison constata que la tenue d'Hester n'avait pas l'éclat de son peignoir, mais elle ressemblait toujours à un mannequin de haute couture. Elle portait un pantalon noir soyeux et un pull à col cheminée d'un mauve bleuté très doux. Le dos parfaitement droit, les mains naturellement élégantes, elle prit la parole d'une voix grave et veloutée.

Tout en l'écoutant, Alison trouva intéressant d'observer les membres de la troupe. Silver dévorait Hester des yeux avec une admiration sans bornes. Ilene et Andy se penchaient vers elle, sans doute pour mieux absorber l'ingrédient magique qui avait fait d'elle une légende vivante.

— Bonjour. Je suis enchantée de vous accueillir au manoir de Wychwood et à l'Arcadia. Je ne vais pas vous assommer avec de longs discours. Sachez simplement que cette maison est la vôtre. Je veux que vous vous y sentiez chez vous pendant votre séjour. Je vais vous donner cette première classe, mais ensuite, je disparaîtrai ! Je préfère avoir la surprise à la générale. Je n'attendrai pas la première, parce que je suis d'un naturel trop curieux. J'avoue que j'aurai le plus grand mal à me retenir de jeter des coups d'œil aux répétions, mais, heureusement pour tout le monde, je suis très occupée à organiser mes master classes de février. Travaillez bien, et je vous remercie d'être venus à Wychwood. Je suis sûre que *Sarabande* sera un magnifique ballet.

Alison applaudit avec la troupe. C'est drôle, se dit-elle, moi qui déteste les discours, je ne me suis pas du tout ennuyée. Je suis bien contente de ne pas être restée toute seule au manoir.

Les danseurs commençaient à s'échauffer à la barre. Ils s'étiraient, faisaient travailler leurs muscles. Silver était d'une souplesse phénoménale. Elle avait la jambe tendue sur la barre et y collait le corps, joue sur le genou. D'autres se penchaient en avant pour toucher le sol du plat de la main, ou se déliaient les articulations en les agitant.

Nick s'aperçut qu'elle les observait et approcha d'elle.

— Bonjour. Nous ne nous sommes encore jamais vus, il me semble. Je m'appelle Nick Neary. Et toi ?

— Alison Drake. Je suis la fille de Claudia.

— Ah ! C'est vrai, Hugo a bien dit qu'elle amenait sa fille, mais j'avais en tête une petite gamine. Tu aimes la danse ?

Alison hésita. Mieux valait ne pas être trop franche.

— Oui, assez, en général, mais je n'ai pas envie d'en faire mon métier.

(Mais quelle idiote ! Comment as-tu pu dire une énormité pareille ? Évidemment qu'une grosse vache comme toi n'a aucune chance de devenir ballerine !)

— C'est vrai ? Je te comprends, remarque. Moi aussi, j'ai d'autres envies parfois. J'aimerais bien faire du cinéma, par exemple. On doit beaucoup moins se fatiguer !

Alors là, songea Alison, au cinéma, tu aurais un succès fou.

— Oui, la danse, c'est difficile, commenta-t-elle.

Hugo s'était mis au milieu, et s'apprêtait à appeler sa troupe pour le cours. Nick sourit à Alison, puis, de façon très inattendue, il lui toucha l'épaule.

— Ça m'a fait plaisir de discuter avec toi, Alison. J'y retourne.

Il désigna Hugo et Hester d'un mouvement de tête. Il avait vraiment l'air de la trouver sympathique. C'est cool, pensa-t-elle. Je suis contente. Je me sens bien.

— Bien, dit Hester en se plaçant devant. Vous êtes prêts ? Nous allons commencer par notre alphabet de danseurs classiques. C'est un enchaînement que m'a enseigné mon premier professeur, Mme Olga Rakovska. Nous le répétions au début de chaque cours, quand j'avais neuf ans. Il est toujours d'actualité...

À cet instant, la porte s'ouvrit sur Claudia qui entra en

149

toute hâte. Alison vit qu'elle s'était dépêchée, car elle n'avait pas pris le temps de remonter ses cheveux, et elle était très rouge. Elle avait dû se lever en retard. Sous son manteau, elle portait déjà sa tenue, mais Hester ne laissa pas passer l'incident.

— Je déteste me répéter, je ne recommencerai donc pas le début de cette classe. Vous nous obligez à vous attendre. Vous nous faites perdre notre temps.

— Je suis vraiment désolée. Je ne me suis pas réveillée.

— Eh bien, que cela ne se reproduise pas. Les vrais professionnels n'ont pas de panne d'oreiller. Je ne vois pas pourquoi je me consacrerais à une compagnie dont l'étoile n'a pas l'élémentaire politesse d'arriver à l'heure.

— Je vous ai présenté mes excuses.

Alison connaissait ce ton mielleux, sirupeux, signe qu'elle bouillait de rage.

— Je n'ai pas manqué grand-chose, je crois, ajouta Claudia.

Un sourire dur et artificiel masquait sa fureur. Alison se demanda si Hester se doutait que sa mère était en colère. Probablement pas : quand on ne la connaissait pas, sa mauvaise humeur était peu perceptible.

— Le début de mon cours, ainsi que la présentation d'Hugo. Pas grand-chose en effet...

L'admiration d'Alison monta d'un cran. Hester ne se laissait pas intimider, et n'avait pas peur de se faire une ennemie. Royale, elle se tournait vers le reste de la troupe.

— Pendant que nous attendons Claudia, je vais mettre les choses au point. J'exige le plus haut degré de professionnalisme des danseurs invités à Wychwood. Je ne tolère pas le laisser-aller, et les bonnes excuses m'agacent. Les vrais professionnels arrivent à l'heure en classe, se donnent à fond, sont solidaires, et se consacrent entièrement au ballet qu'ils sont en train de préparer. La danse est un travail d'équipe. Nous dépendons tous les uns des autres. J'espère que nous sommes d'accord ?

Les danseurs hochèrent la tête. Claudia, enfin prête, avait pris place parmi eux. Hester lui sourit.

— Bien, nous pouvons commencer. D'abord, demi-plié, s'il vous plaît.

Ils apprirent l'enchaînement dont ils avaient exécuté les pas séparément des milliers de fois dans leur vie. Alison les regardait distraitement réaliser leurs pliés, leurs entre-chats, leurs jetés. Maintenant que sa mère était rentrée dans le rang, elle se sentait plus libre d'observer Nick. Il dansait avec beaucoup de grâce. L'endroit où il avait posé la main sur son épaule la chatouillait encore... Il avait vrai-ment l'air de bien l'aimer !

Garce, songea Claudia tandis qu'Hester quittait la salle de répétition après le cours. Me remettre à ma place devant tout le monde comme si j'étais le cancre de la classe ! Quel manque de tact ! Elle sait pourtant qui je suis ! J'avais à peine une minute de retard. Le petit laïus d'Hugo, je pouvais très bien m'en passer, et encore plus des quelques clichés éculés de la châtelaine. La danseuse légendaire, tu parles ! Maintenant, je suis plus connue qu'elle. C'est moi qui fais la couverture de *Vogue*, pas elle ! Elle est finie, et elle ne le comprend toujours pas. Ne plus être qu'une obscure organisatrice de festival après tant de gloire, belle leçon d'humilité. La Terre a continué de tourner après son départ. Le monde de la danse n'a pas changé d'un iota. Avec moi, ce serait différent. Tout s'effondrerait sans moi. J'aurais dû lui dire ma façon de penser.

Mais Claudia, malgré son courroux, se sentait les poings liés. L'avenir de *Sarabande* dépendait d'elle. Même s'il lui en coûtait, elle ne voulait pas briser la carrière d'Hugo. Elle se félicita de sa grandeur d'âme. Bien entendu, il n'était pas question non plus de renoncer au rôle de la princesse. Or, si Hester la prenait en grippe, Hugo accep-terait certainement de la remplacer. Il répétait sans cesse que personne n'était indispensable. À l'idée qu'on pourrait l'écarter de la troupe, les larmes lui montèrent presque aux yeux. Ce rôle ferait taire les mauvaises langues, et plus personne ne prétendrait qu'elle était devenue incapable de danser. On ne parlerait plus de son âge derrière son dos. Après tout, s'il suffisait de quelques concessions pour que tout se passe bien... Cette mégère qui se prenait pour le centre du monde finirait bien par reconnaître son talent. Elle imaginait la scène : Hester Fielding lui jetant des fleurs. *Vous êtes excellente. Je n'aurais pas fait mieux moi-même !*

La répétition avait commencé. En attendant qu'Hugo daigne s'occuper d'elle, Claudia ne prêtait qu'une attention distraite à la chorégraphie qu'il enseignait à Ilene et à Andy. Nick patientait aussi, de l'autre côté de la salle, l'air pensif pour se rendre intéressant. On ne faisait pas plus superficiel, mais il était beau comme un dieu. Il avait des jambes magnifiques. Était-il vraiment possible qu'il préfère les hommes aux femmes, comme on le disait ? La rumeur était persistante, mais elle l'avait vu se retourner sur des jolies filles. En l'observant, elle sentit l'éveil d'une sensation qu'elle ne connaissait que trop bien : un nouveau désir. Tant mieux ! Il n'y avait rien de plus agréable au monde. Elle pouvait sentir le picotement dans ses veines, les frissons qui commençaient à parcourir sa peau. Attention, ce n'est pas le moment ! Concentre-toi sur la répétition.

La musique emplissait la salle, un peu trop moderne au goût de Claudia. Son compositeur préféré était Tchaïkovski, et toutes les œuvres postérieures à celles de Rimski-Korsakov et à sa divine *Shéhérazade* lui écorchaient les oreilles. Elle n'exprimait jamais cette opinion devant Hugo qui adorait les morceaux peu mélodiques, et même pas mélodiques du tout. Ce n'était pas tout à fait le cas de *Sarabande*, mais on était loin du *Lac des cygnes*, et il faudrait être très attentive pour coller au rythme.

— Bon, Claudia, dit Hugo en se tournant vers elle, viens, nous allons travailler ton entrée.

Elle se mit au milieu pendant qu'il rembobinait la cassette, puis elle suivit ses instructions.

— Non, Claudia. Non, non et non. Nous venons de voir cet enchaînement ! Trois pas et une pause. Écoute la musique, c'est pourtant simple. Recommence, s'il te plaît.

Claudia recommença, incapable de fixer son attention. Il allait falloir remettre les pendules à l'heure. Hugo avait presque perdu patience, c'était inadmissible ! Elle le disait et le répétait à ses chorégraphes, et Dieu sait s'il y en avait eu ! *Je ne m'épanouis pas dans le conflit. Je n'aime ni les cris ni les humiliations. Changez de ton, ou je ne danserai pas pour vous.* Ils comprenaient pour la plupart et la submergeaient de prévenances et de gentillesse. Hugo avait toujours été correct, mais il la ménageait de moins en moins et prenait parfois un ton tout à fait intolérable. On réussissait beaucoup mieux en traitant bien les gens. Il fallait régler ce problème avec lui avant que des tensions ne se créent.

Il ne perdait jamais son calme, bien sûr. Il était trop intelligent pour montrer son agacement, mais elle était très sensible aux nuances. Peut-être ne travaillait-elle pas aussi dur qu'elle l'aurait dû, elle l'admettait, mais il serait toujours temps de se rattraper. Ils commençaient à peine à répéter, il n'y avait pas de quoi s'affoler. Elle avait des excuses, aussi : elle n'était arrivée que la veille à la nuit tombée, et s'était levée en cinq minutes sans même prendre le temps d'avaler son petit déjeuner. D'ailleurs, c'était sa faute à lui si elle ne s'était pas réveillée. Il aurait dû venir la chercher. Elle se souvenait vaguement d'une main sur son épaule, mais beaucoup trop tôt, et elle s'était rendormie. Elle ferait mieux demain.

Quand Hugo en eut terminé avec elle, Claudia prit un siège non loin d'Alison qui, miracle, assistait à la répétition. Elle fixait Nick avec des yeux de merlan frit, mais au moins elle ne se tenait pas trop mal. Heureusement, je l'ai bien éduquée. Je l'ai mise au pas une bonne fois pour toutes. J'ai peut-être été un peu dure, mais la leçon a porté. Quel âge avait-elle, déjà ? Neuf, dix ans. Elle n'avait pas cessé de pleurnicher de l'après-midi. *Je ne sais pas quoi faire, maman ! Je m'embête. Non, je n'ai pas envie de jouer à la poupée. Non, je n'ai pas envie d'aller voir Joanie en haut. Non, je ne veux pas regarder la télé.* Des jérémiades à n'en plus finir, à vous rendre folle. À la fin, Claudia avait hurlé, virant au rouge écarlate, avec une tête de gorgone à faire peur. Elle se souvenait d'avoir serré les poings pour s'empêcher de la gifler.

Je m'en fiche que tu t'embêtes ! On dirait que je te martyrise ! Tu n'as qu'à te trouver un livre. Tais-toi ! Je ne veux plus t'entendre gémir, tu es d'un pénible ! Ce n'est quand même pas ma faute si tu ne sais pas jouer toute seule. Ton père ne connaît pas sa chance ! Je devrais t'envoyer vivre chez lui avec cette garce de Jeanette. Tu verrais si tu es plus heureuse là-bas !

Alison, il fallait lui reconnaître ce courage, ne s'était pas laissé intimider. Elle avait répondu sur le même ton. *D'accord, je te fiche la paix ! Je ne te demanderai plus jamais rien ! Tant pis pour toi. Et si tu me cries encore dessus, j'irai voir les journalistes, et je leur raconterai que leur petite étoile chérie est une sale sorcière qui est méchante avec sa fille unique. Plus personne ne voudra mettre ta photo dans les journaux après ça ! Je te déteste !*

Ce souvenir fit sourire Claudia. Bien vu, Alison ! Elle était loin d'être bête. Bien entendu, Claudia l'avait tout de suite prise dans ses bras pour l'embrasser, et elle était même arrivée à s'arracher une ou deux larmes. Elle avait joué les mères dévouées, s'était excusée en évoquant le stress et avait promis de ne plus jamais, jamais, être méchante. La manipulation avait à peu près fonctionné. Alison n'avait en tout cas plus parlé d'alerter la presse.

L'essentiel restait que, depuis, elle se trouvait des occupations toute seule. Une belle victoire pour Claudia.

Souvent, elle se demandait si elle aimait sa fille, ou, tout du moins, si elle l'aimait suffisamment. Les autres parents avaient l'air tellement attachés à leurs enfants ! Pendant sa grossesse, elle s'était fait une joie de la naissance, se réjouissant des belles photos qui seraient prises avec le bébé. Personne ne l'avait avertie du cauchemar qui l'attendait, d'autant qu'elle avait décroché le mauvais numéro. Il avait fallu se battre avec Alison pour tout : pour la nourrir, l'endormir. Les braillements de sa fille lui avaient fait passer tant de nuits blanches que c'était un miracle si elle éprouvait encore la moindre affection pour elle.

Mais bien sûr que j'aime Alison, se dit-elle. Évidemment que je l'aime. Était-ce sa faute si sa fille avait le don de l'exaspérer ? Toutes les mères devaient douter de leurs sentiments. Au moins, à Wychwood, elle aurait de quoi se distraire. Elle avait un immense parc à sa disposition, une grande maison à explorer et même un chat à caresser. Et tant mieux si elle s'était entichée de Nick : encore une excellente occupation. Tout se passerait bien.

Ses inquiétudes apaisées, elle oublia Alison et tourna de nouveau son attention sur Nick. Je pourrais le regarder pendant des heures, songea-t-elle. Il a un corps à se damner. Elle se baissa pour défaire ses chaussons de danse, et surtout pour cacher la rougeur qui lui montait au visage. Être rousse avait ses inconvénients.

Au déjeuner, pendant que la troupe se restaurait dans la cuisine, Alison eut la surprise de voir entrer un dernier convive. Une sorte de gentil grand-père, ou de tonton un peu âgé. Il était mince comme un danseur, mais bien trop vieux pour en être un. Hugo se leva pour lui serrer la main et lui fit de la place à côté de lui, en bout de table. Dieu sait où il avait trouvé la chaise. Tout à l'heure, il n'y en avait pas... Ah oui, Andy s'était déplacé vers Nick.

155

— Bien, tout le monde, je vous présente George Scott, annonça Hugo. Régisseur lumière, régisseur général, et secrétaire de l'Association des amis du Festival de Wychwood. Quelqu'un de très important, comme vous le constatez. C'est le mari de Ruby, pour ceux d'entre vous qui l'ont rencontrée.

George les salua d'un sourire.

— Bonjour. Je suis heureux de vous voir chez nous. J'espère que vous garderez un bon souvenir du manoir. Hugo me flatte, mais ma fonction principale n'est que de mettre un peu d'huile dans les rouages. Si vous avez le moindre problème, n'hésitez pas à venir m'en parler. Je ferai de mon mieux pour vous aider.

Il empoigna la cruche de jus d'orange, s'en versa un verre, se servit de tranches de rôti froid et de salade, puis se tourna vers Alison.

— Je ne crois pas connaître cette charmante personne. On ne va pas nous présenter ?

— C'est ma fille, Alison, indiqua Claudia d'un ton morne.

Merci pour l'enthousiasme, pensa Alison.

— Enchanté, jeune fille.

Alison murmura une timide réponse. Les conversations reprirent autour de la table. Ilene et Andy parlaient d'Hester.

— Elle a un chic fou, remarqua Ilene. Quel âge a-t-elle ? Cinquante ans ?

— Cinquante-trois, précisa Andy. Je me suis renseigné. Je sais aussi qu'elle est très proche d'Edmund Norland, le compositeur de *Sarabande*. Tu ne savais pas ça, hein ?

— « Très proche » veut dire qu'ils couchent ensemble ?

— Non, je ne crois pas. Je n'en sais strictement rien en fait. Elle n'a jamais été mariée, en tout cas. Son partenaire, Kaspar Beilin, qui a fondé plus tard une compagnie à San Francisco, ne s'est jamais caché d'être homosexuel. La presse est restée discrète parce qu'on ne donnait pas ce genre d'informations à l'époque. On pouvait encore se débaucher sans que les magazines s'emparent du moindre détail. C'était le bon temps !

— Tu as envie de te débaucher, Andy ? interrogea Claudia. C'est la peur de la presse qui t'arrête ?

— Moi ? Tu plaisantes ! Les gens se fichent de ma vie privée comme de leur première chemise. Ce qui les intéresse, c'est les stars. Comme toi, Claudia.

Il lui adressa un sourire charmeur, et Alison, en voyant s'illuminer sa mère, eut honte pour elle. La flatterie agissait sur elle comme une drogue. Répugnant. À vomir. Elle reprit un petit pain. Ils étaient délicieux, tout frais, croustillants et dorés. Ils étaient même coupés en deux et beurrés. Mais à l'instant où elle allait le poser dans son assiette, la voix de Claudia résonna dans l'immense cuisine, et vibra dans toutes les oreilles.

— Chérie ! Ne te ressers pas de pain ! Ça suffit comme ça. Tu en as déjà mangé des quantités. Si tu as encore faim, prends une clémentine.

Le front brûlant de honte et de rage, Alison remit en silence le petit pain dans le plat. Je voudrais lui écraser une tomate sur la figure, lui lacérer son horrible jogging rose avec le couteau à pain. Les discussions s'étaient soudain animées, sans doute pour couvrir la gêne générale. Personne ne lui offrit directement de soutien, mais elle vit Hugo poser sur Claudia un regard scandalisé. Silver, de son côté, jeta un coup d'œil à Hugo, puis se pencha vers George pour lui parler.

Alison prit une clémentine dans le compotier, l'éplucha et l'avala sans en sentir le goût. Nick se leva de table et, en sortant de la cuisine, intercepta son regard et lui adressa un clin d'œil qui voulait dire : *Ne t'en fais pas, les mères sont toutes pareilles !*

Hester attendait Hugo dans son bureau. Ils étaient convenus, lors de leur premier entretien, qu'il viendrait tous les jours la tenir au courant des progrès des répétitions. Pas question pour elle de superviser le travail de la compagnie, mais elle tenait à tisser des liens avec ses hôtes, et voulait s'assurer que le chorégraphe évoluait à son aise à l'Arcadia.

Le silence indiquait que la troupe devait encore être dans la cuisine. On n'aurait jamais soupçonné que le manoir était plein de monde. Le festival a vraiment du bon, pensa-t-elle, ça occupe le temps.

Edmund lui avait envoyé une nouvelle carte postale. Elle en avait à présent une belle collection, alignée sur la cheminée. Grâce à elles, Hester l'imaginait plus facilement à Vienne. La carte d'aujourd'hui représentait un autel baroque, avec des fioritures, des angelots, des ornements extravagants. Auparavant, elle avait reçu les jardins d'un palais, des scènes de rue, un portrait de Johann Strauss, et plusieurs tableaux de musées. Il lui écrivait presque tous les jours. Aujourd'hui, de sa petite écriture régulière, il disait :

Te souviens-tu de la tournée de 1963 ? Nous sommes allés dans un café, à deux pas de cette église. Les gâteaux disparaissaient sous la crème fouettée. De nos jours, plus une danseuse ne s'autoriserait ce genre de gourmandise. J'espère que tu tiens le coup. Plus que quelques jours d'ici au 2 janvier. Je pars demain pour New York. Ce ne sera pas facile. Je t'embrasse. E.

On frappait à la porte. Hester laissa la carte sur le secrétaire.

— Entrez !

Hugo passa la tête par l'entrebâillement.

— Je ne vous dérange pas ? Vous avez le temps de me recevoir ?

— Oui, bien sûr. Entrez. Asseyez-vous.

Elle apprécia la simplicité avec laquelle il alla au fauteuil et posa sa chemise en carton pleine de notes par terre à côté de lui. À l'évidence un garçon très organisé.

— Certains des chorégraphes qui vous ont précédé n'aimaient pas ce petit rituel quotidien, remarqua-t-elle. On m'a accusée d'être trop dirigiste. Dictatoriale, même, selon l'un d'eux.

— Moi, ça ne me dérange pas du tout. Au contraire, je trouve très rassurant de pouvoir discuter avec vous de certains points difficilement abordables avec les membres de la troupe.

— Parfait ! Pour moi, il s'agit simplement de garder le contact avec vous. Parfois un regard extérieur peut être enrichissant, aussi. Mais d'abord, parlez-moi un peu de vous, faisons connaissance. Vous avez passé les fêtes en famille ?

— Malheureusement, ma mère est morte l'année dernière. Je suis un enfant adopté, ce qui bien entendu n'atténue en rien mon chagrin. Elle me manque beaucoup. Mon père et elle m'ont mis au courant très tôt, et ça n'a jamais posé de problème. Je les ai toujours considérés comme mes vrais parents. Ils étaient tous les deux architectes. Ils travaillaient ensemble. Mon père se sent très seul, maintenant. Je ne le vois pas autant que je le devrais parce qu'il vit près de Newcastle et que la compagnie me retient à Londres. J'ai réussi à me dégager quelques jours pour passer Noël avec lui, ce qui est mieux que rien.

— Vous avez écourté vos vacances à cause de nous, j'en suis navrée.

— Il comprend quel honneur c'est pour moi d'avoir remporté ce concours. Votre nom l'a beaucoup impressionné, et pourtant, il ne s'intéresse pas du tout à la danse. Mais qui ne vous connaît pas ?

— Vous êtes trop aimable.

Hugo montra d'un geste les photos accrochées au mur.

— Personne ne vous oubliera grâce aux films de vos ballets. Silver McConnell m'a avoué que vous étiez la raison pour laquelle elle avait accepté son rôle dans *Sarabande*. Elle vous idolâtre.

— Je sais que c'est bête, dit Hester avec un rire, mais ça me fait toujours autant de bien d'entendre ce genre de compliment. Depuis que je ne monte plus sur scène, j'aime me souvenir de mon passé glorieux. J'ai de beaux restes, remarquez. Je donne beaucoup de cours aux professionnels, et en plus de mes master classes, je fais mes exercices tous les jours. Évidemment, je ne suis plus au même niveau. Regardez-moi ça...

Elle ôta une chaussure et montra son pied en tendant la pointe.

— Vous voyez comme ils sont déformés ? Les danseurs sont de vrais masochistes. Regardez ces bosses, cette allure ! C'est ma récompense pour avoir autant dansé. Autant d'heures sur les pointes, c'est de la folie.

— Moi, je les trouve beaux.

— Merci, mais je vous assure que ce n'est pas agréable d'avoir des douleurs partout. Et ça va probablement s'aggraver avec l'âge. Ne m'écoutez pas ! Je vais vous déprimer. Je ne sais pas ce que j'ai aujourd'hui. Parlez-moi plutôt de Silver McConnell. Il paraît qu'elle est très douée.

— C'est vrai, mais elle me pose un problème. Elle a beaucoup de talent, un peu trop, peut-être. Elle réussit tout sans se donner le moindre mal.

— J'imagine qu'elle se poussera davantage quand vous lui aurez montré ce que vous attendez d'elle.

— Je l'espère. Justement, j'ai une répétition avec elle dans quelques minutes.

— Si c'est une future étoile, comme on le dit, et que sa réputation n'est pas surfaite, elle comprendra ce que vous lui demandez. Vous me tiendrez au courant.

— Avec plaisir, répondit Hugo en se levant. Merci pour cette conversation. Je me réjouis de vous retrouver pour ce petit échange quotidien, je vous assure.

— Moi aussi.

Elle le regarda sortir avec sympathie. Il lui plaisait, ce jeune homme, et leurs entretiens seraient agréables. Mais pourquoi diable lui avait-elle montré ses pieds ? Quelle idée ! Jamais elle ne s'était permis une telle liberté. Elle reprit la carte postale d'Edmund et la posa à côté des autres sur la cheminée. Ce serait drôle de raconter l'anecdote à son cher ami. Elle avait enlevé sa chaussure et avait planté ses orteils sous le nez du chorégraphe ! Quand Edmund entendrait cela, il éclaterait de rire. Ce rire profond, irrésistible, qui avait enchanté la compagnie Charleroi depuis le tout début...

1950

— Les filles et les garçons, je vous présente Edmund Norland, annonça Piers en avançant sur la scène du Royalty.

La troupe au grand complet était installée dans les fauteuils d'orchestre. Hester, Dinah et Nell s'étaient mises au fond, la meilleure place pour écouter les discours de Piers. Ils étaient en pleine répétition de *Giselle*, et Hester n'en revenait toujours pas d'avoir été choisie pour danser le rôle principal. Quel bonheur ! Elle n'avait que dix-sept ans, et elle allait danser Giselle ! Plusieurs fois par jour, elle se pinçait pour s'assurer qu'elle ne rêvait pas. Piers avouait lui-même qu'il prenait un risque, mais disait l'avoir choisie parce qu'elle était la seule de la compagnie à être assez jeune et assez douée pour le personnage. Estelle jouait la reine des Wilis, Miles faisait Loys, et Dinah était folle de joie d'avoir décroché le rôle de Bathilde. Piers avait bien entendu promis à Hester d'inviter Mme Olga à la première. En sortant de sa rêverie, Hester tourna de nouveau son attention vers la scène. Piers avait appelé un jeune homme à ses côtés, et Dinah chuchota à son oreille.

— Qui est-ce ? Il n'est pas mal. Qu'en penses-tu ?

Hester le dévisagea. Il était blond, avec une mèche sur les yeux. Il avait l'air plutôt sympathique, et en tout cas souriant.

— Oui, pas mal du tout, approuva-t-elle

162

Piers le leur présenta.

— M. Norland est compositeur. Un excellent compositeur, même, et je vous assure que mon opinion est tout à fait objective. C'est le nouveau Tchaïkovski, et il nous a composé un ballet d'après *Le Petit Chaperon rouge*. J'ai l'intention de le créer pour Noël, tout de suite après *Giselle*. Nous sommes déjà en septembre, donc cela nous laisse fort peu de temps. M. Norland nous fait l'honneur d'assister à cette répétition pour donner son avis sur la distribution des rôles. J'ai ma petite idée sur l'attribution du personnage principal, mais M. Norland voulait vous rencontrer. Je lui ai dit que nous étions une grande famille, et comme il entre dans la compagnie, je vous demande de l'accueillir de votre mieux. Donnez-vous à fond pour lui faire bonne impression. C'est tout. Vous pouvez aller vous changer.

Pendant que la troupe se mettait en tenue, Nell leur fournit quelques détails complémentaires sur Edmund Norland.

— Magda Volski est sa maîtresse. Vous savez, la première danseuse de la compagnie Westhaven. Elle est très maigre et très russe. Une drôle de fille, mais douée. Enfin, je ne l'ai jamais vue, c'est ce que j'ai entendu dire.

— Comment fais-tu pour toujours être au courant de tout, Nell ?

— C'est une vraie pipelette, remarqua Dinah, tu le sais bien, Hester.

Nell lança une boule de coton de démaquillage sur Dinah qui esquiva en riant tandis qu'Hester répondait.

— Oui, mais en général elle ne déploie ses talents qu'à l'intérieur de la compagnie ! Là, ça tient de l'espionnage international !

— Vous n'avez pas idée de tout ce que je sais ! Je suis une vraie mine d'informations.

Pendant la répétition, depuis l'arrière-scène où elle attendait son entrée, Hester observa Piers et Edmund

Norland, installés au troisième rang d'orchestre. Piers avait raison : la compagnie Charleroi était une grande famille. Piers jouait le rôle de père ; Dinah, Nell et certains des jeunes danseurs celui de frères et sœurs ; les plus âgés seraient les cousins et les cousines, et Estelle P, une tante revêche. Bien entendu, il y avait des disputes, comme dans toutes les familles, mais dans l'ensemble, la solidarité l'emportait. Il y avait même beaucoup d'amour entre eux. Seule Mme Olga comptait davantage pour Hester que Dinah, Nell et Piers.

Le théâtre tenait lieu de maison familiale. Mieux que cela : c'était un pays magique. La scène vous transportait dans tous les univers imaginables. Ce n'était qu'un espace fermé par un rideau, et pourtant, les décors et les projecteurs le métamorphosaient. Blafardes, les lumières vous changeaient en fantôme ; roses, en jeune paysanne resplendissante de santé. La toile de fond pour le dernier acte de *Giselle* représentait un vieux cimetière avec des pierres tombales, du brouillard et des ombres bleutées. Hester imaginait maintenant à sa place une forêt épaisse et verte où se cacherait le loup. Ah ! Si elle pouvait danser le rôle du Petit Chaperon rouge ! Il fallait à tout prix faire bonne impression à Edmund Norland pour qu'il demande à Piers de la choisir. Le moment d'entrer en scène arrivé, elle se jeta à corps perdu dans la danse.

Hester, Dinah et Nell se lièrent vite d'amitié avec Edmund. Après cette première fois, il se passa rarement un jour sans qu'elles ne le voient. Il assistait aux répétitions, ou aux classes de Piers ; il allait boire un café au Corner House avec elles ; il rejoignait la troupe chez Gino le soir, accompagné ou non de Magda, son étrange amie. Il se montrait très prévenant avec sa maîtresse, mais ne semblait pas regretter son absence quand il les retrouvait seul.

Au début du mois d'octobre, à la fin d'une répétition, Piers cria :

— Dinah, Nell, Hester et Mona ! Vous viendrez me voir quand vous serez prêtes, s'il vous plaît !

Les quatre danseuses échangèrent des regards, se demandant ce qu'elles avaient bien pu faire. Piers se moqua d'elles.

— Vous n'avez pas la conscience tranquille ? Ne vous inquiétez pas, les filles, c'est un honneur, au contraire. Vous êtes invitées à une fête. Une idée d'Edmund, et qui n'est pas mauvaise !

La journée ne serait pas de tout repos. Elles avaient été choisies pour danser à l'anniversaire d'une certaine Virginia Lennister, la femme d'un ami d'Edmund, grande amatrice de danse classique qui avait même investi de l'argent dans la compagnie. Elle était américaine, riche, et vivait dans une immense propriété à la campagne près de St Albans.

— Vous vous sentez la force de répéter une petite fantaisie en plus de *Giselle* ? J'ai écrit une chorégraphie simple qui ne vous donnera pas trop de mal tout en impressionnant Mme Lennister. Des variations gentillettes sur une jolie musique de Chopin pour mettre d'accord tous les invités. Ça vous tente ?

Elles se déclarèrent enchantées.

— Il paraît que la maison est somptueuse, raconta Dinah. Adam Lennister est écrivain, mais je ne sais pas ce qu'il écrit.

Au cours des répétitions, Edmund compléta ces informations.

— Je le connais depuis mon adolescence. Nous avons fait nos études secondaires dans la même pension. Il écrivait des poèmes. J'en ai mis certains en musique. Maintenant, il est devenu biographe, excellent au demeurant, même s'il ne publie pas de best-sellers. Peu importe :

Virginia roule sur l'or. Orchard House est une très belle maison, vous allez voir. Nous allons bien nous amuser.

Le jour de la fête, Piers et ses danseuses arrivèrent dans une spacieuse voiture envoyée par Mme Lennister. Dans le coffre se trouvait une malle avec leurs tutus, leurs pointes, du maquillage, des parures de cheveux et des bijoux. Edmund les attendait à Orchard House pour leur montrer les lieux.

— Pas croyable ! s'exclama Nell quand la voiture s'arrêta devant une façade croulant sous la vigne vierge. Je ne savais pas qu'il y avait des châteaux de ce genre si près de Londres. Je vous parie qu'il y a un verger par-derrière.

— Venez, les filles, vous ferez vos commérages plus tard, intervint Piers. C'est vrai que c'est beau, ajouta-t-il. Ils ont un grand appartement à Londres, aussi, mais elle adore la campagne. Évidemment, si je pouvais me permettre un tel luxe, la cambrousse ne me déplairait pas non plus. Jusqu'à présent, mes expériences campagnardes ont été plutôt spartiates.

Un homme d'âge mûr en habit – il y a même un major-dome ! songea Hester – fit entrer Piers dans le salon, puis la guida avec ses trois amies à l'étage.

— C'est bien, d'être riche, chuchota Dinah en pénétrant dans la chambre qui devait leur servir de loge.

— On a monté votre malle, annonça le majordome. Des rafraîchissements vous attendent à la cuisine. Quand vous serez prêtes, prenez l'escalier de service jusqu'au sous-sol.

— Merci beaucoup, répondit Hester.

Dès qu'il fut parti, elles se dépêchèrent d'enlever leurs manteaux. Dinah approcha de la coiffeuse.

— J'emménagerais volontiers ici, remarqua-t-elle en sortant son rouge à lèvres. Si toutes les chambres d'amis sont aussi luxueuses que celle-ci, je me demande comment sont celles de la famille !

De la toile de Jouy sur les murs, un lit à baldaquin, une

166

coiffeuse parée de ruchés bleu pastel assortis aux rideaux... Elles contemplèrent la pièce un long moment avant d'oser poser leurs costumes sur le lit, et leurs vieilles boîtes à maquillage remplies de crayons cassés et de bâtons de couleur usés sur le dessus immaculé de la coiffeuse.

Dès qu'elles furent en tenue, elles descendirent au rez-de-chaussée et cherchèrent l'escalier de service. Au passage, elles ne perdirent pas une miette de ce qu'elles apercevaient de la maison. Dans la cuisine, où une armada d'employées préparait le buffet, personne ne leur prêta attention, à l'exception d'une adorable jeune femme qui leur servit le thé avec des canapés et des biscuits.

— Je m'appelle Ella. On m'a chargée de m'occuper de vous. Je vous attendrai à la cuisine après votre spectacle pour vous donner un repas plus copieux.

Admirative, elle leur tint compagnie pendant qu'elles se restauraient.

— Je vais m'arranger pour vous voir danser en me faisant toute petite dans un coin. J'adore ça. Je vais à Sadler's Wells dès que je peux.

Après le thé, elles suivirent Piers dans la salle de bal. C'était une pièce immense avec un magnifique parquet ciré d'une belle couleur miel. Au bout se dressait une estrade. Les lustres ressemblaient à des grappes de pierres précieuses, et une rangée de portes-fenêtres donnait sur la terrasse et le jardin. Hester aperçut des arbres au loin. Sans doute était-ce là le fameux verger dont la maison tirait son nom. Edmund, déjà installé au piano sur l'estrade, se leva pour les accueillir. À ses côtés se tenait une jeune femme blonde au regard bleu perçant. Ses lèvres minces formaient une ligne sévère, comme si elles étaient peu habituées au sourire.

C'était la maîtresse de maison. Edmund fit les présentations.

— Virginia Lennister. Virginia, tu connais Piers, bien entendu, et voilà Dinah, Nell, Hester et Mona.

Elles montèrent sur scène tandis qu'Edmund se remettait au piano. Intriguée par la tiédeur de l'accueil de Virginia Lennister, Hester se posait des questions. C'est son anniversaire, pourtant, se disait-elle, et elle est censée adorer la danse. Piers a préparé cette représentation en son honneur, alors pourquoi faire grise mine ? Son attitude n'avait sans doute rien à voir avec leur arrivée. Peut-être avait-elle reçu une mauvaise nouvelle. Plus tard, Hester comprit que c'était son expression naturelle. Virginia était toujours sur la défensive, froide, presque coupante. Elle manquait de chaleur humaine et avait peu d'aptitude au plaisir.

Edmund avait retardé Hester à sa sortie de scène. Il avait multiplié les compliments, au point qu'elle avait dû l'interrompre.

— Merci, Edmund, c'est très gentil, mais il faut que je monte me changer. On nous attend à la cuisine pour le dîner.

— Je sais, je sais. Mais j'ai quelque chose à te dire. C'est toi qui vas danser le Petit Chaperon rouge dans mon ballet. Piers n'a pas eu besoin que j'insiste beaucoup, mais je n'aurais voulu de personne d'autre. On va bien s'amuser !

— C'est vrai ? Même après Giselle ? Je vais encore avoir le premier rôle ? Je n'arrive pas à le croire.

— Je te garantis que oui. Piers va annoncer la distribution à la troupe demain. On ne pourra pas commencer les répétitions avant la première de *Giselle*, mais le plus tôt sera le mieux.

— Merci, Edmund. Je ne te remercierai jamais assez. Tu ne peux pas savoir le plaisir que ça me fait, s'était-elle écriée en se jetant à son cou.

— Bon, vas-y, maintenant, cours, tu dois avoir faim.

Quand elle était arrivée dans leur loge improvisée, les autres étaient déjà presque prêtes. Elle avait marmonné une vague excuse, mais Dinah était trop fine pour la laisser s'en tirer à si bon compte.

— Tu étais avec Edmund, je vous ai vus. Il t'a dit quelque chose ?

— Normalement, je ne devrais pas vous en parler, mais je suis tellement heureuse que je ne peux pas garder ça pour moi. Il ne faudra le répéter à personne.

— Nous t'écoutons, dit Mona, quel suspense !

— Le rôle du Petit Chaperon rouge, c'est moi qui le danse.

Toutes l'embrassèrent en la félicitant. Seule Mona avait l'air jalouse.

— Tu parles d'une surprise ! C'était couru d'avance. Depuis sa première visite au Royalty, c'est visible qu'Edmund t'admire. Il ne t'a pas donné le reste de la distribution, j'imagine ?

— Non. Ce sera annoncé demain.

Le sujet clos, les autres descendirent à la cuisine, la laissant à son démaquillage. Pendant qu'elle s'habillait, Hester se souvint du ton envieux de Mona. Dinah et Nell ne lui reprochaient jamais sa chance, mais avec Mona, c'était différent. Bien entendu, cela devait être rageant de la voir prendre tous les grands rôles. D'autres danseuses de la troupe étaient aussi capables de les tenir qu'elle, mais, même si c'était injuste, elle était heureuse. Elle se sentait de plus en plus sûre d'elle. Une force immense s'éveillait en elle. J'y arriverai, pensa-t-elle en se regardant dans le miroir. Je serai une grande étoile. Peut-être même une très grande. Oui, j'en suis capable. Cette certitude la remplissait d'allégresse. Tant pis si on la jalousait. Elle s'en moquait. Seule la danse comptait, et l'ambition d'interpréter ses rôles le mieux possible.

En descendant, toute à ses pensées, elle se trompa de chemin. Elle prit un couloir qui, lui semblait-il, menait à l'escalier de service... Il était sombre, mais une porte ouverte jetait de la lumière en son milieu. Au moment où elle passait, elle entendit une voix masculine.

— Qui est là ?

Elle hésita, puis approcha du seuil. Un homme, assis à un bureau, se leva en la voyant. La première impression d'Hester fut celle d'une sorte de géant au teint pâle et aux yeux noirs. Il lui sourit.

— Je vous reconnais, vous êtes Mlle Fielding, l'une des danseuses. Je me présente, Adam Lennister.

— Bonjour.

C'était le mari de Virginia Lennister. L'écrivain. Hester ne trouvait plus ses mots. Des coups sourds résonnaient dans sa tête. Il était très beau. Son visage au nez droit et aux lèvres sculptées était aussi régulier que celui d'une statue. D'immenses cils frangeaient des yeux de velours.

— Je... Pardon, je me suis perdue. C'est bête, j'ai pourtant déjà fait le trajet pour descendre à la cuisine.

— La maison est assez tarabiscotée. Je ne m'y égare plus, ce que je regrette, parfois. Je me serais bien égaré dans un coin sombre, aujourd'hui.

— Pardon de vous avoir dérangé.

— Ce n'est rien. Je me cache depuis la fin du spectacle. Je n'aime pas beaucoup les réceptions, mais ma femme en organise, et donc... Vous ne voulez pas vous asseoir cinq minutes ?

Il retourna à son fauteuil, devant le bureau, et fit signe à Hester de s'installer sur le divan. Elle prit place tout au bord.

— On dirait que vous n'avez pas très envie de rester. Ne vous inquiétez pas, je ne vous retiendrai pas longtemps. Je voulais vous remercier pour le spectacle, qui m'a beaucoup plu. Virginia adore la danse, tout comme Edmund, votre accompagnateur.

— J'en conclus que ce n'est pas votre cas.

— Jusqu'à aujourd'hui, en effet, je n'étais pas un enthousiaste. En fait, je ne suis presque jamais allé voir de ballets. Mais ce soir… Edmund m'a appris que vous alliez danser *Giselle* au Royalty. Ma femme et lui disent que c'est une histoire tragique et romantique. Vous pensez que ça me plairait ? J'adore les poètes romantiques.

— *Giselle* est mon ballet préféré. Mais mon jugement est peut-être faussé parce qu'il s'agit de mon premier rôle principal.

— Si vous êtes la vedette du ballet, je l'apprécierai, c'est certain.

Est-ce le compliment qui la rendit muette ? Elle avait l'impression qu'on lui tordait le cœur, que l'air allait lui manquer. Si elle essayait de parler, sa voix la trahirait à coup sûr. Était-ce ce fameux sentiment que tentaient de lui décrire Dinah et les autres ? Elles avaient été loin d'en dépeindre l'intensité. Voilà sans doute l'attirance qu'elle aurait dû ressentir pour les garçons qu'on lui jetait dans les jambes, mais qui ne lui plaisaient pas. Le maître de maison attendait sa réponse, et si elle ne se reprenait pas, il devinerait son trouble.

— J'aurais du mal à vous expliquer pourquoi j'aime la danse. Être sur scène, c'est évoluer dans un monde où tout est perfection. Un monde de beauté. Hors de la réalité.

— Je vois.

Il n'ajouta rien, silencieux à son tour. C'est le moment de partir, songea Hester. Elle quitta son siège.

— Je vous laisse. Vous semblez fatigué.

— Mais pas du tout, protesta-t-il en se levant aussi. Vous voulez bien me faire plaisir ?

— Oui ?…

— Appelez-moi Adam la prochaine fois que nous nous rencontrerons.

— Bien sûr… Adam. Moi, c'est Hester.

— Hester…

Elle aurait tout donné pour l'entendre répéter son prénom, et, par miracle, il le fit.

— Hester, je viendrai vous voir danser dans *Giselle*, c'est promis.

— Merci.

Elle tourna les talons et sortit presque en courant, le feu aux joues. Que tu es bête, il veut seulement aller au ballet ! Il ne s'intéresse pas à autre chose, ne te fais pas d'illusions. Il vient de découvrir l'intérêt de notre art, ça ne va pas plus loin.

Dans son émoi, elle avait oublié de lui demander comment aller à la cuisine. Elle finit tout de même par trouver son chemin, après avoir erré au hasard. Quand elle arriva, Dinah, Nell et Mona étaient attablées devant du saumon fumé et de la salade de pommes de terre, et lui annoncèrent que des pêches Melba les attendaient pour le dessert.

— Où étais-tu passée ? interrogea Mona.

— Nous allions envoyer une expédition de secours à ta recherche ! s'écria Dinah. Tu as l'air essoufflée.

— Je me suis un peu perdue.

Elle n'en revenait pas de répondre d'une voix aussi calme après ce qui venait d'arriver !

Hester avait imaginé que danser Giselle, le rôle qu'elle aimait par-dessus tout, la distrairait de ses émotions. Elle se trompait, car le ballet reflétait trop ses sentiments. Le jour de la première, elle était survoltée. Son trac était tel qu'elle ne parvint qu'avec la plus grande difficulté à avaler son petit déjeuner, puis à suivre la classe quotidienne, et à bavarder avec ses amies. Il y avait un essayage le matin, au cours duquel elle dut rester immobile pendant des heures, debout, les bras levés au-dessus de la tête, tandis que la costumière reprenait le corsage avec des épingles.

— Vous avez perdu du poids depuis le dernier essayage, lui reprocha-t-elle.

— Je n'ai pas fait exprès. Je me nourris convenablement, pourtant.

172

Ce doit être l'amour, pensa-t-elle. Oui, c'est l'amour. Il faut que j'en parle à Dinah. Je vais tout lui raconter.

Elle retrouva son amie dans la loge.

— Dinah, je voudrais te dire quelque chose.

— Que se passe-t-il ? Comme tu es pâle !

— C'est grave, Dinah, je crois que je suis amoureuse.

— Bravo ! Victoire ! Que je suis contente pour toi ! Qui est-ce ? Je le connais ?

Hester baissa la tête.

— Ce n'est pas si simple. C'est Adam Lennister. Maintenant, je fais quoi, moi ?

Des larmes tombèrent de ses yeux, qu'elle essuya du revers de la main.

— Tu l'as revu, depuis que nous avons dansé chez lui ?

— Non, mais il m'a écrit. Il vient à la première. Il m'a invitée à dîner. Je meurs d'envie d'accepter, seulement c'est impossible. Tu te rends compte ? Il est marié ! Je suis idiote, sanglota-t-elle. Excuse-moi. Bien sûr que je ne peux pas accepter.

— Mais tu vas finir par craquer. Ça se voit.

— Vraiment ?

— Je connais cette expression. Tu n'en feras qu'à ta tête, quoi que je puisse te dire. Même si je te supplie, tu ne m'écouteras pas.

Hester eut honte. Dinah avait raison. Dès la première lettre d'Adam (il lui en avait écrit trois qu'elle connaissait par cœur), elle avait su qu'elle ne pourrait rien lui refuser. Elle essaya encore de se justifier.

— Ce n'est pas bien méchant d'aller dîner dehors.

— Alors tu ne viendras pas fêter la première avec nous chez Gino ? C'est bête, quand même.

— Non, je serai là. Ce soir, sa femme l'accompagne à la première de *Giselle*. Il m'invitera une autre fois. Et puis on ne rate pas le dîner chez Gino ! Tu imagines, il y aura Mme Olga. Je n'aurais pas manqué ça pour un empire. Adam...

Elle s'interrompit en rougissant, simplement parce que ce nom avait franchi ses lèvres.

— Il veut m'inviter après-demain.

— Attention, Hester... C'est dangereux. Tu risques de beaucoup souffrir.

— Je ferai attention, je te le promets. J'essaierai de ne pas être malheureuse.

Elle tâchait de paraître raisonnable, alors qu'elle ne l'était pas le moins du monde. Ce qu'elle ressentait, c'était comme une fièvre. Elle aurait dû être ravie de se savoir amoureuse, mais la situation gâchait tout. Au moins, elle était un peu soulagée d'avoir parlé à Dinah. Le secret ne lui plaisait pas, or sa relation avec Adam ne se vivrait que dans le silence, la honte. Elle ne pourrait pas se confier à Mme Olga, c'était hors de question ; elle ne connaissait que trop bien son opinion sur l'amour, et la vie privée des danseuses. D'après son vieux professeur, c'était une maladie dont il fallait se préserver avec le plus grand soin. Depuis des années, elle multipliait les avertissements. Dinah lui conseillait aussi d'être prudente, mais seulement parce qu'Adam était un homme marié. Il faudrait que je sois assez forte pour ne plus penser à lui, mais j'en suis incapable, songea-t-elle. J'ai besoin de le voir. Un simple dîner, cela n'engage à rien. Adam Lennister... Son nom se répétait dans sa tête, obsédant.

Dans les coulisses, Hester rayonnait. Adam lui avait fait livrer un énorme bouquet de roses blanches dans la loge. Nell avait dû courir aux accessoires pour trouver un vase assez grand pour le contenir. Bien sûr, on ne lui épargnait pas les plaisanteries sur son admirateur mystérieux, parce qu'il n'y avait pas de carte d'accompagnement. Les fleurs ne pouvaient venir que d'Adam : il avait d'excellentes raisons de ne pas signer son envoi. Il ne faut pas penser à sa femme, se dit Hester. Pas maintenant. Je ne veux pas tout gâcher. Rien d'autre ne compte que lui. Il est venu me voir ! Elle ne danserait que pour lui. La musique avait commencé. Le corps de ballet, en costume paysan, fêtait la moisson. Maintenant, elle devait chasser de son esprit toute pensée parasite, ne plus songer qu'à son rôle.

Les notes familières emplissaient le théâtre et les coulisses obscures. Son cœur battait à cent à l'heure. Elle portait un simple corsage blanc au modeste décolleté rond, et une jupe rayée de vert pâle et de blanc retenue à la taille par une large ceinture noire qui soulignait sa minceur. La chaînette de sa grand-mère avait été jugée trop fine pour représenter le bijou offert à Giselle par Loys. Elle l'avait laissée comme à son habitude dans un pot de pommade vide, à l'intérieur de la boîte à cigares qui contenait son maquillage. Elle prit une profonde inspiration, puis entra sous la lumière des projecteurs.

Mme Olga avait pleuré tout au long du ballet. Elle s'essuyait encore les yeux quand elle alla féliciter Hester dans sa loge.

— Sublime, magnifique, ma petite fille ! Je peux mourir en paix maintenant que je t'ai vue danser Giselle. Tu étais si touchante ! Cette douleur dans la scène de la folie ! Et les fleurs ! Ah ! Quelle belle interprétation !

— Merci, dit Hester en regardant son professeur dans le miroir tandis qu'elle se démaquillait.

La représentation l'avait épuisée, moins à cause de la performance physique que du trop-plein d'émotions. *Je suis trop proche de Giselle*, pensa-t-elle. Elle frissonna en se souvenant du moment où elle effeuillait la marguerite : *Il m'aime, un peu, beaucoup, à la folie, passionnément, pas du tout.*

Piers, qui avait accompagné sa vieille amie dans la loge, félicita les danseuses.

— Je m'attends à d'excellentes critiques, les filles. Hester, on dira de toi que tu as l'étoffe d'une étoile, mais les journalistes ne savent pas de quoi ils parlent, le plus souvent. Il ne faut rien croire, ni les compliments ni les attaques. Il ne faut écouter que moi, parce que je suis le seul à savoir si tu t'es donnée à fond.

— Et ma Giselle alors ?

— Ce n'était pas trop mal, pas trop mal !

Il quitta la loge en lui lançant un sourire. D'après Dinah, c'était le compliment suprême.

Après avoir épuisé commentaires et plaisanteries, le groupe partit festoyer chez Gino. Dinah fut la dernière à sortir. Elle approcha d'Hester avec sollicitude.

— Ça va ? Tu es sûre ? Tu es dans les nuages ces derniers temps. Tu viens ? Tu veux que je t'attende ?

— Non, ne t'en fais pas. Je vous rejoins tout de suite. Il faut que je retrouve des forces. La représentation m'a tuée. Les sentiments sont tellement forts, dans ce ballet.

Après le départ de Dinah, la loge lui sembla très vide. Les costumes étaient accrochés à une barre, près de la fenêtre, comme autant de fantômes encore habités par leur personnage. Une demi-heure plus tôt, ils avaient été animés, pleins de vie, et maintenant ils pendaient, gardant quelque chose de leur humanité. Les pointes avaient été remisées sur l'étagère. Elles étaient alignées, satin noir, satin blanc, cuir brun et soie mauve pour les Wilis, comme de jolies fleurs, serrées dans leur ruban. L'odeur de talc et de divers parfums flottait encore dans l'air. Hester appréciait sa solitude, car elle n'avait plus besoin de jouer la comédie.

Elle s'enduisit le visage de crème tout en admirant les roses presque lumineuses de blancheur. Adam. Elle ne le verrait pas ce soir, ni même le lendemain, mais le surlendemain après la représentation. Ils iraient dîner ensemble. Un dîner et c'est tout, se jura-t-elle. Rien de plus. C'est innocent, un dîner. Je serai sage. Je ferai attention. Dinah sera fière de moi.

Le troisième soir, dans les coulisses, juste avant le lever de rideau du premier acte, Dinah s'exclama :

— Tiens ! Tiens ! Devine qui est au quatrième rang d'orchestre.

— Qui ?

Hester colla l'œil au trou du rideau, qui permettait d'inspecter la salle avant le spectacle.

— Pile au milieu, indiqua Dinah. Tu le vois ? C'est bien lui ?

— Il a assisté à toutes les représentations.

— C'est ce soir, le grand soir, non ?

— Sa femme est à la campagne.

— Comme ça tombe bien ! Et bien entendu, si elle avait été à Londres, elle vous aurait accompagnés...

— Dinah ! Tu sais très bien que non.

— Je ne dis plus rien. Mais fais attention à toi.

— Tu me répètes toujours la même chose. Je sais ce que tu en penses, mais je n'y peux rien. J'ai besoin de le revoir.

Adam l'emmena dans un petit restaurant italien loin du théâtre. Il lui avait envoyé des instructions, lui expliquant où il l'attendrait en voiture.

— Désolé pour toutes ces précautions, s'excusa-t-il en démarrant.

— Je comprends.

Elle se tut, ne sachant plus quoi lui dire. Elle eut un coup de panique : ils n'avaient rien en commun. Il était beaucoup trop âgé pour elle, il allait s'ennuyer à mourir.

Adam ne lui laissa pas le temps de s'affoler longtemps.

— C'est bizarre, cette situation, vous ne trouvez pas ? J'ai l'impression de très bien vous connaître alors qu'on ne s'est pratiquement jamais vus. C'est pareil pour vous ?

— Oui. Et pourtant...

— Je suis venu vous voir tous les soirs, vous savez.

— Je vous ai remarqué. Il y a une fente dans le rideau

177

qui nous permet de regarder la salle. On voit très bien le public.

— C'était important, pour vous ?

Hester hocha la tête, la gorge nouée.

— Nous sommes arrivés, annonça Adam. J'espère que vous aimez la cuisine italienne.

— Beaucoup.

En réalité, Hester se moquait bien du choix du restaurant. Ils allaient dîner ensemble, et elle pourrait le contempler tant qu'elle voudrait. Quoi qu'il advienne, elle était déterminée à profiter de chaque seconde de la soirée.

— Alors, raconte ! chuchota Dinah quand, au retour, Hester se glissa dans son lit du grenier. Je n'arrivais pas à dormir. Il est tard !

— Pas maintenant. Nous allons réveiller Nell.

— Tu penses ! On pourrait lui jouer de la trompette dans les oreilles. Vas-y, je veux tout savoir.

— Il ne s'est rien passé de spécial. Nous avons discuté, c'est tout.

— De quoi avez-vous parlé ?

— De sa rencontre avec Edmund, au pensionnat. De son travail. Il dit qu'il faut beaucoup de discipline pour écrire tous les jours. D'après lui, les écrivains devraient faire comme les danseurs, aller à des cours quotidiens pour s'exercer. Ça nous a bien amusés. Sortez vos stylos et première position. Papier en cinquième. Baissez les yeux.

Elle eut un rire.

— Très drôle, en effet ! persifla Dinah. Ça devait être nettement plus amusant sur le moment.

— C'est toi qui as voulu savoir. Je m'arrête, si tu préfères.

— Non, pardon, pardon. Continue. Quoi d'autre ?

— Il m'a posé tout un tas de questions. On ne s'est jamais autant intéressé à moi. Je lui ai parlé de ma grand-mère. C'était la première fois que je racontais mon histoire en entier à quelqu'un. Ça m'a tellement émue de me souvenir de notre séparation que j'ai failli pleurer.

— Alors il t'a consolée ? Il t'a prise dans ses bras ?

— Mais non. Il était de l'autre côté de la table. Et puis ça ne s'est pas trop vu, j'ai réussi à me retenir.

— Il t'a embrassée quand il t'a raccompagnée ?

— Oui, mais sur la joue. Très sagement.

Énorme mensonge. Elle revivait encore la scène, y pensait sans cesse. Il était descendu de voiture pour lui ouvrir la portière, l'avait escortée jusqu'au perron. L'heure était si tardive qu'elle n'avait eu aucune crainte d'être vue.

— Bonne nuit, Hester, avait-il dit en se penchant vers elle.

Il avait posé un baiser sur ses lèvres, le plus léger baiser du monde, et qui pourtant l'avait brûlée comme un fer.

— À très bientôt.

Bientôt, mais quand ? avait-elle eu envie de crier. Quand allons-nous nous revoir ?

Il avait poursuivi, comme s'il lisait dans ses pensées.

— Demain. Vous voulez bien me revoir demain ? Si je le pouvais, je resterais devant le théâtre toute la nuit pour vous attendre. Mais ne craignez rien, je serai discret.

— Alors, tu as accepté de le revoir ? interrompit Dinah.

— Oui, demain.

— Et le jour suivant, j'imagine.

— S'il me le demande.

— Tu es perdue, ma pauvre. Le mal est fait.

— Comment ça ?

— Tu n'auras plus la force de lui dire non.

Hester ne répondit rien, sachant que Dinah avait raison. Elle ne pouvait plus revenir en arrière.

— Il faut dormir, Dinah, ou demain nous serons dans un état pitoyable. Piers va nous tuer.

— C'est vrai. Je tombe de sommeil. Dors bien… si tu le peux. Fais de beaux rêves.

— Bonne nuit.

Hester resta un long moment éveillée, les yeux ouverts dans le noir, à penser à Adam. Elle se frôla les lèvres du bout du doigt et eut un frisson. Dinah a raison. Jamais je n'arriverai à lui dire non. Je devrais résister, mais je sais bien que s'il insiste, je serai impuissante. Elle imagina leur prochain rendez-vous. Cette fois, il l'embrasserait vraiment, c'était sûr. Oui, il l'embrasserait. Elle ferma les yeux et se laissa emporter par des rêveries fiévreuses.

— Où allons-nous, ce soir ? demanda Hester alors que les quais défilaient derrière la vitre.

Ils étaient dans la voiture d'Adam. Une brume jaunâtre masquait la ville et voilait la lueur des réverbères le long de la Tamise.

— Je t'emmène à l'appartement. Ce soir, c'est moi qui prépare le dîner. J'en ai assez des restaurants, pas toi ?

— Quatre soirs au restaurant, ce n'est pas tant que ça.

— Oui, mais à la suite, ça devient lassant. Tu verras, nous serons mieux chez moi.

— Je ne sais pas.

— L'appartement va te plaire. Il a une très belle vue sur Chelsea. Du moins quand il n'y a pas de brouillard.

Hester garda le silence. Elle avait l'impression d'exécuter un adage minutieusement chorégraphié. Une voix lui soufflait : « Non, n'y va pas ! Demande-lui de te ramener. » Si elle acceptait son invitation, ce serait fini. En le suivant, elle ne pourrait plus se prétendre innocente. Mais justement, elle avait envie de se laisser séduire. Elle ne rêvait que d'être seule avec lui, de goûter à de vrais baisers. Elle avait envie de lui. Je n'y peux rien, songea-t-elle. C'est mal, mais je ne peux pas m'en empêcher. Je ne peux pas jouer les naïves.

Adam se tourna vers elle dans l'ascenseur, une vieille cabine grinçante, minuscule, qui peinait pour arriver au troisième.

— Hester...

Il la prit dans ses bras. Elle leva le visage vers lui, leurs lèvres se trouvèrent, et leur étreinte passionnée fit pâlir le souvenir des délicieux baisers de leurs adieux du soir. Cette fois, ils pouvaient laisser libre cours à leurs élans. Cette fusion de leurs deux êtres mit son sang en ébullition.

Adam se détacha d'elle pour ouvrir la porte grillagée. Ils traversèrent le palier en silence. Une fois qu'ils furent entrés, il la conduisit au canapé, puis tira les rideaux. Elle aurait voulu qu'un souffleur lui vienne en aide. Que fallait-il faire ? Malheureusement, sa raison ne le savait que trop bien. Quand on était chez un homme marié, en l'absence de sa femme, on devait partir. Elle n'aurait jamais dû venir. Elle n'avait qu'à se lever, à ouvrir la porte, à lui demander de la ramener à Moscow Road.

Adam se taisait. Il s'assit à côté d'elle et la reprit dans ses bras. Qu'il me montre, lui, ce qu'il veut, songea-t-elle. Il faut qu'il m'aide. Moi, je ne peux rien dire. Je ne saurai pas comment m'y prendre s'il ne me guide pas. Mais par pitié, par pitié, qu'il me parle.

— Hester… Hester, tu es sûre ? Je ne veux pas que tu le regrettes.

— Non, je ne regretterai pas.

Adam la fit lever en la prenant par la main. Avant presque qu'elle ne comprenne, son manteau et sa jupe se retrouvèrent par terre. Mais il était encore trop lent, trop doux. Elle s'écarta de lui et passa son pull par-dessus sa tête d'un seul geste. Elle ne portait rien en dessous. Elle fit un pas vers lui et lui enlaça la taille. Elle se sentit défaillir de plaisir quand il l'embrassa. Des lèvres, il glissa au cou, puis à ses seins, avec des baisers qui lui arrachèrent des gémissements. Il la reprit dans ses bras, et, soudés l'un à l'autre, ils tombèrent sur le canapé. La voix d'Adam lui parvenait assourdie par les battements de son propre cœur, et cette voix répétait son nom à l'infini. Ses baisers couraient sur sa peau de plus en plus brûlante et l'enflammèrent. Non, pensa-t-elle, je ne peux pas faire ça, ce n'est pas bien... Et pourtant, j'en ai tellement envie ! Je ne peux pas arrêter. Et puis elle ne pensa plus ; elle n'eut plus que du bonheur, du désir. Les doutes s'envolèrent, sa conscience se tut. Le plaisir la saisit tout entière, avec d'abord une sensation de douleur mais qui passa vite, laissant la place à une plénitude dont elle comprit qu'elle ne pourrait plus jamais se passer.

Quelques jours plus tard, Hester, attablée au Corner House face à Edmund, était bien silencieuse.

— Que se passe-t-il, Hester ? Tu adores ce café, tu as devant toi ta glace préférée, et tu n'y touches pas !

— Excuse-moi, Edmund. Je suis désolée. Je ne suis pas très amusante, mais je me sens...

Elle chercha un mouchoir dans les poches de son manteau sans en trouver.

— Tiens, prends le mien.

Elle accepta et se tamponna les yeux.

— Merci. J'espérais que tu ne te rendrais compte de rien.

— Comment veux-tu ? Tu sais à quel point tu es expressive. Tes émotions te trahissent toujours. C'est d'ailleurs ce qui fait de toi une si grande interprète.

— Mais je ne suis pas triste. D'une certaine façon, je n'ai jamais été aussi heureuse de ma vie...

Sa voix s'étrangla dans sa gorge. Edmund tendit le bras par-dessus la table et lui saisit la main. Il lui avait demandé ce rendez-vous la veille, après la représentation du *Petit Chaperon rouge*, mais maintenant qu'ils étaient face à face, Edmund, habituellement si volubile, ne semblait plus savoir quoi dire. Ils parlèrent en même temps.

— Edmund...

— Hester...

Ils s'interrompirent avec un rire.

— Je peux commencer, Edmund ? Si je ne me décide pas tout de suite, je n'oserai plus ensuite. J'ai déjà assez de mal à ne pas m'enfuir en courant. Ne t'inquiète pas, je ne vais pas partir !

Elle prit sa cuillère à long manche et la reposa presque aussitôt. Edmund attendait qu'elle s'explique sans toucher au scone qu'il avait commandé.

— C'est Adam Lennister. Je suis amoureuse de lui. Nous sommes amoureux. Je ne sais pas quoi faire.

Dès que l'aveu se fut échappé de sa bouche, les larmes jaillirent et coulèrent sans retenue. Elle tritura le mouchoir d'Edmund sans même essayer de les essuyer.

Il approcha sa chaise pour lui passer un bras sur les épaules.

— Vas-y, pleure, ça te soulagera. Tu peux y aller, personne ne nous regarde. Nous avons de la chance, le café est presque vide.

— Je ne sais pas quoi faire ! Il est marié. Mais il m'aime. Il m'a dit qu'il m'aimait. Il a dit... Non, ce n'est pas grave. De toute façon, je n'y peux rien, je ne peux pas arrêter, c'est impossible...

— Avez-vous ?...

Edmund s'interrompit, trop pudique pour achever.

— Oui. Il y a une semaine. Je ne pense plus à rien d'autre. C'est insupportable. Je pense à lui pendant les cours, aux répétitions. Sans arrêt. Je ne parviens à l'oublier que sur scène, quand je deviens Giselle, mais dès la fin du spectacle, il m'obsède de nouveau. C'est épuisant, le désir. Ça t'est déjà arrivé ? Tu as ressenti la même chose ?

— Pas aussi fort sans doute, mais j'ai été amoureux.

— Je me sens tellement bête. Je trouverais l'histoire absurde si elle ne m'arrivait pas à moi. Dire que j'étais persuadée de ne pas m'intéresser aux hommes ! Il n'y avait rien d'autre dans ma vie que la danse.

Elle posa le front sur la table et se couvrit la tête avec les bras. Edmund se pencha vers elle en chuchotant.

— Ne pleure pas, Hester, je t'en prie. Tout va s'arranger, je te le promets. Je suis là, ne t'en fais pas. Ne pleure pas. Si tu continues, on va nous flanquer dehors, ajouta-t-il pour la faire rire.

Hester se redressa, puis roula le mouchoir d'Edmund pour s'essuyer les yeux.

— Merci, Edmund, merci. Toi et moi, nous ne nous connaissons pas depuis si longtemps, mais tu es mon meilleur ami. Ça me fait tellement de bien de te parler ! Mais comment peux-tu imaginer que tout va s'arranger ? C'est impossible. Cette pauvre Virginia Lennister ! Je me fais tellement de reproches !

— Certaines choses arrivent sans qu'on le veuille. Tu es tombée amoureuse, tu n'y peux rien. Il faudra gérer la situation au mieux. Et Adam, qu'en dit-il ?

— Nous... nous ne discutons pas beaucoup. Nous n'en parlons pas.

Elle rougit. Depuis leur première fois, ils avaient passé trois autres soirées à l'appartement. À peine la porte se refermait-elle sur eux qu'ils se jetaient l'un sur l'autre. C'était une passion folle, exigeante. Leurs émotions les emportaient et ne laissaient pas place à la conversation. L'heure de rentrer venue, Hester avait le plus grand mal à se détacher de lui, et il ne l'aidait guère. Ensuite, elle avait l'impression que son corps était une cire molle. La culpabilité l'envahissait alors. Que dirait Mme Olga si elle savait ? Hester secoua la tête, incapable d'expliquer la force du lien qui les unissait. La gêne d'Edmund lui indiqua qu'il la comprenait à la perfection.

— Leur couple bat de l'aile depuis longtemps, observat-il. Ils n'ont pas beaucoup d'affinités, mais ils sont mariés depuis des lustres. Et puis Adam ne gagne pas très bien sa vie, alors il dépend d'elle financièrement. Sans la fortune de Virginia, ils ne pourraient jamais s'offrir ce train de vie. Lui se contenterait certainement de vivre à Londres, mais Virginia adore Orchard House. Je crois qu'elle n'a passé que quelques nuits dans leur pied-à-terre, alors qu'il y est tout le temps fourré sous prétexte d'effectuer des recherches à la bibliothèque pour ses livres. Les circonstances ne semblent pas le démontrer, mais Adam a beaucoup de principes. C'est quelqu'un de très droit. Un peu paradoxal, peut-être. Souviens-toi qu'il est beaucoup plus âgé que toi.

— Tu as le même âge que lui, non ? Avec toi, je ne sens pas une grande différence.

— Il a deux ans de plus que moi. Vingt-neuf ans. Cela ne compte pas nécessairement, mais les gens voient souvent les écarts d'âge d'un mauvais œil.

— Personne ne doit l'apprendre ! s'écria-t-elle en le saisissant par la manche. Pas un mot, tu entends ? Piers ne doit pas savoir, ni personne de la troupe. Dinah est l'unique amie que j'aie mise dans la confidence. Et surtout, surtout, Adam ne doit pas se douter que tu es au courant. Je lui ai promis de garder le secret. Je regrette de t'imposer ce silence, mais il fallait que je me confie à quelqu'un. Je t'en prie, n'en parle à personne, jure-le-moi.

— Je ne dirai rien. Mais ça finira pas se savoir. Quelqu'un va bien deviner. Je suis d'ailleurs surpris que le bruit ne se soit pas encore répandu. Et puis Adam m'en parlera un jour ou l'autre, c'est certain. Allez, viens. C'est l'heure de la répétition. Tu te sens d'attaque ?

— Je n'ai qu'une envie, danser. C'est la seule activité qui me libère de mes pensées.

— Alors, allons-y, Petit Chaperon rouge. Je serai le garde-chasse qui empêchera le grand méchant loup de te manger.

Edmund lui présenta le bras, et ils se dirigèrent vers Bayswater Road, et le Royalty. Quelle chance d'avoir un ami tel que lui, songea-t-elle. Il est si gentil. Et il a peut-être raison… La situation pourrait s'arranger, qui sait ? Un amour comme celui qu'elle ressentait ne pouvait pas engendrer le mal.

28 décembre 1986

— Glissé en avant, plié, un peu plus bas... C'est ça. Remonter... Silver, tu es dans les nuages.

— Je t'assure que non, Hugo.

— Tu ne te concentres pas. On recommence.

Silver avait l'air vexée. Elle n'a pas l'habitude des critiques, pensa Hugo. Elle est trop gâtée. Eh bien, avec moi, il n'y aura aucune complaisance. Je ne la laisserai pas dilapider son talent. Je veux qu'elle donne le meilleur d'elle-même. Il l'observa attentivement.

— C'est mieux, mais ça ne suffit pas. Ça pourrait être exceptionnel, et je t'ennuierai tant que je n'aurai pas obtenu le résultat que j'attends. Bien, on reprend. Nick, tu fais ton entrée, tu avances vers l'avant jusqu'à Silver... C'est ça.

Nick Neary était excellent danseur, ce qui facilitait le travail. Silver pouvait se reposer sur lui, et les pas de deux de leur combat pour l'amour de la princesse, même si l'amant et l'ange n'étaient pas partenaires dans le sens traditionnel du terme, seraient les plus beaux de tout le ballet.

— Silver, tu dois être à la fois redoutable et irrésistible, magnétique. Tu triompheras parce que la mort triomphe toujours, mais Nick te donne du fil à retordre. Nick, toi, tu dois exprimer la précarité de l'amour, si tu vois.

— Je vois très bien, Hugo ! La précarité de l'amour, ça me connaît !

Hugo et Silver éclatèrent de rire.

— Parfait, reprit Hugo. On la refait une dernière fois, et on arrête pour aujourd'hui.

Il appuya sur le bouton du lecteur de cassettes, et la musique monta dans la salle de répétition. Silver dansa les pas qu'elle avait appris dans l'après-midi, semblant y mettre tout son cœur, mais Hugo n'était pas dupe. Elle ne se donnait toujours pas à cent pour cent. À l'audition, elle avait confessé une admiration inconditionnelle pour Hester Fielding. Comment osait-elle se réclamer de cette danseuse hors du commun, alors qu'elle s'économisait dans son travail ? Sa facilité était son pire ennemi. Les gens très talentueux réussissaient avec trop peu d'efforts, et ne connaissaient pas la souffrance qui accompagne la vraie perfection. Il l'observait avec la plus grande attention. Il y avait encore une retenue, une passivité qui l'empêchait de se livrer totalement. L'air sur lequel elle dansait était le thème de Silver, ou plutôt celui de l'ange, la sarabande, l'élément central du ballet ; une musique à la fois noble, majestueuse et passionnée, à laquelle donnait vie la chaleur des saxophones et des cuivres. Hugo se sentait floué : il ne serait satisfait que lorsqu'il lui pousserait des ailes, qu'il la verrait défier la pesanteur, s'envoler. Dressée sur une pointe, tenue par Nick, elle leva si haut la jambe qu'elle lui toucha presque l'oreille. C'était techniquement l'une des meilleures danseuses qu'il ait jamais rencontrées. Il lui ferait exprimer à fond son potentiel artistique, quoi qu'il doive leur en coûter.

— Un développé comme j'en ai rarement vu, Silver ! commenta Nick après la répétition.

Ils passaient les pulls et les jambières en laine qui empêchaient leurs muscles de se refroidir en rentrant au manoir.

— C'est grâce à mon partenaire. La confiance en son porteur est essentielle, alors merci.

— Merci à tous les deux, intervint Hugo. Nous progressons.

— Bon, je me sauve, annonça Nick.

— À plus tard. Silver, je peux te parler une seconde ?

— Oui, bien sûr.

Elle avait rangé ses pointes dans son sac et boutonnait son cardigan. Elle sourit à Hugo.

— Je crois que j'entre mieux dans la peau du personnage.

— Oui, à peu près, mais je me demande si tu es vraiment présente. Tu as des soucis ?

La remarque la mit en colère.

— C'est une plaisanterie ? Bien sûr que je suis présente ! Je ne comprends pas ! Je ne te donne pas satisfaction ? Aucun chorégraphe ne m'a encore jamais critiquée. J'espère que je ne vais pas me repentir d'avoir accepté ce ballet. À cause de moi, Jacques Bodette a dû retarder ses répétitions.

Hugo répondit le plus calmement et le plus doucement possible.

— Ne te fâche pas, Silver, je ne te critique pas. Il me semble simplement que tu ne te donnes pas à fond.

— Je n'y crois pas ! Tu regrettes de m'avoir offert le rôle ? Si je ne te plais pas, je peux m'en aller. Je déteste m'imposer.

— Mais il n'est pas question que tu partes ! Évidemment que tu me plais. Tu ne me comprends pas. Au contraire, tu es bien meilleure qu'on ne l'imagine. Même toi, tu ne te doutes pas de tes vraies capacités. Tu as l'étoffe d'une grande, d'une très grande... (il s'interrompit pour chercher ses mots) d'une immense artiste, qui fera date. Seulement il va falloir beaucoup travailler.

— Et j'ai fait quoi, toute la journée ?

Elle semblait prête à lui jeter son sac de danse à la figure.

— Ne te mets pas en colère, Silver, ça ne sert à rien.

C'est pour ton bien. Ce que j'essaie de te faire comprendre, c'est que tu restes en deçà de tes capacités.

— Et toi, tu vas me sauver ? Tu vas me révéler ?

— Exactement. À condition que tu y mettes un peu du tien.

— Tu te trompes. J'ose te le dire. Ça ne doit pas t'arriver souvent. Personne ne s'oppose jamais au grand Hugo Carradine. Tu verras que je ne peux pas aller plus loin. Donne-moi tes indications, j'y obéirai, mais ne te fais pas d'illusions.

— Attendons demain. Tu seras magnifique dans ce rôle.

Il quitta la salle, suivi par le regard de Silver, et devina sa grimace. Qu'elle se moque de moi tant qu'elle voudra, songea-t-il. Elle finira par me remercier. Je ferai d'elle la plus grande étoile de sa génération.

Quel prétentieux ! La colère de Silver était telle que, pendant trente secondes, elle eut envie de jeter sa valise dans son coffre, et de fuir ce manoir de cauchemar. Puis elle se ravisa. Pourquoi partirait-elle ? Il n'y avait aucune raison de laisser Hugo Carradine lui gâcher sa chance de danser à Wychwood. Elle y tenait trop. Et puis ce serait laisser le champ libre aux médisances. Si elle partait, Hester Fielding n'aurait que la version de son petit chou-chou de chorégraphe. Il répandrait le bruit dans le milieu que Silver McConnell n'était pas à la hauteur, et sa réputation serait compromise. Elle resserra son foulard autour de son cou d'un geste déterminé. Il fallait rester ; elle n'avait pas le choix. Hugo était fou. Comme c'était souvent le cas, le pouvoir lui montait à la tête. Quand il dirigeait un ballet, il devenait un vrai despote. Il n'avait plus rien à voir avec l'homme adorable qu'elle avait rencontré à l'audition... Il l'avait flattée. *Vous êtes la jeune danseuse la plus prometteuse que je connaisse.* Voilà ce qu'il lui avait dit, mot pour mot. Que s'était-il passé depuis ?

Elle rentra par le jardin pour se calmer. C'était un parc

magnifique qui devait demander beaucoup d'entretien. Un vent glacé l'obligea à baisser la tête. Quand l'avait-on critiquée pour la dernière fois ? Elle ne s'en souvenait même pas. Depuis ses débuts, on la couvrait de compliments. Le doute s'insinua en elle. Se pouvait-il qu'Hugo ait un peu raison ? Non, impossible. Elle livrait tout, l'intégralité de son énergie et de son intelligence. Vraiment ? Au fond, elle percevait l'ombre d'une vérité dans ses réflexions. *Tu as toujours eu trop de facilité, tu es une tricheuse. Personne ne s'en est aperçu jusqu'à présent, mais toi, tu le sais.* Non, non, non, et non ! C'était trop dur à admettre. Elle essaya de chasser Hugo de ses pensées.

Peine perdue. Ce dictateur ne lui sortait plus de l'esprit. Il se préparait une déception : il se rendrait vite compte qu'elle n'avait plus rien à donner. Quelle importance, puisque tout le monde la portait aux nues ? Pourquoi penser que la terre entière se trompait, et que lui seul avait raison ? Il se faisait des illusions. Tant pis pour lui, c'était trop tard pour trouver une remplaçante. Il ne pouvait pas se débarrasser d'elle, et elle-même devrait le supporter jusqu'au bout. La situation était inextricable. Mais s'il était aussi exigeant, pourquoi donc s'encombrait-il d'une ballerine sur le retour ? Non seulement Claudia avait dépassé la limite d'âge, mais elle était méchante. Cette façon, au déjeuner, d'empêcher sa fille de reprendre du pain ! Ce n'était pas gentil, car Alison avait certainement beaucoup de complexes. Comment pouvait-on aimer une telle sorcière ? Hugo avait visiblement très mauvais goût, son opinion n'avait donc pas la moindre valeur. Les autres danseurs, le connaissant mieux, devaient se protéger de lui. Tout en se sachant de mauvaise foi, Silver s'autorisa un réconfort supplémentaire : Hugo Carradine n'était pas aussi célèbre que Jacques Bodette. Or Bodette la trouvait incomparable, et c'était lui qu'elle avait envie de croire.

Enfin à l'abri, pensa Alison. Maman est en répétition avec Hugo, et elle restera au théâtre jusqu'au dîner. En attendant, je peux aller où je veux. Elle suivait le sentier depuis des heures, perdue dans des pensées moroses. Personne ne savait où elle était. Elle soupira. Tout le monde se fiche de moi ! Je pourrais me jeter dans la rivière, maman irait à son cours sans sourciller. Je parie qu'elle serait même soulagée d'être débarrassée de moi. Je ne lui ferai pas ce plaisir ! Elle serait trop contente d'être en photo dans les journaux, en pleurs devant ma tombe. Il ne faut pas que je me laisse atteindre par elle.

Alison avait pris l'habitude d'être seule depuis bien long-temps. Si elle ne se prenait pas en charge, personne ne le ferait pour elle. Elle oubliait ses idées noires en tirant toutes sortes de plans sur la comète, et rêvait presque en permanence. Elle se voyait souvent monter dans un avion, et s'envoler vers l'Amérique pour retrouver son père. Elle avait l'adresse. Elle lui écrivait de temps en temps ; sa dernière lettre datait d'un peu avant Noël. En se souve-nant de son contenu, elle eut honte. Elle s'y était plainte du début à la fin, disant du mal de Claudia, se lamentant de devoir passer dix jours à Wychwood, et peignant un portrait lugubre de sa pension. À la place de son père, elle l'aurait jetée à la poubelle.

Difficile de ne pas en vouloir à Claudia, songea-t-elle. Surtout après sa remarque au déjeuner. Elle imagine que ça me rentre par une oreille et que ça ressort par l'autre, mais ce n'est pas parce qu'elle ne retient rien plus de deux secondes que je suis comme elle. Je me souviens de toutes ses critiques. Elle serait bien étonnée si je lui en dressais la liste. J'appuierais sur un bouton, et tout sortirait dans l'ordre, comme si c'était enregistré. Là, elle aurait un choc.

Elle aperçut une chaumière devant elle, avec de la lumière à une fenêtre du bas. Elle était rentrée dans le parc, et avait suivi un chemin qui longeait le mur de clôture. Se pouvait-il qu'elle soit ressortie, sans s'en rendre compte ? Elle regarda autour d'elle, et vit se profiler l'Arcadia non loin, noir dans le ciel nocturne.

La petite maison ressemblait à celle du conte de Hansel et Gretel, bâtie de pain d'épice, de gâteau et de bonbons, au fond des bois. Elle eut un frisson. Quelle idiote d'avoir peur, alors qu'il y avait à peine un bouquet d'arbres !

Elle allait faire demi-tour quand la porte s'ouvrit. Une silhouette se découpa dans le rectangle lumineux.

— Alison ? C'est toi ?

— Ruby ! Oui, c'est moi. Je ne vous avais pas reconnue. J'avais l'impression... Enfin... Je ne sais pas comment je me suis retrouvée ici. Je me promenais.

— Puisque tu es là, profitons-en. Entre boire un thé, et puis nous retournerons au manoir ensemble.

— Merci. C'est chez vous ?

— Oui, je vis ici avec George. Tu l'as rencontré au déjeuner, paraît-il. Il est encore au théâtre, mais il va bientôt rentrer. Viens, tu dois avoir froid.

Une comptine du livre de son père passa dans la tête d'Alison.

> La jolie poupée
> Rêve de retourner
> À la maison de la forêt.
> On lui offrira du thé,
> Et elle va s'amuser
> Avec ses amis bien-aimés.

Quand elle fut entrée, Ruby referma la porte derrière elle.

— Je vais préparer le thé. Assieds-toi, j'en ai pour une minute.

Elle la laissa au salon, et Alison suivit d'une oreille distraite les bruits de bouilloire et de soucoupes qui lui parvenaient de la cuisine. En regardant autour d'elle, elle remarqua que, ici non plus, il n'y avait aucune décoration de Noël. À son arrivée au manoir, elle avait trouvé étonnant de ne voir aucune trace des fêtes, pas même une carte ou une guirlande, et pas de sapin. Hester avait peut-être tout jeté dès le lendemain de Noël, mais c'était un peu bizarre. Chez Ruby, même dénuement. Elle avait envie de lui demander pourquoi, mais eut peur d'être indiscrète. Elle approcha de la cheminée pour regarder l'alignement de photos. Une ou deux étaient d'Hester. Des photos de sa jeunesse, en tenue de danse, mais elle n'avait pas tellement changé. Sa préférée montrait cinq enfants assis sur un banc au milieu d'un jardin. La plus âgée des filles portait une sorte de béret, et devait avoir environ quatorze ans. Contrairement aux autres enfants de la photo, elle ne souriait pas. Il y avait deux tout petits garçons et deux toutes petites filles. La dernière était adorable, comme une poupée, avec un ruban dans les cheveux. En entendant Ruby revenir avec son plateau, Alison se tourna vers elle.

— Elle est mignonne, cette photo. Ce sont vos enfants ?

— Non, répondit Ruby en se débarrassant sur la table basse devant la cheminée, c'est une photo de moi avec mes frères et sœurs. Je suis la plus grande.

Alison prit la tasse de thé que lui tendait Ruby, et se servit d'un scone beurré.

— Vous en avez de la chance ! Je regrette souvent d'être fille unique.

— Comme quoi, on n'est jamais satisfait de son sort. Moi, j'aurais préféré être seule. Je m'en voulais de souhaiter que les autres ne soient pas nés, mais je n'y pouvais rien. Il faut dire que j'étais obligée de m'occuper d'eux. C'était trop de responsabilité. À l'époque, bien entendu, j'imaginais que je ne faisais qu'accomplir mon devoir de grande sœur.

Elle posa sa tasse sur la table et prit un canevas dans un panier près du feu.

— Ça ne t'ennuie pas que je brode ?

193

— Pas du tout. C'est très joli. J'aime beaucoup les couleurs. Ça représente quoi ?

— Je n'ai pas de motif. J'improvise.

Alison remarqua alors qu'il y avait des coussins partout, dans des housses au point de croix. Le pare-feu, poussé contre le mur, devait aussi être une œuvre de Ruby.

— Vous êtes très rapide !

— J'ai des années d'expérience. J'ai toujours beaucoup cousu, et je me suis mise à la tapisserie quand je suis devenue habilleuse. Il fallait bien que je m'occupe entre les changements de costume dans la loge.

Alison reprit un scone, ce qui lui rappela sa mère. Si elle me voyait me resservir, elle serait furieuse, pensa-t-elle. Moi, je m'en fiche. Ils sont délicieux, et j'ai faim. Fascinée par l'éclair argenté de l'aiguille de Ruby, elle eut envie de lui demander pourquoi elle avait pleuré dans la matinée. Oui, mais si Ruby se fâchait ? Si elle la mettait dehors ? Il fallait présenter la question avec tact, mais peut-être serait-il plus poli de faire comme si elle n'avait rien remarqué. Ruby releva la tête.

— Ça ne va pas, Alison ?

— Si... J'ai juste envie de vous poser une question, mais je n'ose pas.

— Je t'écoute.

Impossible. Elle n'y arrivait pas. Pour donner le change, elle se rabattit sur la première idée qui lui passait par la tête.

— Je me demandais pourquoi il n'y avait pas de décorations de Noël. C'est encore tôt pour enlever le sapin.

Le silence qui suivit s'éternisa. Ruby semblait très absorbée par son ouvrage. Alison ne savait plus où se mettre.

— Nous ne célébrons jamais Noël, répondit lentement Ruby. Ni nous, ni Hester. Nous en avons sans doute perdu l'habitude, parce que pendant sa carrière, nous devions travailler pendant les fêtes. C'est une perte de temps d'installer des guirlandes dont on ne peut pas profiter. Depuis que nous organisons le festival, c'est un peu pareil. Nous n'avons pas une minute, parce que les compagnies arrivent le lendemain de Noël et qu'il faut préparer la maison. Ne parlons même pas des répétitions, des représentations... Je crois que nous n'en avons même plus envie. Nous nous rattrapons avec le cocktail de la première. C'est un peu le Noël de Wychwood.

Alison hocha la tête.

— Mais vous faites quand même de la dinde, même s'il n'y a pas de sapin ?

— Non, du saumon, le plus souvent. Et puis Hester déteste le Christmas pudding. Tu ne trouves pas que c'est triste, Noël, toi ? C'est une des nuits les plus longues de l'année. Il n'y a plus de feuilles sur les arbres, et le jardin est mort. Je vais te dire, nous n'y pensons même pas.

— Vous pleuriez, ce matin, lâcha Alison abruptement. Dans la pièce des costumes. C'est ça que je voulais vous demander, mais je n'osais pas. Je sais que ça ne me regarde pas...

— Oh ! Il ne faut pas t'inquiéter pour ça ! J'aurais dû t'expliquer tout de suite. Je pensais à un vieil ami que nous aimions beaucoup, Hester et moi, et qui vient de mourir prématurément. Adam Lennister. Je crois que c'est en voyant le costume de Giselle dans la penderie que j'ai vraiment réalisé ce qui était arrivé, parce que c'était son ballet favori. Voilà.

— Là, je comprends mieux. Quand on a perdu quelqu'un, on ne doit pas avoir très envie de faire un sapin.

— Tu as raison. Nous avions encore moins envie cette année de fêter Noël.

Ruby reprit son aiguille comme si le sujet était clos, mais Alison n'était toujours pas satisfaite. C'était tout à fait normal d'être triste de perdre quelqu'un, mais Ruby évitait son regard, et ses yeux se déplaçaient de droite et de gauche, comme ceux de Claudia quand elle arrangeait la vérité à sa manière. Claudia mentait beaucoup, ou tout du moins elle transformait ce qui la dérangeait. Soit Ruby avait inventé une histoire, soit elle avait pleuré pour plusieurs raisons à la fois, et ne lui avait parlé que de la plus avouable.

— Bonjour la compagnie ! lança une voix d'homme qui fit sursauter Alison.

— George, tu connais Alison, je crois.

— Quelle bonne surprise ! Tu es venue prendre le thé, je vois. J'espère que vous m'avez laissé des scones.

Pendant qu'il s'installait dans le deuxième fauteuil, face à celui de Ruby, cette dernière se leva pour aller refaire du thé. Il prit un scone et le dévora en trois bouchées.

— Je ne me doutais pas que Ruby était si bonne cuisinière quand je lui ai demandé sa main, mais je l'aurais épousée rien que pour sa pâtisserie. Tu les as goûtés ?

— Oui, ils sont délicieux.

Alison chercha désespérément quelque chose à ajouter, mais ne trouva rien. Peu importait, car George n'avait besoin de personne pour alimenter la conversation. Il se lança dans une anecdote sur sa carrière militaire, et racontait que son sergent l'avait privé de permission pour avoir chipé des cigarettes à un camarade, quand Ruby revint avec la théière pleine.

— Ah ! chérie. Je viens de discuter avec un des danseurs, Nick. Il a des quantités d'histoires sur les ballets de Londres.

Assommée par le long monologue de George, la chaleur du feu et le copieux goûter, Alison fut tirée de sa somnolence en entendant ce nom. Nick ne pouvait pas s'intéresser à elle, évidemment. Il n'y avait aucune ambiguïté : quand il lui souriait, quand il lui touchait le bras, il se conduisait en grand frère. Il est gentil avec tout le monde, pensa-t-elle. Mais, horreur ! s'il cherchait à gagner ses faveurs pour plaire à Claudia ? Les soupirants de sa mère adoptaient tous la même tactique, trop bêtes pour se rendre compte que leurs efforts avaient l'effet inverse de celui qu'ils escomptaient.

Un profond découragement s'empara d'elle. Une brume lourde et grise l'enveloppa. Elle connaissait bien cette ennemie qui l'empêchait de profiter de la vie. En un instant, son plaisir de prendre le thé avec Ruby et son mari s'était évanoui.

— Chéri, tu viens te coucher ?

Claudia était d'humeur amoureuse. Nick l'avait inspirée. Ce garçon splendide produisait un puissant effet aphrodisiaque sur elle. Elle avait hâte de répéter leur pas de deux. Ses grandes mains sur sa taille, son souffle chaud dans son cou... Elle frissonna. Hugo aurait dû avoir à cœur de lui changer les idées, mais au lieu de la rejoindre, il restait assis à la table, dans un coin de la chambre, plongé dans ses papiers. Sa conscience professionnelle était effrayante. Il ne voyait même pas qu'elle était langoureusement étendue sur l'un des lits jumeaux, dans une pose qui aurait rendu fou tout autre homme. Non, il fallait qu'il travaille encore ses répétitions du lendemain, tout en pensant sûrement à cette petite garce de Silver. Il l'admirait, c'était visible. Il la considérait sans doute comme la révélation de l'année, cette idiote ! S'il voulait seulement me regarder... Elle s'étira, la poitrine presque découverte, puis poussa un long soupir. Hugo se passa la main dans les cheveux comme s'il ne remarquait rien.

— Tu t'intéresses plus à tes croquis qu'à moi, chéri.

— Mais pas du tout. J'arrive dans une seconde. Je finis d'annoter mes scènes de demain.

Elle ferma les yeux. Rien de plus facile, dans ces circonstances, d'imaginer qu'un autre homme – Nick, par exemple – s'apprêtait à la rejoindre au lit. Hugo n'avait probablement aucune envie de faire l'amour, mais elle était dans un état fou. Elle le sentit approcher. Il lui caressa le cou, et soupira dans son oreille. Son souffle la fit frissonner de plaisir. Il n'y avait qu'à garder les yeux fermés.

— Montre-moi que tu m'aimes, murmura-t-elle en se glissant sous lui.

— Tu ne me laisses pas beaucoup le choix... Promets-moi au moins de ne pas faire de bruit. Les cloisons sont très minces.

— Tu n'entendras pas un son, je te le jure. Hugo, j'ai tellement envie de toi, je t'en prie !

Il la prit dans ses bras.

— Claudia...

Malgré les promesses, il dut étouffer ses gémissements sous les baisers.

— Chut... chut, chérie.

— Oh ! Oh ! chéri, oui... J'essaie de me taire... Je ne peux pas...

Plus tard, il regagna son lit et s'endormit aussitôt. Claudia, elle, resta longtemps éveillée. Elle avait oublié Hugo et imaginé qu'elle faisait l'amour avec Nick. Pas très bon signe, sans doute. Extrêmement mauvais, même. Quand on s'autorisait cela, la relation avait peu de chances de durer. Mais si rien n'arrivait entre elle et Nick ? Elle aimait Hugo. Oui, elle l'aimait. Elle était heureuse avec lui, et depuis longtemps. Pourquoi tout bousculer ? Ou alors, elle pourrait vivre cette aventure sans qu'il s'en aperçoive. Oui, il lui fallait Nick. Elle s'endormit sur des pensées plaisantes : Nick l'attirait contre lui pendant leur pas de deux. L'odeur de son corps de danseur la rendait folle. Elle repassa dans sa tête leur chorégraphie. Demain, ils allaient danser ensemble...

29 décembre 1986

— Quelle catastrophe !

Hugo s'effondra sur une chaise. À ses pieds, trois gros cartons éventrés vomissaient leur contenu sur le sol de la salle de répétition. Un amas de tissus trempés, des plumes collées. Elles appartenaient au costume de l'ange, songea Silver, et les losanges multicolores d'Arlequin à celui du bouffon. Les colis contenant les costumes et les accessoires qui venaient de leur être livrés semblaient avoir été victimes d'un cataclysme. Les roses en plastique rouge étaient éparpillées, arrachées à leur buisson, les coupes en plâtre doré étaient ébréchées, les paniers de fruits écrasés. C'était un carnage.

Les danseurs, rassemblés autour d'Hugo, ne savaient trop que dire. Il était dans une telle colère que la moindre remarque risquait de se retourner contre eux. Claudia se tenait derrière lui, et Silver nota qu'elle avait la sagesse de ne pas poser une main qui se serait voulue apaisante sur son épaule. Pour sa part, elle était plutôt soulagée. Avec ce grave sujet de préoccupation, Hugo lui lâcherait peut-être un peu de lest. Elle préférait éviter de subir ses critiques devant la troupe. Les réflexions désagréables en tête à tête lui suffisaient amplement. Fallait-il intervenir pour le rassurer ? Sans doute pas. Ilene et Andy chuchotaient. Nick fut le premier à oser parler.

199

— On peut sûrement se débrouiller. La compagnie sera dédommagée. L'envoi était assuré, j'imagine.

— Ça nous fera une belle jambe ! Ce n'est pas l'assurance qui va nous rendre nos accessoires pour la représentation ! Nous n'allons jamais y arriver. Après-demain, c'est le réveillon, et ensuite trêve du premier janvier. Il ne nous restera plus que deux jours avant la générale. Vous ne vous rendez pas compte, je crois ! Les costumes ont été fabriqués spécialement pour le ballet, on n'en retrouvera pas de semblables. Molly, la créatrice, est partie en voyage. On pourrait sans doute charger quelqu'un à Londres de faire le tour des théâtres pour nous trouver le nécessaire, mais ça ne sera plus la *Sarabande* que j'avais en tête !

Il se passa une main nerveuse dans les cheveux.

— Franchement, je ne sais pas si ça vaut la peine de continuer.

— Mais qu'est-ce qui a bien pu se passer ?

Tout le monde avait beau se poser la question, seule Claudia avait eu le courage (ou la bêtise, pensa Silver) de la formuler.

— C'est pourtant évident ! s'écria Hugo en lui jetant un regard assassin. Un imbécile a balancé les colis sur le quai de la gare, et ils sont restés sous la pluie. Tout est trempé. Les couleurs ont déteint, le tissu s'est déchiré. Regardez-moi ça, les accessoires sont pratiquement tous cassés. Si encore ça n'avait été que mouillé ! Quel désastre !

Andy tenta sa chance.

— Nous devrions déballer pour mieux nous rendre compte.

— Sans doute, soupira Hugo.

Un mouvement attira son attention. Alison, assise au fond de la salle, levait le bras comme à l'école.

La pauvre gamine, pensa Silver, elle vient tous les jours aux répétitions. Elle est amoureuse de Nick. Elle imagine peut-être que ça ne se voit pas, mais ça crève les yeux.

J'aurais une ou deux choses à lui apprendre qui la guériraient…

— Oui, Alison ! aboya Hugo. Qu'est-ce qu'il y a ?

— Excuse-moi, Hugo, mais on devrait prévenir Ruby. Elle aurait peut-être une idée. Pour les costumes, je veux dire.

Il poussa un énorme soupir.

— Pourquoi pas. Tu sais où la trouver ?

— Elle est dans la buanderie, au sous-sol du manoir. Je vais la chercher ?

— Oui, merci. En attendant, rangeons tout ça dans un coin, et mettons-nous au travail. Si le spectacle doit avoir lieu, il ne faut pas perdre de temps.

Alison partit en courant à la recherche de Ruby, tandis qu'Andy et Ilene se positionnaient dans les marques indiquant la chambre de la princesse. Nick s'assit et fit un signe de connivence à Silver à travers la salle de répétition.

— Bien, quand vous serez prêts, dit Hugo. Nick, un peu de sérieux, nous avons besoin de nous concentrer. Pardon, Andy et Ilene, nous avons pris sur votre temps. Avançons, avançons.

Il mit en marche le magnétophone, et la musique rapide et enjouée des solos du bouffon éclata.

— Bien, Andy, bien, du ressort ! Bon Dieu, on croirait un retraité sous somnifères ! De l'énergie, de la joie ! Allez !

Silver vit que Claudia l'observait. Elle s'inquiéta. S'il lui prenait l'envie de venir s'asseoir à côté d'elle pour bavarder, elles risquaient de mettre Hugo encore plus en colère. Il ne supportait pas le moindre bruit pendant les répétitions. De toute façon, elles n'auraient rien à se dire. Claudia ne lui avait quasiment pas adressé la parole depuis leur arrivée à Wychwood. Oui, mais si elle voulait justement se rattraper ? Il serait délicat de lui demander de se taire sans la fâcher. Très délicat, même. Heureusement, Claudia eut assez de bon sens pour ne pas accroître la mauvaise humeur d'Hugo. Elle adressa à Silver un mouvement de tête qui signifiait « On se retrouve dehors », et sortit. Silver la suivit. Elles s'assirent sur les chaises du palier.

— Profitons-en pour faire un peu connaissance, proposa Claudia. Je m'ennuie à mourir quand c'est le tour des autres, pas toi ? Et puis Andy et Ilene seront certainement plus à l'aise. Ils peuvent être gênés par notre présence.

— Oui, bien sûr.

Silver eut envie de rire. Le ton de Claudia sous-entendait que des petits danseurs comme eux ne pouvaient qu'être impressionnés par le regard d'une grande étoile comme elle, et vexés de se faire reprendre par Hugo avec elle pour témoin.

— Pauvre Hugo ! continua Claudia. Il tenait tant à ses costumes et à ses accessoires. Il est tellement attentif aux détails ! Heureusement, moi, j'ai eu la prudence d'emporter mon costume dans mes bagages, donc je n'ai pas de soucis de ce côté-là. Je préfère prendre mes précautions. C'est l'expérience.

— Bravo...

Silver chercha une remarque un peu plus longue.

— Il paraît que Ruby était l'habilleuse d'Hester Fielding autrefois. J'ai entendu dire par une amie qui a dansé au festival que beaucoup de costumes sont gardés à l'Arcadia. Je ne m'inquiète pas. On nous trouvera toujours quelque chose.

Claudia poussa un soupir accompagné d'un sourire artificiel pour indiquer que le sujet avait perdu tout intérêt pour elle.

— Peu importe. Je voulais plutôt te poser des questions sur quelqu'un.

— Oui ?

Qui avait donc le malheur d'avoir attiré son attention ?

— J'aime bien Nick. Tu le connais ? Je ne comprends

202

pas pourquoi nous n'avons encore jamais dansé ensemble. Il est très bon, tu ne trouves pas ?

— Excellent. Je ne vois pas quoi ajouter. J'ai dansé deux fois avec lui. Il est facile à vivre.

— Il est gay ?

On y arrivait…

— Bisexuel, je crois. Je lui ai connu des liaisons avec des garçons, mais l'année dernière, il a eu une aventure avec Lucy Bradshaw.

— Tiens ? Cette crevette tristounette ?

Silver rit malgré elle.

— Nous ne sommes pas particulièrement dodues, ni les unes ni les autres !

— Non, mais tu me comprends, répliqua Claudia en indiquant sa poitrine généreuse. Dans certains domaines, les avantages sont appréciés.

Elle eut un rire suggestif.

Monstrueuse, pensa Silver. Où voulait-elle en venir ? Avait-elle des vues sur Nick ? Et Hugo ? Elle n'avait tout de même pas l'intention de le tromper au manoir alors qu'ils étaient les uns sur les autres vingt-quatre heures sur vingt-quatre ? Ayant hâte de changer de sujet, elle ne chercha même pas de transition.

— Alison est adorable.

— Surtout avec les autres. Il vaut mieux ne pas être sa mère ! Elle n'a pas la langue dans sa poche, et son père s'est sauvé comme un lâche avec sa maîtresse en Amérique. Total, c'est moi qui me la coltine. Ça t'ennuie que je te pose une question ?

— Vas-y, je t'en prie, répondit Silver, assez inquiète.

— J'ai lu quelque part que tu entrais à l'Opéra de Paris l'année prochaine. C'est vrai ? Quelle chance pour toi !

— Je ne suis pas engagée, juste invitée. Je danse dans *Le Lac des cygnes* en avril. Avant, je participe à *Cellophane en sol* de Jacques Bodette, après *Sarabande*.

— Ah, très bien.

Claudia se mit à fouiller dans son sac, l'air contrarié, et Silver se demanda ce qui lui arrivait. Pourquoi s'intéressait-elle à sa carrière ? Par jalousie ? Elle se sent vieillir, sans doute. Elle se rend compte que c'est la fin. Aurait-elle peur qu'Hugo me choisisse pour la remplacer ? Sur ce point, qu'elle se rassure. Je pourrais lui dire qu'il ne me trouve pas assez talentueuse, mais je ne lui ferai pas ce plaisir. Qu'elle s'inquiète un peu, ça lui apprendra à humilier Alison en public.

— Ne vous découragez pas, Hugo, dit Hester. Je comprends très bien. Vous avez l'impression que le ballet sera gâché sans les costumes. Vous manquez de recul, ce qui est tout à fait normal, mais souvenez-vous que les gens viennent davantage pour la danse que pour le reste.

Elle était installée sur sa méridienne, pieds nus, jambes repliées sous elle pour laisser de la place à Siggy qui ronronnait près d'elle.

— C'est vrai...

Il prit le sherry qu'Hester lui avait servi, en but une gorgée, puis, avec un grand soupir, se passa la main dans les cheveux. Appréciant le geste élégant et théâtral, Hester pensa qu'il aurait été un bon danseur.

— Vous avez entièrement raison, reprit-il. Je pourrais opter pour un concept minimaliste. Pas de décor et justaucorps noirs pour tout le monde. L'ennui, c'est que je n'ai pas conçu *Sarabande* pour la sobriété. Au contraire, je m'étais attaché à une atmosphère à la Bakst, à une création somptueuse. En vous présentant le projet, j'ai annoncé du faste, du luxe, du baroque. L'esthétique est primordiale pour moi. L'œuvre musicale l'exige. Vous connaissez le morceau : il est imaginatif, foisonnant, éclatant. Je ne vois pas mes danseurs en T-shirts déchirés !

Hester se mit à rire.

— Ne vous inquiétez pas. Ruby a promis de vous tirer d'affaire, n'est-ce pas ? (Il hocha la tête.) Dans ce cas, il n'y aura aucun problème, elle arrangera ça, ayez confiance. C'est plus qu'une costumière, c'est une magicienne. Et maintenant, détendez-vous et racontez-moi comment se débrouille la troupe. Silver vous donne satisfaction ?

— Elle fait beaucoup d'efforts, mais je sens une retenue. Elle danse contrainte et forcée, sans y prendre plaisir. Elle m'en veut. On dirait une adolescente rebelle qui a peur pour son argent de poche. Peu importe. Nous progressons. Il faut qu'elle donne l'impression de voler. Elle aura des ailes d'ange, ce qui accentuera l'illusion.

— Mais elle sera ralentie par leur poids. Des entrechats et des fouettés en tournant ne seraient pas mal, il me semble.

— Oui, bonne idée. Elle a beaucoup de déboulés et de pas de bourré dans son solo.

— Épuisant !

— Elle se débrouillera, je crois. Le reste de la troupe ne me cause aucun souci, et Nick est exceptionnel.

— Tant mieux !

Siggy était descendu du sofa et avait sauté sur les genoux d'Hugo.

— Mettez-le par terre, s'il vous dérange.

— Non, pas du tout. Je suis très flatté, au contraire.

Hester ferma les yeux un instant, tandis qu'il caressait le chat.

— Je ne vous fatigue pas, j'espère, s'inquiéta Hugo.

— Pas du tout. Je suis simplement... un peu triste. Demain, on enterre une personne que j'ai beaucoup aimée.

— Je suis navré. Et moi qui vous ennuie avec mes petits tracas ! Vous allez à la cérémonie, je suppose.

— Non, nous nous étions perdus de vue depuis des années. Et puis l'enterrement a lieu en Amérique, donc il n'en est même pas question. Edmund y assistera. Edmund Norland. Il vient nous rejoindre juste après le Nouvel An. Il me racontera.

— J'ai hâte de le rencontrer. J'espère qu'il appréciera la

205

façon dont je me suis approprié sa musique. Je vous laisse vous reposer.

Quand il se leva, Siggy sauta à terre, puis monta s'installer dans le fauteuil libéré par Hugo avec un ronronnement satisfait.

Ruby entra chez Hester à peine une minute après le départ d'Hugo. Elle resta debout, appuyée au secrétaire.

— Tu es adorable ! s'exclama Hester. Mais tu peux chasser Siggy du fauteuil, tu sais. Ce pauvre Hugo était très flatté que le chat s'installe sur ses genoux. Je me suis bien gardée de lui expliquer qu'il voulait prendre sa place. Il m'a beaucoup parlé de la catastrophe des costumes. Comment la situation se présente-t-elle ? Tu vas parvenir à réparer les dégâts ?

— Oui, bien sûr. Beaucoup sont intacts, d'ailleurs, et les autres, j'en fais mon affaire. J'ai pratiquement tout ce qu'il faut. Il ne me manque qu'une ou deux choses, mais je me les procurerai à Leeds. Je vais emmener Alison. Je passais juste voir comment tu allais.

— Merci ! Je vais bien. Je t'assure. J'arrive même à ne pas trop y penser. L'idée de l'enterrement est un peu difficile, mais...

— Pense plutôt à l'avenir. Pense à la visite d'Edmund. Il sera là très bientôt.

— J'essaie, mais j'ai beau faire, les souvenirs surgissent sans que je le veuille. J'ai du mal à ne pas revenir en arrière. Je tâche de m'occuper, mais... Et toi, Ruby ? Ce n'est pas trop dur ?

— Beaucoup moins que pour toi. Je vais bien.

— Je te trouve un peu pâle. Tu n'as pas ta migraine, j'espère ?

— Je te dis que je vais bien.

Ruby regarda la porte. Elle a envie de partir, pensa Hester. La conversation ne lui plaît plus. Je m'engage sur un terrain trop privé. En effet, Ruby ne tarda pas à prendre congé.

— Je dois me dépêcher. Je ne faisais que passer. C'est l'heure du dîner de George.

— Oui, bien sûr, à plus tard. Ne t'inquiète pas pour moi.

Ruby lui jeta un coup d'œil douloureux au moment où elle sortait. Hester connaissait bien cette expression, voisine de la peur, qu'elle avait parfois, et s'en étonnait. Mais malgré son intimité avec Ruby, elle n'avait jamais osé lui en demander la raison. Ruby se livrait si peu. Pour elle, les émotions ne se partageaient pas. Il fallait tout taire.

Hester poussa un soupir. Ce n'est peut-être rien. Simplement de la tristesse pour moi, à cause d'Adam. Elle frissonna, mais s'interdit de pleurer. Non, elle ne pleurerait pas Adam.

30 décembre 1986

Une épaisse couche de neige était tombée pendant la nuit. Tout était si blanc qu'Alison eut peur que l'expédition à Leeds ne soit compromise. Elle qui se réjouissait tant d'aller en ville ! La veille, elle avait vu les premiers flocons au moment où elle tirait ses rideaux avant de se mettre au lit. Pourvu que ça tienne, pensait-elle toujours. Elle adorait découvrir un paysage transformé à son réveil. Elle était sortie tout de suite après le petit déjeuner, et admirait le parc enneigé. Les branches ployaient sous leur charge ; l'herbe avait disparu ; l'allée s'était effacée ; la campagne était immaculée. Que c'est beau, songea-t-elle. Si je commençais à faire un bonhomme de neige, les autres viendraient-ils m'aider ? Sans doute pas. Ils sont trop pris par les répétitions pour s'amuser avec moi.

L'étendue éblouissante s'ombrait de bleu, de mauve, de gris, et le silence avait une qualité particulière. On avait l'impression qu'une couverture étouffait les bruits. Siggy était sorti. Des traces de pattes allaient à un massif puis revenaient. À part lui, elle devait être la première à mettre le nez dehors.

Quelle joie, ce jardin entièrement blanc ! Au loin, derrière la maison, le ciel se couvrait d'épais nuages d'un gris violacé. Elle fit quelques pas puis inspecta ses empreintes. Ici, la neige ne fondait pas comme en ville, avec les passants et les voitures qui la transformaient en gadoue. Attention, se dit-elle, il faut que je me souvienne de ces couleurs. Sans doute les effets seraient-ils mieux rendus à l'aquarelle, mais elle n'avait que ses pastels, et il faudrait s'en contenter.

— Bonjour, Alison !

Elle tourna la tête. Hester la rejoignait à grands pas avec l'air de vouloir lui parler. Elle portait un manteau bleu nuit et un bonnet de laine rouge et rose. Quand elle s'adressa à elle, de la buée sortit de sa bouche.

— Je vais me promener. C'est beau, n'est-ce pas ? J'adore Wychwood sous la neige. Tu veux venir avec moi ?

— D'accord.

Alison lui emboîta le pas, pétrifiée à l'idée qu'elle ne saurait pas quoi lui dire. Elles se dirigèrent vers la grille. Le soleil, tout juste levé, jetait sur le parc de pâles rayons qui faisaient scintiller le paysage et bordaient les branchages d'un halo doré. Entre les nuages, le ciel laiteux était à peine bleuté. Il n'y avait pas un bruit ; les craquements de leurs bottes résonnaient dans un profond silence.

— J'ai toujours aimé la neige, remarqua Hester. Tu n'as pas envie de construire un bonhomme de neige ? Personne ne te l'a proposé ?

— Ils n'ont pas le temps à cause des répétitions. Ils ne font rien d'autre que danser.

— Je sais, ça peut sembler bizarre quand on ne participe pas au spectacle. Mais c'est une course contre la montre, et Hugo est un grand perfectionniste.

— Ma mère aussi. Elle n'est jamais satisfaite de rien. Elle se plaint toujours d'être à court de temps. Moi, ça ne me dérange pas. J'ai l'habitude d'être seule.

— Tu t'ennuies ?

— Pas du tout ! C'est très joli, chez vous. J'avais peur de ne pas savoir quoi faire, mais je ne me suis pas encore embêtée une seule fois.

Elles sortirent du domaine et traversèrent le village.

— J'ai grandi ici, indiqua Hester en montrant une

maison assez laide, en retrait de la route. Je vivais chez les cousins de ma mère. Les Wellick. Je me demande ce qu'ils deviennent.

— Vous ne le savez pas ?

Alison regretta aussitôt sa question, qui aurait pu paraître indiscrète.

— Nous nous sommes perdus de vue. Je crois que je n'étais pas très agréable, étant enfant. Ils m'élevaient de leur mieux, mais j'étais trop malheureuse pour m'en rendre compte. On m'avait arrachée à ma grand-mère. Le York-shire, c'était trop différent de Paris. Je ne les aimais pas. Je leur ai sans doute mené la vie dure, ajouta-t-elle avec un sourire. Je suis partie à l'âge de quatorze ans pour aller danser à Londres. Quand je suis revenue, des années plus tard, ils avaient déménagé.

Cela donnait à réfléchir... Alison n'avait encore jamais pensé qu'il était possible de quitter sa famille parce qu'on ne l'aimait pas. Et si elle se libérait de sa mère ? Cette idée l'angoissa. Je ne saurais pas quoi faire, toute seule. Je pourrais vivre chez papa, peut-être. Oui, il me prendrait sûrement. Je devrais essayer. Je me dispute sans arrêt avec maman. Est-ce qu'elle me manquerait ?

— Je ne crois pas que j'aurais assez de courage pour partir de chez moi, finit-elle par remarquer.

— Pour toi, ce n'est pas pareil. Tu as encore ta mère. La mienne est morte quand j'avais cinq ans, et les Wellick ne pouvaient pas la remplacer, c'était impossible.

— C'est horrible de perdre sa mère si jeune !

Elle s'arrêta pour regarder Hester. C'était une femme tellement brillante, tellement sûre d'elle, qu'il était difficile de l'imaginer orpheline. Quelle triste pensée.

Hester hocha la tête, puis reprit sa marche, le regard tourné vers le sol.

— J'ai eu une certaine chance dans mon malheur. Mon premier professeur de danse est devenue une sorte de mère pour moi. Elle était russe. Elle s'appelait Olga Rakovska, et elle habitait à Wychwood, ici dans le manoir. Elle me l'a légué à sa mort.

— Vous n'aviez pas de père ?

Alison se mordit les lèvres. Mais tais-toi, idiote ! Bien sûr qu'elle avait un père, et puis ça ne te regarde pas. On ne pose pas des questions aussi personnelles.

Hester n'eut pas l'air de lui en tenir rigueur.

— Je ne m'entendais pas très bien avec mon père. Je ne l'ai quasiment pas revu après mes cinq ans. Il m'aimait, je suppose, à sa manière, mais il ne savait pas le montrer.

— Ça a dû être dur pour vous ! Moi, mon père m'aime beaucoup, mais il est parti vivre en Amérique, alors je ne le vois pas souvent. Je lui ai écrit pour lui donner mon adresse ici. C'est drôle que je n'aie rien reçu, parce que, en général, il me répond assez vite.

— Ne t'inquiète pas. Le courrier a toujours du retard pendant les fêtes. Sa lettre doit encore être au fond d'un sac postal.

— Ah ! D'accord...

Alison préféra passer à un autre sujet : elle redoutait de se laisser aller à dire du mal de sa mère, et Hester n'apprécierait sans doute pas.

— Je vais aider Ruby à arranger les costumes. Nous devions aller à Leeds cet après-midi, mais j'ai peur que la neige nous empêche de prendre la voiture. J'aime bien le travail manuel. C'est une chance, parce que je ne serais pas très douée pour la danse !

Hester la considéra.

— Tu sais, c'est plutôt rare de choisir la danse pour métier. L'immense majorité des gens prennent une autre voie, et c'est tout à fait normal. Les danseurs évoluent dans un microcosme et perdent de vue les gens ordinaires, qui mangent des repas convenables, ne sont pas filiformes, et ne passent pas leurs soirées à faire des acrobaties sur scène drapés dans du satin et du crêpe de Chine.

— Je sais bien... N'empêche, je me sens grosse et maladroite à côté de maman.

— Tu n'es ni grosse ni maladroite, et tu le sais bien. Tu es normale, voilà tout. Si ton idéal n'est pas de devenir danseuse, ton gabarit n'a aucune importance. Sais-tu ce que tu veux faire plus tard ?

— Je voudrais être sage-femme.

— Ah oui ? C'est un métier... intéressant.

Alison crut entendre une fêlure dans sa voix, mais ce n'était peut-être que le fruit de son imagination.

Au bout du village, Hester s'arrêta.

— Il vaudrait mieux rentrer, maintenant. Tu ne crois pas ?

Alison approuva, et elles revinrent sur leurs pas tout en parlant de *Sarabande*. Hester lui expliqua qu'elle connaissait le compositeur depuis ses dix-sept ans, mais Alison sentait que son humeur avait changé. Ai-je dit quelque chose qui l'a contrariée ? se demanda-t-elle. Mais quoi ?

1951

Hester ne vivait plus que pour les dimanches. C'était le seul jour sans répétitions, sans cours, où elle pouvait voir Adam. Le reste de la semaine, elle survivait tant bien que mal à son absence, même s'il assistait parfois à une représentation et attendait que le théâtre se vide pour l'emmener dîner loin du Royalty. Ils restaient très discrets, mais Hester commençait à se demander si Piers ne nourrissait pas quelques soupçons. Un jour, pendant la classe, il s'était étonné de la passion qu'Adam semblait s'être découvert pour la danse. Il n'avait pas insisté, mais elle avait senti son regard peser sur elle, comme s'il essayait de déceler la vérité sur son visage.

— Eh bien, les filles, vous avez fait un nouvel adepte à l'anniversaire de Virginia Lennister : Adam vient nous voir presque tous les soirs. À moins que ce ne soit pour tenir compagnie à Edmund.

Le dimanche leur appartenait. Dinah et Nell passaient la journée en famille, et quittaient leur grenier tôt le matin. Hester patientait jusqu'à leur départ pour faire sa toilette et s'habiller avec le plus grand soin, comme si elle se préparait pour la scène. À dix heures, elle sortait, et allait au bout de Moscow Road, où Adam l'attendait dans sa voiture noire.

Ils parlaient peu sur le chemin de l'appartement de Chelsea et ne se détendaient qu'au moment où la porte se refermait sur eux. Hester s'amusait à imaginer qu'ils étaient mariés. Ils étaient chez eux, passaient le dimanche ensemble comme un couple légitime. Même s'ils communiquaient mieux qu'au début de leur liaison, elle n'avouait pas ce rêve à Adam.

Il commençait à lui faire des confidences, quand ils étaient au lit.

— Je n'ai pas aimé mon enfance. Mes parents m'ont envoyé en pension dès dix ans, et quand je rentrais pour les vacances, ils étaient très distants, presque comme si nous n'avions aucun lien de parenté. Ils ont trouvé la mort dans un accident de la route quand j'avais treize ans. J'ai été très secoué, puis triste, mais de façon plutôt abstraite. J'aimais les études, c'est ce qui m'a sauvé. Edmund a beaucoup compté. Il est plus jeune que moi, nous n'étions donc pas dans la même classe à la pension, mais comme ses parents étaient amis avec les miens, ils m'ont toujours pris chez eux pour les vacances après l'accident. Nous sommes presque devenus frères. Je lui raconte tout. J'imagine qu'un jour, je lui dirai, pour nous...

— Il sait déjà.

Appuyée sur un coude, elle contemplait Adam.

— Tu m'en veux ? J'avais besoin de parler à quelqu'un qui te connaissait.

— Je ne pourrai jamais t'en vouloir, mon amour. Embrasse-moi. Edmund ne nous trahira pas. Il t'aime beaucoup, tu sais.

Elle posa les lèvres sur les siennes. Fallait-il lui répéter qu'Edmund pensait que leur liaison ne resterait pas secrète longtemps ? Non, tant pis. Pourquoi s'ennuyer avec des choses sérieuses quand les baisers d'Adam, et son corps pressé contre le sien, l'entraînaient vers des sensations si agréables ?

Plus tard, engourdie dans le grand lit, elle reprit la conversation interrompue.

— Avant toi, je n'ai jamais vraiment été proche de personne. Je discutais beaucoup avec ma grand-mère, mais j'étais encore très petite. Mes longs discours ne devaient pas être bien intéressants ! Ensuite, il y a eu Mme Olga. Avec elle, il s'agissait presque exclusivement de danse. Elle me faisait bien quelques confidences sur ses nombreux amants, mais moi, j'avais l'impression de n'avoir rien à lui raconter.

Adam eut un rire.

— Tu pourrais lui parler de nous. Tu crois qu'elle serait choquée ?

— Bien entendu ! Pas parce que tu es marié, mais parce qu'elle aurait peur que notre amour ne m'éloigne de la danse. D'après elle, j'ai le devoir de réaliser pleinement mon potentiel. Mais…

— Mais ?…

Adam lui prit la main pour l'embrasser, puis fit courir ses lèvres le long de son bras.

— Je ne sais plus ce que je disais… se plaignit-elle. Je te parlais de danse, je crois. Je n'arrive plus à penser qu'à ce que tu me fais, maintenant.

— Ça te plaît ?

— Oui. Oui, beaucoup. J'adore. Ne t'arrête pas s'il te plaît.

Beaucoup plus tard, quand ils se furent arrachés du lit, elle s'assit à la table de la cuisine. Une terrible tristesse la prenait toujours à l'approche du départ. Les heures avaient fui beaucoup trop vite ; il allait falloir quitter Adam. Dans son autre vie, celle de tous les jours, elle cachait ses émotions par peur de se trahir. Sa liaison avec Adam serait jugée scandaleuse. Fallait-il en avoir honte ? Un amour qui vous rendait si heureuse pouvait-il être déshonorant ? S'ils parvenaient à garder le secret, si personne ne l'apprenait jamais, aucun mal ne serait fait. Virginia ne devait pas découvrir la vérité… Hester redoutait cette éventualité, tout en la souhaitant parfois, malgré elle. Plus le moment du départ approchait, plus elle y songeait. Cette fois, elle ne put plus se contenir.

— Adam, que se passerait-il si Virginia apprenait notre liaison ?

Il la regarda fixement. L'appréhension fit battre plus fort le cœur d'Hester.

— Elle souffrirait beaucoup, finit-il par répondre. Malgré tout ce qui nous sépare, elle est extrêmement possessive. Pour elle, peu importe que nous nous entendions mal. Elle deviendrait folle si elle se connaissait une rivale. Mais... mais c'est un sacrifice nécessaire, ajouta-t-il après une hésitation. Si nous voulons vivre ensemble, il faudra que je lui parle. Je divorcerai, et ensuite...

Hester ouvrit de grands yeux. La demandait-il en mariage ? Était-ce possible ?

Il éclata de rire.

— Tu devrais te voir ! On croirait que je viens de lâcher une énormité. Je veux t'épouser et vivre avec toi jusqu'à la fin de mes jours. Je ne peux pas imaginer un autre avenir. Voilà, je l'ai dit. Veux-tu que je mette un genou à terre ?

— Non, bien sûr que non ! Enfin, je veux dire oui, je veux bien t'épouser. Adam ! J'avais tellement peur !

— Peur de quoi, ma chérie ?

— De beaucoup de choses. J'avais peur que tu cesses de m'aimer. J'avais aussi peur que Virginia t'oblige à me quitter, si elle apprenait. Ou que tu décides que la différence d'âge était trop importante. Il y a tellement de sujets d'inquiétude !

— Jamais je ne cesserai de t'aimer, Hester. Quoi qu'il advienne, je t'aimerai toujours, je te le promets.

— C'est vrai ?

— Oui, absolument.

— Je dois partir.

— Plus tard. D'abord, embrasse-moi.

— Dinah et Nell vont... vont...

Elle voulait dire « Dinah et Nell vont revenir de chez leurs parents », mais elle n'en eut ni le temps ni l'envie. Elle allait être privée de lui pendant une longue semaine, aussi fallait-il profiter de chaque seconde. *Jamais je ne cesserai de t'aimer, Hester. Quoi qu'il advienne, je t'aimerai toujours.* Cette déclaration lui semblait soudain inquiétante. Pourquoi « quoi qu'il advienne » ? Était-ce une mise en garde ? Elle frissonna. Pourquoi la vie était-elle aussi compliquée ?

— Hester, c'est toi qui ronfles ?

— Non, c'est Nell, chuchota Hester.

— Pourquoi tu ne dors pas ?

— Je ne sais pas. Et toi ?

— Je suis inquiète pour toi.

— Pour moi ?

— Attends, on ne peut pas se parler comme ça. (La lumière qui filtrait sous la porte permit à Hester de voir que Dinah s'était dressée dans son lit.) Descendons. Tout le monde dort. Préparons-nous une boisson chaude.

— Nous serons épuisées demain. Piers va hurler.

— Ça nous aidera à nous rendormir. Allez, viens.

Hester passa sa robe de chambre et descendit à la cuisine derrière Dinah sur la pointe des pieds.

Les pensionnaires avaient la libre disposition de la cuisine. Certains d'entre eux bénéficiaient de chambres individuelles, d'autres, comme elles, partageaient des chambres, mais tous se retrouvaient dans le « foyer ». La pièce n'était guère reluisante, avec ses vieux meubles, ses tapis et ses rideaux passés, mais l'atmosphère y était chaleureuse. Devant la baie vitrée trônait une grande table ovale sur laquelle Dinah déposa le plateau. Elle versa le thé, puis tendit une tasse à Hester qui s'était assise sur un coin de fauteuil. Dinah protesta.

— On dirait que tu t'apprêtes à te sauver. Allez, pas de bobards, raconte-moi où tu en es avec Adam.

— Tu le sais très bien ! Ça n'a pas changé. Toi et Edmund, vous êtes les deux seules personnes au monde à être au courant. Je n'aurais pas pu te cacher une chose pareille.

— Mais c'est sérieux, n'est-ce pas ? J'ai l'impression que tu es très amoureuse. (Elle énuméra en se servant de ses doigts.) Tu rêvasses toute la journée. Tu ne te rends pas compte qu'on te parle. Vous vous voyez tous les dimanches... Et puis ça se voit.

— Ça se voit ?

Hester mourait d'envie de parler d'Adam. C'était tellement bon de prononcer son nom, de dire qu'elle l'aimait, qu'elle rêvait de vivre avec lui toute sa vie, que l'existence n'avait de saveur qu'en sa compagnie, que tout lui semblait triste quand ils étaient séparés. Adam ne devait pas ressentir le même besoin de se confier puisqu'il n'avait rien dit à Edmund. Les hommes n'aimaient pas se livrer.

— Bien sûr que ça se voit. Tu ressembles à un bouton de rose. Il y a une lumière dans tes yeux qui t'illumine de l'intérieur. C'est peut-être bête, mais tu es comme dans *Giselle*, à l'acte un, quand tu tombes passionnément amoureuse.

— Pas étonnant... Si tu savais...

— Et tu es contente ? Tu es bien ? Est-ce que c'est aussi bon que tu l'espérais ?

— Encore mieux. Quand je suis avec Adam, je suis heureuse comme je ne l'ai jamais été. Je t'en prie, n'en parle à personne. Même pas à Nell. Tu me le promets ?

— Bien sûr. Ma pauvre chérie, que vas-tu faire ?

— Pourquoi me demandes-tu ça ?

— Mais tu sais bien. Si Piers l'apprend, il va te tuer ! Ce n'est pas une question de moralité, mais il aura peur que tu ne te relâches.

— Mes performances ne seront pas diminuées. Rien ne m'empêchera de danser. J'en mourrais, si je ne dansais plus. Ne t'inquiète pas, Dinah, je t'assure qu'il n'y a aucun danger de ce côté.

— Tu as raison. Mais je pensais aussi à quelqu'un qui ne semble pas te préoccuper beaucoup.

— Si c'est de sa femme que tu veux parler, j'y pense

tout le temps, au contraire. Je me sens très coupable, c'est affreux. Vraiment.

— Mais ça ne t'arrête pas...

Les larmes montèrent aux yeux d'Hester.

— Ne me le reproche pas. Je n'y peux rien ! Je ne peux pas m'en empêcher, c'est impossible. Si c'était possible, j'arrêterais tout de suite, je t'assure. Il aurait été préférable que je tombe amoureuse d'Edmund, par exemple, ce serait tellement plus facile. Mais je ne peux pas. C'est un amour immense. Quand je suis avec lui, Dinah, je ne peux même pas expliquer ce qui m'arrive. Mon corps exulte, toutes ses fibres se mettent à vibrer, presque jusqu'à exploser. Quand je suis loin de lui, je suis en prison. Je ne vis que pour le retrouver, sauf quand je danse. C'est affreux. C'est merveilleux. Je ne sais pas quoi faire.

Dinah garda le silence une minute, puis elle poussa un soupir.

— C'est comme une maladie, ce que tu décris. Je te comprends, mais les dangers sont réels. Je ne veux pas gâcher ton plaisir, seulement j'ai quelques années de plus que toi, et...

— Dix-huit mois.

— Ne m'interromps pas. Tu dois bien te rendre compte que votre relation n'a pas d'avenir. Il t'a parlé de ses intentions ? Il pense un peu à toi ?

— Aujourd'hui, justement, il m'a promis de divorcer. Il m'a demandé de l'épouser. Je t'assure ! D'abord, je n'y ai pas cru, mais il était sincère. Il va tout dire à Virginia.

— Parfois, les hommes racontent n'importe quoi pour nous faire plaisir. Je suis presque sûre d'une chose, Hester... Tu ne te fâcheras pas, d'accord ?

— Promis.

— Il ne quittera pas sa femme. Il le pense peut-être pour l'instant, mais il n'y arrivera pas. Tu as oublié leur belle maison ? Tu sais ce qu'il perdrait, s'ils se séparaient ? Lui as-tu demandé s'ils couchaient encore ensemble ?

— Mais sûrement pas ! C'est impossible ! Tu ne te rends pas compte. Tu ne sais pas combien nous... Jamais il ne pourrait...

— Désolée, Hester, je te comprends, mais il n'y a rien de plus courant. Même quand ils nous aiment, ils couchent encore avec leur femme, ne serait-ce que pour les empêcher d'avoir des soupçons. Il faut que tu le saches.

Hester était horrifiée. Cette idée ne l'avait même pas effleurée. Soudain, elle imaginait Adam et Virginia au lit, dans une chambre d'Orchard House, semblable à celle qui leur avait servi de loge. Adam et Virginia en train de faire ce qu'elle et lui... Non ! Elle en avait la nausée. Si c'était vrai, jamais elle ne le supporterait.

— Il ne la voit pas beaucoup, finit-elle par murmurer. Il ne va presque jamais là-bas.

— Presque jamais, mais de temps en temps quand même. Tu n'as qu'à lui poser la question.

— Impossible. Jamais je ne pourrai lui demander une chose pareille... J'aurais trop peur de la réponse. C'est affreux, insupportable. Qu'est-ce que je vais faire ?

— Tu vas boire ton thé et aller te coucher. Demain tu y verras plus clair. Le nuit porte conseil.

— Demain, il y a classe, répétition, et ensuite le spectacle. Au moins, je n'aurai pas trop le temps de penser.

— Parle-moi un peu d'Adam. Il est très beau, c'est certain, mais tu apprécies sa compagnie ?

— Évidemment. Je viens te le dire !

— Mais à part l'amour, vous vous entendez bien ? Tu t'amuses ?

Hester se tut. La question de Dinah méritait réflexion. S'entendaient-ils bien ? Ils ne se voyaient que chez lui. Ils faisaient l'amour. Ils se préparaient des repas. Ils étaient allés se promener un peu. Mais c'était tout. Ils n'étaient jamais allés au cinéma, à des expositions. À part Edmund, elle n'avait rencontré aucun de ses amis. Ce n'est pas sa faute, se dit-elle. Ni la mienne. Nous avons tellement peu de temps que nous n'aimons pas en perdre une seconde. Les sorties, les distractions lui importaient peu. Ce qu'elle voulait, c'était être dans ses bras, sentir l'odeur de sa peau, de ses cheveux, s'imprégner de lui, le posséder, comme il la possédait.

— Non, répondit-elle au bout d'un moment. On ne peut pas dire que je m'amuse, à proprement parler. Nous nous voyons tellement peu. C'est un peu...

— Passionné ?

— Oui, c'est ça, c'est très intense. C'est comme une obsession.

— C'était l'impression que j'avais... Allez, on essaie de se recoucher ? Si tu n'es pas en forme demain, Piers va s'en apercevoir.

Hester remonta au grenier avec Dinah. Je vais me coucher, pensa-t-elle, et je ferai semblant de dormir. J'imaginerai qu'Adam est à côté de moi. Dire que jamais je ne me suis réveillée le matin dans ses bras ! Elle se glissa sous les couvertures et guetta la respiration de Dinah. Quand elle l'entendit ralentir, se régulariser, elle ferma les yeux. En se concentrant, elle sentait encore les mains d'Adam. Le souvenir de leur union, de son goût, la tourmentait, mais elle se délectait de son mal.

— Hester, tu pleures ?

— Non, murmura-t-elle.

Elle essuya les larmes qui coulaient sur ses joues dans le noir. Si elle bougeait pour chercher un mouchoir, si elle reniflait, Adam saurait qu'elle mentait.

— Mais si ! protesta-t-il en passant un doigt sur son visage. Mon amour, tu pleures ! Ne sois pas triste, Hester, je t'en prie.

Il voulut la prendre dans ses bras, mais elle l'en empêcha.

— Non, je t'assure. Je vais bien, très bien.

— Mais que se passe-t-il ? Ma chérie ! Je ne supporte pas de te savoir malheureuse. Dis-moi ce qui ne va pas.

Hester sentit que, si elle parlait, sa voix s'étranglerait. Jamais il ne la rendrait heureuse. La situation devenait de plus en plus difficile. Mais avait-elle le choix ? Il fallait se contenir, dire quelques mots, n'importe quoi pour l'empêcher d'insister. Dans peu de temps, elle allait devoir se lever, partir. Pourquoi gâcher ces précieuses minutes, alors qu'ils n'allaient pas se voir avant des semaines ? Elle devrait passer les fêtes sans lui, et attendre le courant du mois de janvier pour le revoir. Elle ravala ses larmes.

— Dinah s'en va. Une compagnie de Cardiff lui a fait une proposition intéressante. Elle dansera des rôles principaux. C'est une grande chance pour elle, qu'elle ne doit pas laisser filer. Je suis heureuse pour elle, mais elle va me manquer. Ce ne sera plus pareil. C'est la fin du grenier. Nelly et moi, nous déménageons chacune dans une chambre au premier. Il faudra s'y faire : nous ne sommes plus les bébés de la compagnie.

— Mon pauvre amour ! Vous êtes tellement proches ! Ne pleure pas. Vous pourrez rester en contact. Vous vous écrirez. Et moi, je suis là, et je t'aime. Tu le sais, j'espère.

Elle ne commenta pas, n'osant lui rappeler qu'il avait promis depuis déjà plusieurs semaines d'annoncer à sa femme son intention de divorcer. Elle trouvait cette inertie assez impardonnable, mais se reprochait ses craintes. Sans doute valait-il mieux se taire. Une rage soudaine emporta toute prudence. Elle se redressa dans le lit, et se déchaîna.

— Tu veux savoir la vérité, Adam ? Je pleure parce que je suis en colère ! Je t'en veux terriblement !

— Tu m'en veux ? s'exclama-t-il avec une réelle surprise. Mais pourquoi ?

— À cause du dîner que tu organises après la première du *Petit Chaperon rouge* ! Tu me demandes de m'attabler avec toi, Edmund et ta femme ! C'est impossible ! Tu devines bien quelle torture ce sera pour moi ! Comment veux-tu que je la regarde en face ? Tu ne peux pas te mettre à ma place ? Tu imagines l'horreur d'être assise à la même table qu'elle ? Ce sera un cauchemar. Et après la première ! Moi, il faudra que je danse, sachant ce qui m'attend !

Elle se laissa retomber sur l'oreiller en se couvrant le visage avec le bras. Il l'obligea à se tourner vers lui. Ils étaient face à face, presque l'un contre l'autre. Elle sentit le souffle d'Adam sur son visage.

— Hester, mon amour, je n'avais pas le choix. Virginia a demandé à te rencontrer quand elle a appris que tu dansais le rôle du Petit Chaperon rouge. Elle a insisté pour que ce soit le soir de la première, parce que c'est le lendemain de Noël, et qu'elle avait envie de faire la fête, de te voir avec Edmund. Je ne pouvais pas refuser, elle aurait tout compris. Tu me vois lui répondre : « Non, chérie, désolé, nous ne pouvons pas dîner avec l'étoile, parce que c'est ma maîtresse. »

Hester se leva d'un bond.

— Pauvre Adam ! Comme je te plains ! Quelle situation impossible !

— Tu es en colère. Je t'en prie, calme-toi. Pardonne-moi, mon amour. Comment veux-tu que je...

— Non, tu as raison. Tu ne pouvais pas refuser. Comment aurais-tu pu laisser ta petite Virginia chérie souffrir du moindre doute ?

Elle ne s'abaisserait pas à lui rappeler sa promesse de demander le divorce. Non, se dit-elle, je n'en reparlerai pas. Nous verrons s'il aborde de nouveau le sujet. Et ce mot de « maîtresse », quelle horreur ! Le terme était approprié, mais tellement blessant. Par vanité, sans doute, elle s'était imaginé qu'elle était au-dessus de telles catégories. Hester Fielding était un cas à part. Quelle naïveté ! Quel aveuglement ! Dinah n'aurait pas été surprise. Elle le lui avait bien prédit. *Tu t'attendais vraiment à autre chose ?*

Elle s'assit sur le lit et enfila ses bas, tâchant de retenir ses larmes. Vite, il fallait sortir de chez Adam, marcher dans les rues, rentrer à Moscow Road, retrouver Dinah et Nell, puis se lever le lendemain pour danser. Elle ne devait plus penser qu'à la préparation du spectacle et à la première. Rien d'autre ne comptait que le ballet. Elle travaillait trop dur depuis des semaines pour décevoir Piers et Edmund.

Adam prit place à côté d'elle, et lui enlaça la taille.

— Arrête, Adam.

Loin d'obéir, il embrassa son dos nu, lui posa doucement les mains sur les seins, l'attira à lui, murmurant contre sa peau des suppliques déchirantes : *Hester, je t'en prie, je t'aime*, et tous les mots tendres qui la faisaient fondre. Elle se laissa aller contre lui, ne songeant plus qu'aux lèvres qui traçaient un chemin le long de son dos, jusqu'à son cou, puis son oreille.

— Reste, Hester, souffla-t-il. Il est trop tôt pour partir. Je te reconduirai plus tard. C'est trop dur de te quitter. Je t'en prie, mon amour, viens.

Elle céda, retrouva le lit, l'amour d'Adam, et laissa de côté ses inquiétudes. Étouffée sous une avalanche de baisers, elle se dit qu'ils faisaient l'amour pour éviter la discussion. Ils fuyaient la réalité. Dans ses bras, elle ne savait plus rien.

— J'ai quelque chose pour toi, annonça Adam plus tard. Un cadeau de Noël.

— Moi, je n'ai encore rien trouvé. C'est difficile, parce qu'il ne faut pas qu'il te trahisse devant ta femme.

Elle rit pour montrer qu'elle plaisantait et lui avait pardonné le dîner de la première. S'il le fallait, elle apprendrait à mentir pour lui. Elle préserverait leur fragile tranquillité. Elle serait aimable avec Virginia, prétendrait n'être qu'une simple danseuse qui tenait le rôle principal dans le ballet d'Edmund.

— Je peux l'ouvrir tout de suite ?

— Oui, au contraire.

Elle défit l'emballage avec précaution. Le papier glacé était frais sous les doigts. À l'intérieur, elle découvrit un peignoir de satin noir, orné dans le dos d'un dragon brodé à l'or. La tête arrivait au niveau de l'épaule, et la queue écailleuse scintillante descendait jusqu'à l'ourlet. Hester n'avait jamais rien vu d'aussi somptueux de sa vie. C'était encore plus splendide qu'un costume de scène. Le tissu soyeux glissait entre les mains, fluide et précieux.

— Que c'est beau !

C'était une merveille.

— Jamais je n'oserai m'en servir, c'est une œuvre d'art. Et puis si ! Je n'attendrai même pas Noël. Je le porterai dès ce soir et je penserai à toi chaque fois que je le mettrai. C'est... Je ne peux même pas décrire ce que je ressens. Où l'as-tu trouvé ?

— Dans une boutique près du British Museum. Je l'ai vu dans la vitrine, et j'ai tout de suite pensé à toi. Il te plaît ? Vraiment ?

— Oui, je l'adore, Adam. Je le garderai toute ma vie.

— Je t'aime, Hester. Tu le sais, j'espère ?

— Bien sûr.

Malheureusement, elle n'était plus si sûre d'y croire.

La première du *Petit Chaperon rouge* eut lieu le lendemain de Noël. Le théâtre était comble, accueillant parents et enfants dans une joyeuse atmosphère familiale. Angoissée par le dîner qui devait suivre, Hester songeait à peine à avoir le trac. Elle ôta sa chaînette en or, l'enveloppa dans un mouchoir et la cacha, comme d'habitude, dans la boîte à cigares qui lui servait de coffret à maquillage. Son costume lui plaisait : une robe de paysanne à la *Giselle* avec une cape à capuchon de soie. Quant à la musique d'Edmund, elle la ravissait. C'était une joie de danser sur son œuvre. Le décor était charmant. Côté cour et côté jardin se dressaient deux grands praticables représentant la forêt. La toile de fond montrait un chemin entre les arbres, avec une maisonnette au loin. Pendant les répétitions, elle avait parfois imaginé sa propre grand-mère, là-bas, qui attendait sa visite. Heureusement, toute tristesse devenait impossible quand on voyait Miles dans le rôle du loup. Il était à mourir de rire, aussi bien dans sa peau de loup que plus tard, en mère-grand.

— Je préfère éviter que les gamins soient traumatisés par le loup, avait expliqué Piers. Vous imaginez la débandade, s'il était trop féroce !

Hester quitta sa loge. Que se passerait-il après le spectacle ? se demanda-t-elle pour la centième fois. La fièvre de la représentation eut enfin raison de ses craintes, et elle se posta dans les coulisses près de l'entrée côté jardin.

Dinah aida Hester à se changer pour le dîner tant redouté. Elle avait chassé Piers de la loge, ainsi que tous les membres de la troupe venus la féliciter, et maintenant, elle lui faisait un chignon. Adam et Virginia attendaient au bar du théâtre, et Edmund devait passer la chercher.

— Arrête de remuer ! Je n'arrive à rien quand tu bouges.

Hester, assise devant le miroir, portait son peignoir au dragon.

— Je vérifie mon maquillage. Les yeux sont bien ? Le rouge à lèvres n'est pas trop foncé ? Je n'en ai pas trop mis ?

— Pas du tout. Il n'y en a jamais trop.

— Au contraire. Je ne veux pas avoir l'air vulgaire.

— Vulgaire ! Toi ! Tu es fraîche comme une fleur.

— Vraiment ?

— Oui. Des traits fins, une peau blanche... Tu restes distinguée en toute circonstance. Veinarde !

— Dinah... Je meurs de peur. Je ne sais pas ce que je vais bien pouvoir raconter.

— Ne t'inquiète pas. Edmund se chargera d'animer la

226

conversation, ce bavard. Tu n'auras pas besoin d'ouvrir la bouche. Sois réservée, charmante et effarouchée. Avale ton saumon fumé ou ton steak, et tout ira bien.

— Hester ? Es-tu visible ? demanda Edmund en passant la tête par la porte. Bravo ! Tu es magnifique. Il est temps de partir. Tu dois encore t'habiller ?

Elle le rassura. Sous son peignoir, elle portait un chemisier de soie bleu pâle, à manches longues et amples, et une jupe noire étroite. Des escarpins noirs complétaient la tenue, ainsi qu'une cape empruntée au département des costumes. Elle la passa sur ses épaules et rejoignit Edmund.

— Ça va ? demanda-t-il alors qu'ils se dirigeaient vers l'entrée des artistes.

— Je crois que oui.

— Je suis là. Compte sur moi. Quoi qu'il arrive.

Elle lui planta un baiser sur la joue.

— Ce que tu peux être gentil ! Je ne sais pas comment je me débrouillerais sans toi. Ce dîner me terrorise à un point ! Tu n'as pas idée.

Edmund eut un sourire.

— La peur te réussit. Tu es ravissante. Mais il n'arrivera rien, ne t'en fais pas. Ce n'est pas facile pour toi, mais tu joues bien la comédie. Tu n'es qu'une ballerine ordinaire qui connaît à peine Adam. Vous vous êtes vus trois fois dans votre vie.

Quand ils furent dehors, elle n'osa plus parler librement. La soirée, songea-t-elle, ne serait pas très agréable pour Edmund non plus. Elle ne savait même pas si Adam avait fini par se confier à lui. Cela n'empêcherait pas Edmund de tenir un rôle difficile. Elle se reposait entièrement sur son affection et son soutien. C'était un roc, un ami sincère et fidèle, toujours d'humeur égale malgré les difficultés des répétitions, charmant avec la troupe chez Gino, et adorable avec elle quand ils se retrouvaient en tête à tête. Elle fit l'effort de sourire et, la gorge serrée d'angoisse, s'apprêta à rejoindre Adam et sa femme. Ce sera bientôt fini, se dit-elle. La soirée va bien se passer.

Edmund et Hester furent placés côte à côte, face à Adam et Virginia. Le restaurant était un établissement élégant, qu'en temps normal elle aurait pris plaisir à décrire à Dinah et à Nell, mais pour une fois elle prêtait peu d'attention au décor. C'est à peine si elle voyait les murs tendus de velours rouge, la porcelaine blanche, les abat-jour et les nappes de lin rose. Mme Olga adorerait, songea-t-elle. Son vieux professeur de danse n'avait pu assister à la première, retenue au lit par une méchante grippe. Une longue lettre la consolerait. Sans doute la cuisine était-elle délicieuse, mais elle ne sentit pas les saveurs des plats qu'on leur servait. En revanche, rien de ce qui concernait Virginia ne lui échappa. Elle était très jolie : blonde aux yeux bleus plutôt clairs, cheveux bouclés remontés en chignon avec des mèches. Elle portait une robe blanche très simple de soie grège, décolletée, bras nus. Une étole de fourrure pendait au dossier de sa chaise.

Des pensées terribles la torturaient. Elle la voyait nue, au lit avec Adam. Elle se souvenait des chambres d'Orchard House, et imaginait Virginia sous lui, leur sueur, leurs halètements, leurs mouvements passionnés. Elle se sentit mal.

— Veuillez m'excuser, je reviens.

Elle attrapa son sac et courut aux toilettes. Après s'être enfermée dans une cabine, elle s'assit sur le couvercle, et respira longuement pour calmer sa nausée. Inspirer, souffler, inspirer, souffler. On frappa à la porte.

— Hester ? Vous êtes là ? Vous vous sentez bien ? C'est Virginia.

Au secours, non, pas ça, songea-t-elle. Il va falloir lui parler. Comment lui échapper ?

— Je vais bien ! Je n'en ai pas pour longtemps.

— Je vous attends.

Elle se leva. Je n'ai plus le choix. Je suis forte, j'y arriverai. Elle ouvrit et alla se laver les mains.

— La fatigue, sans doute, expliqua-t-elle en plaquant un sourire sur ses lèvres.

— Je comprends. Le spectacle a dû vous exténuer. Vous avez été merveilleuse. Je suis très jalouse de votre talent. Quelle chance vous avez d'être aussi bonne danseuse ! On dirait... une aigrette de coton emportée par le vent. Légère, belle... Mais je sais quel travail demande cette apparente facilité.

— Merci. C'est un peu épuisant, en effet, surtout les soirs de première.

— Nous n'allons pas tarder à rentrer. La route est longue jusqu'à Orchard House.

Hester se retint juste à temps de demander pourquoi ils ne dormaient pas à l'appartement. Elle n'avait aucune raison d'en connaître l'existence. Virginia se remettait du rouge à lèvres devant le miroir tout en jacassant. Étonnant, car Hester avait le souvenir d'une personne taciturne. Le vin, peut-être. Virginia avait trop bu.

— Nous pourrions passer la nuit dans notre pied-à-terre. Adam en loue un à Chelsea pour son travail à Londres, mais je ne me détends vraiment qu'à la campagne, et ce soir, je veux me sentir particulièrement bien. Je ne devrais pas vous raconter ça, c'est un peu personnel et nous ne nous connaissons pas, mais tant pis. Nous essayons d'avoir un enfant depuis longtemps, et ce soir, c'est un bon soir. Alors je voudrais ne pas rentrer trop tard, et mettre Adam de bonne humeur, si vous me comprenez !

Étouffant des rires, décidément éméchée, Virginia retourna à leur table. Hester la suivit, tremblante. *Un bon soir.* Ils voulaient un enfant depuis longtemps, et ils n'avaient pas abandonné leurs espoirs. Il lui fallut faire un effort extraordinaire pour s'asseoir, boire le café, attendre que la note soit réglée.

Alors qu'ils se dirigeaient vers la voiture, Hester ralentit le pas pour rester à l'arrière avec Adam, laissant Edmund et Virginia les distancer.

— Ne me rappelle jamais ! chuchota-t-elle. Ne m'écris pas. Je ne veux plus jamais te voir.

— Mais pourquoi ? s'écria-t-il avec effroi.

— Parce que tu es un menteur. Tu n'as aucune intention de quitter ta femme. Je ne peux plus te croire.

— Hester, je t'en prie ! C'est insensé ! Tu sais bien que je t'aime ! Je vais lui parler dès que possible, je te le promets.

— « Dès que possible » ! Je me demande bien quand le bon moment viendra ! Il paraît que vous voulez faire un enfant ! Il te faut tout à la fois, n'est-ce pas ? Moi, ta femme, et un enfant. Eh bien, tu fais erreur. Tu ne m'auras pas ! La seule chose qui compte pour moi, c'est la danse, et je ne peux pas me concentrer sur mon travail quand je souffre à cause de toi. Tu me voles mon énergie. C'est fini !

Il n'eut pas le temps de répondre, car Edmund et Virginia les attendaient. Comme il était convenu de la ramener à Moscow Road, elle dut monter en voiture avec eux. Elle passa le trajet en silence, fixant l'arrière de leurs têtes, le sang glacé : M. et Mme Lennister rentraient chez eux à la campagne. Il fallait songer à autre chose, au cours du lendemain, par exemple. Piers ferait revoir à la troupe le début du ballet. Il chercherait à atteindre la perfection pour la prochaine représentation. Elle ne penserait plus à Adam. Elle l'oublierait pour toujours.

— Au revoir, dit Virginia à Hester quand ils s'arrêtèrent devant la pension de famille. Merci pour ce beau Petit Chaperon rouge. On vous a fait une ovation. Vous pouvez être fière.

— Au revoir. Oui, merci. Merci pour tout.

Elle courut en haut des marches et entra, poursuivie par les soupirs imaginaires de Virginia dans les bras d'Adam. Elle monta dans son grenier et se jeta sur son lit. Comment allait-elle survivre à cette douleur ?

Pendant les dix jours suivants, du lendemain de Noël à la fête des Rois, Hester ne fut plus qu'un automate. Elle reprenait vie pour la danse, mais le reste du temps elle était comme anesthésiée.

Dinah partit pour le pays de Galles le 2 janvier. Elles s'embrassèrent sur le trottoir, devant le 24, Moscow Road. Tout en faisant des signes d'adieu au taxi qui s'éloignait, Hester eut l'impression, encore une fois, de revivre la même scène : quelqu'un partait dans une grande voiture noire, quelqu'un devenait de plus en plus petit et finissait par disparaître. Son existence était jalonnée de ces séparations. Elle essuya ses larmes tout en s'adressant des reproches. Ne sois pas égoïste, ce n'est pas un drame ! Tu la reverras. Vous vous écrirez. Ce n'était pas comme de quitter sa grand-mère. Non, mais le même désespoir était là, qui la glaçait. Jamais elle ne se débarrasserait de cette sensation, et pourtant c'était il y a si longtemps, elle était si petite, la première fois. Elle aurait dû s'y habituer.

Quelques jours après le départ de Dinah, Nell et Hester prirent possession de leurs nouvelles chambres. C'était un brutal passage à l'âge adulte. Elle était devenue l'une des plus anciennes danseuses de la compagnie, et la meilleure. On lui prédisait unanimement une immense carrière. Les critiques du *Petit Chaperon rouge* étaient dithyrambiques. Tous les jours, elle recevait une lettre d'Adam qu'elle déchirait... non sans l'avoir lue. Il lui téléphonait aussi, mais elle raccrochait sans lui laisser le temps de s'expliquer. Il lui envoyait des bouquets de roses blanches, qu'elle offrait aux autres danseuses. Il chargeait Edmund de lui transmettre des messages. Et puis, un soir, en sortant du théâtre, elle le trouva à l'entrée des artistes.

Elle hésita. Elle voulut partir sans lui parler. Il la rattrapa, et, finalement, elle se jeta dans ses bras, en larmes, vaincue par l'amour. Dans la voiture, ils ne prononcèrent pas un mot. Plus tard, il lui affirma qu'il ne pouvait pas vivre sans elle. Il promit encore de quitter Virginia. Il allait l'épouser. Il le jurait. Elle verrait bien ! Hester ne savait plus que penser, mais la vie était trop dure sans lui. Il fallait bien y croire.

Pour la première fois, Hester dormit à l'appartement et ne s'arracha aux bras d'Adam qu'au dernier moment. Elle faillit arriver en retard au cours du matin. Tandis qu'elle attachait ses chaussons au fond de la salle paroissiale, Piers l'aborda avec un air désapprobateur.

— Alors, on a fait la noce, ma petite Hester ?

Elle s'obligea à sourire, éreintée. Elle avait l'impression d'être en pâte à modeler. Elle noua les rubans de satin à ses chevilles, et se dépêcha de rejoindre les autres. En répétant les exercices familiers, elle se reprocha de s'être laissé convaincre de dormir avec Adam. Il n'avait pas eu à insister beaucoup, c'est vrai, elle ne savait pas lui résister. Elle se souvint de leur frénésie, des vêtements arrachés, du lit sur lequel ils s'étaient jetés l'un sur l'autre comme des affamés.

— Hester, tu n'es pas là ! cria Piers. De la concentration, je te prie.

Elle rougit. Entrechat, plié, recommencer. Elle parvint enfin à se sortir Adam de la tête en essayant de satisfaire le maître de ballet.

La compagnie Charleroi quitta Londres à la fin de mars 1952. La troupe s'arrêtait à Birmingham, Cardiff, Newcastle, Manchester, Glasgow et Édimbourg, avant de rentrer. Pendant des semaines, Hester vécut de train en train, dans des chambres sordides et froides qu'elle partageait avec Nell et Mona. Les radiateurs à peine tièdes disparaissaient sous les collants mouillés qu'elles devaient souvent passer humides. Sa poupée Antoinette la suivait toujours et la rassurait, même si elle restait dans la valise. Malgré son besoin de réconfort, elle se retenait de la sortir pour dormir avec elle, mais quand Adam lui manquait plus que de coutume, la tentation de la prendre au lit avec elle était si forte qu'elle avait du mal à y résister.

Coppélia était un des ballets favoris d'Hester, qui adorait surtout le rôle de Swanilda. Sa transformation en poupée dansante, avec ses yeux immobiles, ses membres raides, tenait de la magie. Dans le public, les enfants frémissaient quand les personnages mécaniques se vengeaient du triste Dr Coppélius, et même après de nombreuses représentations, Hester, elle aussi, tremblait encore un peu quand le Chinois et les autres automates de l'atelier du docteur la regardaient dans le noir. Les costumes et le maquillage les rendaient si réalistes qu'elle reconnaissait à peine des danseurs qui étaient ses partenaires depuis des années. Piers était particulièrement fier de cette production, avec raison.

Pendant la tournée, Hester correspondit avec Adam presque tous les jours. Elle trouvait plus aisé de communiquer avec lui par écrit. Elle parlait plus volontiers à Edmund qu'à Adam, car avec son amant, les conversations étaient parsemées d'embûches. Tous les mots recelaient des pièges. Les dimanches soir, elle passait des heures à revenir sur ce qu'ils s'étaient dit, à décortiquer chaque phrase pour essayer d'en extraire des significations cachées. Edmund avait plus d'humour qu'Adam, et il était plus facile à vivre. Ils riaient beaucoup ensemble et elle avait la certitude qu'il prendrait toujours sa défense.

Elle conservait les lettres que lui envoyait Adam dans un joli coffret en bois, cadeau de Dinah à son départ. Il écrivait bien, et trouvait mille façons inédites de lui déclarer son amour, mais Hester doutait parfois de sa sincérité. Elle contemplait sa belle écriture fine et inclinée en se demandant ce que lui réservait l'avenir. Et puis une préoccupation supplémentaire s'était ajoutée : elle avait un retard de cinq semaines. Elle essayait de ne pas s'inquiéter outre mesure, car son cycle avait toujours été très irrégulier.

La première de *Coppélia* à Cardiff eut lieu la troisième semaine d'avril. Hester ne réalisa à quel point Dinah lui avait manqué qu'après le spectacle, quand elle la vit entrer dans la loge. Comme prévu, Dinah avait assisté au ballet, et elles sortirent dîner ensemble. Le lendemain, elle se retrouvèrent pour prendre un café avant le cours. Pendant qu'Hester attendait son amie, elle se sentit nauséeuse. Le repas de la veille avait sans doute été trop lourd. Elle prit quelques inspirations et son mal au cœur se dissipa, mais Dinah, en arrivant, remarqua aussitôt sa pâleur.

— Ça ne va pas ? Tu es toute blanche.

— Je suis barbouillée. Le dîner ne m'a pas réussi. Tu veux un café ?

— Oui, je vais me le chercher.

Une fois qu'elles se furent installées à une table, Dinah revint à la charge.

— Excuse-moi, ne te fâche pas, mais... Es-tu certaine que c'est la digestion ? Tu n'es jamais malade. Tu ne serais pas enceinte, par hasard ?

Hester fit semblant de rire.

— Mais non, Dinah, bien sûr que non. Je peux avoir mal au cœur sans que tu en fasses tout un roman.

— Bon... Si tu veux. Ça ne me regarde pas. Mais je vais te donner une adresse, en cas de besoin.

Elle ouvrit son sac à main, en sortit un carnet et un stylo, écrivit quelques lignes puis arracha la page.

— Si jamais tu étais enceinte, maintenant ou n'importe quand, voilà les coordonnées d'une personne qui pourrait t'être utile. N'en parle pas, mais garde ce nom.

Hester prit le papier et le plia. Elle osait à peine y toucher, comme s'il risquait de lui porter malheur.

— Je ne sais pas pourquoi je prétends que c'est une indigestion. Je suis inquiète, tu as raison. Mes règles sont très en retard. Mais ce nom, là, c'est celui d'un avorteur ?

— Quel mot horrible. Tu prononces ça comme « boucher » ou « assassin » ! C'est un médecin, Hester. Il a aidé beaucoup de filles de la troupe. Et il n'est pas trop cher. Tu te rends compte, si tu étais enceinte ? Tu ne peux pas te permettre d'avoir un enfant maintenant. Pense à ta carrière. Tu as une carrière de très grande étoile internationale devant toi. Tu as une responsabilité, tu dois te sacrifier à la danse. (Elle se mit à rire.) Tu m'entends ? Je deviens pire que Piers. Enfin, tu me comprends. Une grossesse ficherait ta vie en l'air.

— Mais un avortement, c'est tellement... C'est horrible... Un bébé...

— Ce n'est pas encore un bébé, Hester, pas au tout début. Il ne faut pas y penser en ces termes.

Hester remua le fond de son café.

— Si j'étais enceinte, remarqua-t-elle en évitant le regard de Dinah, je ne serais pas seule en cause... Le père...

Elle n'arrivait pas à prononcer le nom d'Adam.

— Le père aurait son mot à dire, tu ne crois pas ?

Dinah lui prit la main.

— Hester, tu es amoureuse. Tu ne te rends pas compte. Je t'assure qu'Adam serait le premier à te conseiller d'aller voir la personne dont je t'ai donné l'adresse.

— Tu n'as pas le droit de penser ça ! Il m'aime ! Il m'aime vraiment. Je sais que ça peut sembler banal. Il n'a pas encore quitté sa femme malgré ses promesses. Mais, là, il se décidera.

— Alors je ne dis plus rien. Je ne vais pas me disputer avec toi pour un homme. Garde l'adresse, c'est tout. Et maintenant, il faut que tu ailles à ta classe. On ne fait pas attendre Piers !

Les jours suivants, Hester eut mal au cœur tous les matins, et ses craintes se confirmèrent : ce symptôme ajouté à l'absence de règles, cela devait vraiment signifier qu'elle était enceinte. Dinah n'avait eu besoin que d'un coup d'œil pour le deviner. Pourtant, ses nausées ne l'avaient pas une seule fois obligée à manquer le cours. C'était peut-être une indisposition passagère. Malheureusement, elle n'avait dans son entourage aucune femme susceptible de lever ses doutes. Elle ne fréquentait que des ballerines depuis qu'elle avait intégré la troupe, et seulement trois d'entre elles s'étaient mariées en renonçant à leur carrière. Dinah s'était-elle servie de cette adresse personnellement ? Non, impossible, décida-t-elle. Je l'aurais su. Elle ne m'aurait pas caché une chose pareille.

Hester était couchée, mais elle n'arrivait pas à s'endormir, tenue éveillée par l'angoisse. Qu'allait-il arriver à son corps ? Un embryon se développait peut-être en elle en silence. Comment s'en assurer ? Ah, si sa grand-mère avait été là ! Elle l'aurait réconfortée, se serait occupée d'elle, lui aurait tout expliqué. Elle lui aurait donné de la tisane dans les tasses jaunes de son enfance. Avec elle, tout aurait été différent. Dinah vivait à Cardiff, Edmund était aux États-Unis où *le Petit Chaperon rouge* allait être monté, à Chicago. Il devait rester en Amérique plusieurs mois. Elle était seule au monde… Il y avait Adam, bien sûr. Mais comment allait-il réagir en apprenant la nouvelle ?

Soir après soir, tandis qu'elle dansait Swanilda, d'un théâtre à l'autre, sa peur grandissait. Dinah avait raison. La maternité porterait un coup fatal à sa carrière. Elle ne pourrait plus travailler pendant sa grossesse. Et puis, aurait-elle le courage de supporter le déshonneur d'avoir un enfant sans être mariée ? « Fille mère », des mots qui vous couvraient de honte. Piers la chasserait. Aucune autre compagnie ne l'embaucherait. Mais le plus important, ce serait la réaction d'Adam. Mais si, justement, cet événement pouvait être le déclencheur qui lui permettrait de quitter Virginia ?

Cette éventualité devenait une obsession. Il lui promettait de régler la situation depuis des mois. Il le lui jurait sur tous les tons sans pour autant agir. Pourquoi ? Elle ne voulait pas trop se poser la question, car la réponse était trop cruelle. Il était lâche. Il était indécis. Ou alors, pis que tout, il ne désirait pas vraiment refaire sa vie avec elle.

Cette fois, elle le mettait au pied du mur. Il faudrait bien qu'il agisse. Ne devrait-il pas l'aimer davantage si elle attendait un enfant de lui ? Si Virginia n'avait pas encore réussi à concevoir, c'était bon signe, sans doute. Cela signifiait qu'Adam n'avait que très peu de contacts amoureux avec sa femme. Quand elle les imaginait ensemble, elle en devenait presque folle.

Au départ d'Édimbourg, elle avait deux mois de retard. Elle se promit d'aller consulter un médecin à Londres, puis se mit à rêver qu'Adam lui disait : *À partir de maintenant, je m'occupe de toi. Tu vas te ménager. C'est mon enfant que tu portes.*

Plus la fin de la tournée approchait, plus leurs lettres devenaient passionnées. Dans la dernière, Adam lui proposait de fêter leurs retrouvailles dans un restaurant tranquille, le premier dimanche de son retour à Londres. Ensuite, ils passeraient la nuit à l'appartement.

En se préparant pour son dîner avec Adam, Hester regretta l'absence de Dinah. Elle avait du mal à faire son chignon. Son amie l'aurait aidée.

— Ça ne va jamais tenir, soupira-t-elle en plantant les épingles.

Elle eut envie de rire. C'est un peu inquiétant de se mettre à parler seule ! Je suis folle, songea-t-elle. En tout cas, très bizarre. Parfois, un bonheur subit la prenait. Elle pétillait de vitalité, puis, d'un coup, le désespoir s'abattait sur elle. Elle avait maintenant la certitude d'être enceinte, et connaissait précisément le jour de la conception : le dernier dimanche avant la tournée, plus de huit semaines auparavant. L'éloignement lui devenait insupportable, les lettres d'Adam étaient sa seule planche de salut. Désirait-elle cet enfant ? Elle ne pourrait vraiment le savoir qu'après lui avoir annoncé la nouvelle. Cette perspective la terrorisait… Ce qui n'était pas très bon signe.

Hester jeta un ultime coup d'œil dans le miroir, inutile

237

car elle n'avait plus le temps de refaire son chignon. Elle prit son foulard et descendit guetter la voiture noire.

Adam attendait déjà devant le 24, Moscow Road. Elle aperçut son visage à travers le pare-brise, son nez, son menton, puis ses yeux quand il tourna la tête pour voir si elle arrivait. Elle ouvrit la portière et se glissa à côté de lui. Ils se jetèrent dans les bras l'un de l'autre.

— Hester, mon amour, mon amour...

Adam enfouissait son visage dans le cou d'Hester et elle faillit se mettre à pleurer. Elle passa les mains dans les cheveux noirs et doux. Elle avait cru se souvenir de leur odeur, mais l'avait complètement oubliée.

Il s'écarta d'elle et lui sourit.

— Mieux vaut partir. Allons dîner d'abord.

Hester hocha la tête. Elle ne savait toujours pas comment le lui dire. Maintenant qu'il était là, elle ne devrait plus avoir peur de rien. Ils allaient vivre ensemble, seraient heureux, tout irait bien. Elle faillit parler du bébé dans la voiture, mais se contint.

La salle de restaurant était sombre, éclairée par de petites lampes, même en ce lumineux mois de mai. Ils étaient assis au fond, devant un rideau de velours. Elle se demanda si Adam avait choisi cette table pour lui permettre de se cacher derrière la tenture au cas où une connaissance entrerait à l'improviste. Il avait honte d'elle. Bien sûr, il ne fallait pas interpréter le moindre détail, mais par une aussi belle soirée, ils auraient pu dîner dans un restaurant avec jardin, ou s'installer près de la baie vitrée. Adam ne voulait pas être vu avec elle. Elle se reprocha ses soupçons. Sans doute désirait-il simplement l'inviter dans un établissement réputé. Le prix ne comptait pas pour lui. Au contraire, il aimait étaler sa fortune... ou plutôt celle de Virginia.

— Hester, si tu savais comme tu m'as manqué !

Il lui tenait la main entre leurs tasses à café vides.

— Tu es prête ? Tu veux rentrer ? Le temps m'a semblé tellement long !

— Allons-y.

Le dîner avait passé sans qu'elle s'en aperçoive. Ils avaient bavardé de choses et d'autres sans aborder de sujets intimes. Adam, pourtant, la dévorait des yeux. Vers la fin, il avait glissé le bras sous la table pour lui caresser la cuisse. Elle s'en était presque trouvée mal.

Mais son état l'avait changée. Avant la tournée, son désir d'Adam l'aurait presque empêchée d'avaler une bouchée. À présent, et même si elle ne rêvait que de se retrouver dans ses bras, la hâte de son amant l'inquiétait. Elle y voyait le signe qu'il ne ressentait pour elle que de l'attirance physique. Il n'a rien à me dire, s'attrista-t-elle. Elle fit l'effort de se reprendre tandis qu'ils retournaient à la voiture. Ses craintes étaient assez peu fondées. Ce serait plus facile de lui parler à l'appartement. Une fois qu'ils auraient fait l'amour, cela viendrait tout seul. Elle lui dirait après.

Il avait fleuri son pied-à-terre pour elle. Des bouquets de roses blanches occupaient tous les vases. Il porta Hester dans la chambre, lui fit franchir le seuil comme à une jeune mariée. Je suis sa femme, pensa Hester, accueillie par une puissante odeur de roses.

Elle ferma les yeux quand Adam l'allongea sur le lit, et le laissa déboutonner son corsage.

Il vibrait d'impatience, mais il contrôla sa hâte. Il fut très tendre, l'embrassa, prit le temps de jouer avec son désir. Le satin de la courtepointe glissait sous elle, doux sous sa peau. Après, les membres lourds, elle se blottit contre lui.

— Adam, murmura-t-elle, je veux te dire quelque chose.

— Oui… répondit-il d'une voix engourdie.

L'angoisse l'avait reprise. Elle n'arrivait pas à prononcer les quelques mots simples qu'elle avait préparés. Le silence grossit, devint envahissant. Elle ferma les yeux et se força à parler.

— Je suis enceinte, Adam. Je vais avoir un enfant. Il doit naître à Noël.

Il se leva brutalement, s'assit au bord du lit, les pieds à plat sur le tapis. Il plongea le visage dans ses mains, secoua la tête comme un désespéré. Quand elle vit sa réaction, elle comprit sur-le-champ que tout était fini : leur amour, le plaisir, les rêves. Leur avenir s'était joué en une seconde, et rien ne pourrait jamais rattraper ce désastre.

Quand il se domina suffisamment pour la regarder, elle s'était redressée, et fixait le mur. Il lui prit la main et la serra entre les siennes.

— Chérie, pardonne-moi. Quel choc ! Je ne sais pas quoi dire. Tu es sûre ?

Elle hocha la tête, et il soupira en la considérant.

— Je croyais que tu serais heureux Je croyais…

— Mais oui, je comprends, mais tu te rends bien compte que…

— Que ?…

— Je n'ai pas à te dire ce que tu dois faire, ça va de soi, mais je ne peux pas…

— Tu ne peux pas quoi ?

Il tordait le drap entre ses doigts.

— C'est très difficile pour moi, Hester. Je t'aime énormément. Tu le sais, au moins ? Mais je ne peux pas quitter Virginia. C'est comme ça. J'aurais dû être plus clair, mais je ne supportais pas l'idée de te perdre, c'était trop dur.

Un froid paralysant la saisit.

— Tu ne peux pas la quitter ? Mais pourquoi ?

Elle s'en voulut d'argumenter, de plaider sa cause comme une enfant gâtée.

— C'est impossible. Je t'aime, Hester, je t'aime beaucoup, mais Virginia et moi, nous sommes mariés depuis des années. Nous avons une longue histoire commune, un passé qu'on ne peut pas casser si facilement… C'est impossible pour moi de l'abandonner maintenant. Elle a eu une fausse couche il y a deux semaines. Elle en a eu plusieurs coup sur coup. Elle essayait d'être mère depuis très longtemps, mais à présent, il n'y a plus d'espoir. Elle n'aura pas d'enfants, et elle est au désespoir. Comment veux-tu que je l'abandonne maintenant ? Tu dois bien comprendre que c'est impossible. Tu imagines ce qu'elle ressentirait si je t'épousais et que dans six mois nous ayons un enfant ? Ça la tuerait. Elle est très fragile... Elle serait capable de mettre fin à ses jours, tu sais. Je ne peux pas lui faire ça, Hester. Je suis désolé.

Je suis une pierre, songea Hester. Je suis une pierre, et je voudrais ne jamais revenir à la vie.

— Bien entendu, je suis prêt à t'aider, continua-t-il. Je t'apporterai mon concours financier pour tous les aspects matériels. Que tu décides de le garder, ou que tu décides de ne pas le garder...

Hester se leva d'un bond.

— Ma décision ne te regarde pas ! Je la prendrai seule. Je ne veux plus jamais te revoir. Tu t'entends ? *Mon concours financier pour tous les aspects matériels !* On dirait que tu t'adresses à une relation d'affaires que tu viens à peine de rencontrer. Tu es méprisable, Adam, et je n'ai rien d'autre à te dire. Tu n'as jamais eu la moindre intention de quitter Virginia. Tu m'as menti depuis le début. Tu ne m'as jamais aimée !

Elle hurlait à s'en écorcher la gorge. Elle avait envie de l'injurier. Elle se sentait salie, avilie.

— Je ne suis qu'une poupée, pour toi. Oh ! j'ai l'habitude, je me suis entraînée ! Je sais faire la poupée mécanique. Comme ça, et comme ça !

Encore nue, elle ébaucha le solo de Swanilda dans la scène de l'automate. Gestes syncopés, pas heurtés qui frappaient le plancher de la chambre. Adam se leva pour l'arrêter. Il essaya de la prendre dans ses bras.

— Ne me touche pas ! s'écria-t-elle. Je t'interdis de m'approcher. Tu veux une marionnette pour te satisfaire, alors sois heureux ! Moi, je fais tout ce qu'on me demande. Tu n'es pas plus respectable que le Dr Coppélius. Tu es répugnant. Tu couches avec elle, tu couches avec elle depuis le début ! C'est ignoble, tu me dégoûtes !

Adam resta très calme.

— Si je ne l'avais pas fait, elle aurait deviné que j'avais une liaison. Tu dois bien comprendre ça. C'était très difficile pour moi.

— Difficile pour toi ? Non, je ne comprends pas, pas du tout !

Elle attrapa ses vêtements, les enfila à la hâte.

— Je ne t'aime plus ! J'ai perdu mon temps pendant des mois. J'ai fichu ma vie en l'air à cause de toi. Il se pourrait même que je ne danse plus jamais !

— Mais quelle idée !

— Qu'en sais-tu, toi ? Tu ne sais rien ! Je vais devenir obèse, plus personne ne m'engagera.

— Tu peux le faire passer, intervint Adam à voix si basse qu'elle l'entendit à peine. Je connais un médecin qui...

— Tu veux que j'avorte ? Tu me demandes de tuer ton enfant ? C'est barbare, inhumain !

— Ce n'est pas encore un enfant, Hester. Pour moi, ce n'est encore rien.

— Eh bien, pour moi, c'est un enfant, figure-toi !

Elle tomba assise au bord du lit et éclata en sanglots.

— Ou du moins, c'en était un avant que je ne t'en parle. Maintenant, c'est une partie de toi répugnante qui occupe mon corps. Si je le pouvais, je me l'arracherais du ventre de mes propres mains. Je voudrais faire une fausse couche. Je voudrais ne t'avoir jamais rencontré. J'ai envie de mourir.

— Hester, calme-toi. Tout va s'arranger. Je vais m'occuper de toi.

Hester s'arrêta net de pleurer. Elle prit son mouchoir dans son sac et se moucha. Joue la comédie. Sois digne. Reste droite, maîtrise-toi. Ne lui montre pas à quel point tu souffres. Elle se concentra comme au moment d'entrer en scène pour interpréter un personnage.

— Non, Adam, dit-elle d'une voix qui ne tremblait même pas. Je te remercie beaucoup. Je ne veux pas de ton aide. Ni financière ni autre. Je ne veux plus jamais te revoir. Ne m'écris pas. Disparais de ma vie. Je ne te demande que ça. Je vais essayer de t'oublier. Va retrouver ta Virginia, et j'espère que le regret te fera crever. Mais je ne me fais aucune illusion. Tu es très doué pour effacer ce qui te dérange. Tu ne souffriras pas, et moi, je ne t'autoriserai jamais à poser les yeux sur ton enfant. Si je décide de le garder, bien sûr. J'avorterai peut-être. Je me sens capable de le tuer tellement je te déteste. Tu te demanderas toute ta vie s'il a vu le jour, et à quoi il ressemble, parce que moi, je ne satisferai jamais ta curiosité. Si tu oses m'approcher, j'irai tout raconter à Virginia. Ce n'est pas des paroles en l'air, je t'assure. Je ne lui ferai grâce d'aucun détail. Elle saura tout. Je ne crois pas que ça lui plaira beaucoup. Il y a mieux pour se remettre d'une fausse couche. Je pourrais même lui révéler que nous attendons un enfant. Qu'en penses-tu ?

Adam était devenu blanc comme un linge.

— Hester, tu ne peux pas faire ça.

Elle sourit fièrement.

— J'en suis capable, mais si je me tais, ça ne sera pas pour te ménager. J'aurais honte d'être aussi brutale et égoïste que toi. Enfin, on ne peut jurer de rien. Ne sois pas trop tranquille, je risque de changer d'avis. Maintenant, adieu.

— Je te reconduis.

— Je ne mettrai plus jamais les pieds dans ta voiture.

— Au moins, je vais t'aider à trouver un taxi.

Pendant qu'ils attendaient, ils gardèrent le silence. Hester mobilisait toutes ses forces pour endiguer son désespoir. Si elle ouvrait la bouche, elle ne pourrait plus retenir les larmes qui menaçaient de la suffoquer. Quand un taxi s'arrêta, elle y prit place sans un mot, sans un regard en arrière. Jusqu'à la dernière seconde, elle espéra qu'il allait crier : *Non, non, reviens ! Je regrette ! Bien sûr que je vais quitter Virginia. Nous allons nous marier et élever notre enfant. Ne t'en va pas, je ne peux pas vivre sans toi. Je ne peux pas, je ne peux pas, ne pars pas !*

Mais il ne fit pas un geste pour l'arrêter. Elle entendit un gémissement quand elle claqua la portière, mais ce fut tout. Elle donna son adresse au chauffeur. Il faut encore que je me retienne de pleurer, pensa-t-elle. Je dois tenir jusqu'à la chambre.

Une fois rentrée, elle s'allongea sur son lit et attendit les larmes, mais elles s'étaient figées, s'étaient pétrifiées au centre de sa poitrine, formant un poids terrible qui l'empêchait de respirer. Il faut que je dorme, se dit-elle. Jamais je n'arriverai à suivre la classe demain si je ne me repose pas.

Elle passa la nuit entre la veille et le sommeil, agitée par des cauchemars horribles. Baignée de sueur, elle était prise d'illusions fiévreuses : Adam et Virginia dansaient dans la salle de bal d'Orchard House ; Adam l'embrassait ; son bébé tournoyait dans une brume bleutée et mystérieuse. Un monstre la pourchassait, qui lui rappelait Adam. Elle perdait un enfant adoré, le seul être qui lui restait à chérir. Des pinces métalliques terrifiantes plongeaient en son sein pour l'extirper de son ventre. C'était trop horrible. Jamais elle n'en serait capable. Ah ! Si elle avait pu ne pas être enceinte. Si elle dansait davantage, sautait plus haut, se poussait aux limites de la résistance physique, peut-être ferait-elle une fausse couche. Elle perdrait l'enfant malgré elle. Ce serait merveilleux ! Elle aurait voulu se débarrasser de tout ce qui lui rappelait Adam... Mais supprimer ce bébé volontairement, elle n'en aurait pas le courage. Elle se tournait et se retournait dans son lit. Pitié, mon Dieu, il faut que je dorme. Le jour pointait déjà derrière les rideaux, et ses yeux brûlants la mettaient au supplice. Comment allait-elle réussir à se lever, à passer la journée ? Celle-ci et les suivantes ?...

30 décembre 1986

— Ruby, vous nous sauvez.

Hugo était passé voir la costumière avant la répétition de l'après-midi.

— Je vais essayer de faire jouer l'assurance, continua-t-il, mais ça ne me rendra pas mes costumes. Je ne sais pas ce que je deviendrais sans vous. Merci.

Ruby compulsait ses notes dans un calepin.

— J'ai dressé la liste de ce qu'il faut remplacer. Les dégâts sont moins importants que nous ne le redoutions. Je vais à Leeds tout à l'heure avec Alison. Nous devions partir ce matin, mais l'état des routes nous a retardées. Heureusement, la neige commence à fondre. Les ailes de l'ange seront les plus difficiles à restaurer, mais j'en fais mon affaire. Le résultat dépendra du nombre de plumes que je pourrai récupérer. Vous serez satisfait, je pense.

— J'en suis sûr. Je vous remercie aussi de vous occuper d'Alison. C'est très gentil.

— Mais elle me donne un précieux coup de main, vous savez. Elle est intelligente, et très douée de ses mains. Ce sera bon pour elle de se sentir utile. Il me semble qu'elle n'est pas appréciée à sa juste valeur chez elle. Je me mêle sans doute de ce qui ne me regarde pas, mais...

— Vous avez absolument raison ! Je voudrais l'aider davantage, mais Alison n'est pas ma fille, et je ne peux pas faire grand-chose. Sa mère va parfois un peu loin. Elle vous a peut-être semblée dure à certains moments.

— Votre position ne doit pas être facile.

— Pas facile du tout. Si j'interviens trop, on m'accuse de vouloir prendre la place du père, et si je ne dis rien, je me sens coupable. Vous avez des enfants, Ruby ? Vous avez l'air de savoir y faire avec les adolescents.

— Non, mais j'ai quatre frères et sœurs plus jeunes que moi. Je m'en suis beaucoup occupée.

— Je me demande pourquoi Hester ne s'est pas mariée...

Il y eut un temps de silence.

— Elle a eu des prétendants, mais elle n'a voulu de personne. Elle voyageait beaucoup. Et puis, avec Kaspar Beilin, elle formait un des couples les plus célèbres de la danse. Leur renommée effarouchait les hommes. Pourtant, il n'y avait rien entre eux. Elle était très proche de lui, comme vous vous en doutez, mais ce n'était que la complicité de deux partenaires, et une grande amitié. Hester était trop connue, peu d'hommes voulaient rester dans l'ombre d'une femme comme elle.

— Elle aurait pu se marier plus tôt, avant de devenir étoile. Elle devait être ravissante. Elle est encore tellement belle. Ou plutôt, elle a un charme fou. Elle est lumineuse. Je m'emballe, mais je suis un inconditionnel. Je la trouve merveilleuse, et je l'admire aussi pour Wychwood. Pour moi, gagner ce concours, c'est un tel honneur !

Ruby hocha la tête avec un sourire mais sans répondre. Elle reprit sa liste, et Hugo se sentit congédié.

— Je suis désolé. Je vous prends votre temps. Les danseurs vont arriver pour la répétition. À ce soir, au dîner. Bon courage.

Claudia attendait Hugo devant la salle de répétition.

— Chéri, où étais-tu passé ? Je te cherche partout depuis le déjeuner.

— Je n'étais pas loin, dit-il en lui donnant un rapide baiser.

Il lui ouvrit la porte, puis la suivit.

— Tiens, il n'y a encore personne. Tu les as vus ? J'espère qu'ils ne seront pas en retard.

— Mais ne te fais donc pas tant de soucis, mon chéri !

— Je ne me fais aucun souci. Je reviens justement des costumes, et Ruby va nous tirer d'affaire. Nous évitons la catastrophe de justesse. Nous l'avons échappé belle.

— Mon pauvre petit chou !

Il se laissa caresser les cheveux en se demandant si elle lui avait déjà donné ce surnom ridicule. Peut-être, mais il avait été trop épris pour le remarquer. Les mièvreries de Claudia l'irritaient au plus haut point. Parfois, il en arrivait à ne plus savoir ce qui lui avait tant plu chez elle. Mieux valait ne pas y songer. Silver se faisait attendre. Où était-elle passée ? Ils devaient travailler l'entrée de l'ange puis son premier duo avec Claudia, et il espérait qu'aujourd'hui elle se donnerait à fond.

Pendant que les pensées d'Hugo vagabondaient, Claudia avait continué son monologue. Après quelques secondes, il comprit qu'elle parlait maintenant de son costume.

— J'ai eu bien raison de l'emmener ! Je te l'avais dit, non ? Je les prends toujours dans ma valise, ça me rassure. Tu te rends compte, s'il avait été endommagé ? J'espère que les autres seront à la hauteur. Moi, j'aurais refusé un rafistolage de dernière minute. Un costume créé pour soi, c'est autre chose.

— Ne crains rien. Il y aura une unité. Tu seras merveilleuse.

Pourvu que Silver ne tarde pas trop ! Comment allaient-ils meubler le temps en l'attendant ? Depuis quand avait-il peur d'un tête-à-tête avec Claudia ? Le doute n'était plus permis. Leur relation s'achevait. Ah ! si on pouvait rompre simplement, et dire : *Claudia, nous avons passé deux années formidables, mais maintenant il est temps de continuer notre chemin chacun de son côté. Je t'ai aimée, mais c'est terminé.* Malheureusement, on ne pouvait pas s'en tirer à si bon compte, surtout avec une femme comme elle. Le moment serait particulièrement mal choisi, en pleine répétition de *Sarabande*. Il n'était pas question de mettre le ballet en péril.

— Tu as vu Alison ? lui demanda Claudia.

Elle avait pris possession d'une chaise, et après avoir théâtralement attaché son chignon, elle enfilait ses pointes.

— Elle aide Ruby à réparer les dégâts. Elles doivent faire un saut à Leeds tout à l'heure pour acheter ce qui manque. Ruby la trouve intelligente et très adroite.

— Tant mieux ! J'avais peur qu'elle s'ennuie. Ça m'aurait gênée qu'elle fasse la tête à longueur de journée devant tout le monde.

— Elle n'est boudeuse qu'avec toi, tu sais. Autrement c'est une gamine adorable. Je me demande parfois si tu aimes ta fille, Claudia.

— Mais quelle idée ! Bien sûr que je l'aime. Ça doit se voir, tout de même. Je me mets en quatre pour elle ! Tu me vexes !

— Je suis désolé, mais tu ne le montres pas beaucoup. Tu pourrais être plus gentille avec elle. J'ai envie de te dire ça depuis longtemps.

Il s'arrêta, voyant Claudia pâlir et ses lèvres se crisper. *Mais quel imbécile, je suis fou ! Ce n'est vraiment pas le moment. Elle est furieuse, nous allons nous disputer, et je ne veux surtout pas que Silver nous trouve en train de nous arracher les yeux.*

— Ne te fâche pas, Claudia. Tu es une mère parfaite, bien entendu. Il me semble simplement que parfois tu t'adresses à elle sur un ton qui peut paraître un peu dur. Les adolescentes sont tellement sensibles.

Les yeux de Claudia s'étaient remplis de larmes.

— Tu devrais plutôt t'inquiéter de la façon dont elle me parle à moi ! Moi aussi, je suis sensible. Et moi, j'ai le stress de la scène. Je passe par toutes sortes d'émotions bouleversantes dont elle n'a pas la moindre idée.

À l'immense soulagement d'Hugo, Silver arriva à cet instant. Une dispute avec Claudia serait fatale pour le ballet. Claudia lança un sourire resplendissant à Silver, lui envoya un baiser, et commença à s'échauffer à la barre en parfaite professionnelle, présentant l'image de la danseuse modèle, sérieuse et disciplinée.

— Bonjour, Silver, dit Hugo. Nous n'attendons plus que toi.

— Je suis un peu en retard, pardon. Je discutais avec George. Il est très gentil, mais on a du mal à l'interrompre !

Ils échangèrent un regard complice, puis Hugo alla mettre en marche le lecteur de cassettes. Le thème de l'ange s'éleva.

— Je suis prête, annonça Silver quelques secondes plus tard.

— Bien. Nous allons reprendre depuis ton entrée, mais auparavant, je veux te monter un enchaînement que j'ai mis au point pour la fin de ton solo. Il est un peu difficile. On commence par un jeté en tournant... bien... puis pas de bourré jusqu'au fond de scène côté cour... C'est ça...

En l'observant, il se rendit compte qu'elle se donnait davantage, mais ne livrait pas encore tout. Comment allait-il lui faire sortir ce qu'elle avait dans les tripes ? Il serait très maladroit de lui adresser une remarque devant Claudia. Il vaudrait mieux la prendre à part après la séance. Peut-être aussi avait-elle besoin de s'approprier les nouveaux pas. Elle serait sans doute meilleure après avoir travaillé.

— Oh ! Pardon, je ne savais pas qu'il y avait quelqu'un, s'exclama Hester en entrant dans le salon.

Silver se leva d'un bond du coin du feu.

— Vous préférez rester seule ? demanda Hester.

— Non, pas du tout. Au contraire, je meurs d'envie de vous parler depuis mon arrivée à Wychwood. Je vous admire énormément. Je vous jure. Flûte, je deviens toute rouge ! J'ai l'air d'une idiote.

— Mais non, c'est très flatteur. Ça n'a rien de bête.

On frappa à la porte, et l'employée de maison entra, chargée d'un plateau.

— Merci, Joan, dit Hester. Je prends le thé au salon, en général, ajouta-t-elle en se tournant vers Silver. Voulez-vous vous joindre à moi ? Je vois qu'il y a plusieurs tasses. Vous êtes prévoyante, Joan.

— Je vous en mets toujours au moins deux, expliqua Joan en posant le plateau sur la table basse. Ça m'évite de courir à la cuisine pour en rapporter. Vous avez toujours de la compagnie pour le thé.

Après son départ, Hester reprit sa conversation avec Silver.

— Je vous admire beaucoup aussi, vous savez. J'ai manqué votre *Lac des cygnes*, mais j'ai lu les critiques. Je vous ai vue dans ce beau ballet moderne, comment s'appelait-il, déjà ? Ah, oui ! *Rouge carmin*. La compagnie Carradine a de la chance d'avoir obtenu votre participation pour *Sarabande*. Les répétitions se passent bien ? Vous êtes satisfaite ?

— Je crois que nous progressons. C'est difficile de se rendre compte, au début. Pour l'instant, nous avons surtout travaillé individuellement. Hugo nous mène à la baguette. D'ailleurs, il vient d'ajouter un enchaînement épouvantable à mon premier solo. On dirait qu'il cherche à m'épuiser. Ne lui répétez surtout pas !

— Ne craignez rien, je serai muette. Mais je suis sûre qu'il ne s'acharne pas contre vous volontairement. Il ne s'intéresse qu'au résultat. Il a de l'ambition pour *Sarabande*, et il compte beaucoup sur votre performance.

— Ce n'est pas une raison pour me torturer ! Personne ne m'a jamais traitée aussi durement. Parfois, j'ai l'impression d'être retournée à l'école et de me faire gronder comme une mauvaise élève... Excusez-moi, je ne devrais pas me plaindre autant. Ne faites pas attention. Je suis fatiguée. Parlons plutôt de vous. Je vous adore depuis mes six ans. Ma mère m'avait offert la vidéo de *Don Quichotte* pour mon anniversaire, avec vous et Kaspar Beilin. Je l'ai tellement regardée qu'elle a fini par se casser, et il a fallu en racheter une.

— Merci. Les compliments me réchauffent toujours autant le cœur ! Ne vous inquiétez pas pour Hugo. Ce n'est pas par méchanceté qu'il vous brusque. Piers Cranley, le directeur de troupe qui m'a donné ma chance, devenait un vrai dictateur quand il nous dirigeait alors que c'était un homme charmant en privé. J'imagine qu'Hugo est la gentillesse même en dehors des répétitions.

— Je lui en veux trop pour beaucoup lui parler quand nous ne répétons pas ! Peu importe, la situation va sûrement s'arranger. J'adore la musique du ballet.

— C'est un grand ami qui l'a composée. L'œuvre originale, s'entend, pas les variations de jazz qu'Hugo utilise. Edmund Norland. Je connais Edmund depuis des années, et il est enchanté que ce morceau soit ressuscité. Il arrive dans deux jours, et il est très impatient de voir le travail d'Hugo.

— Je savais que vous vous connaissiez. Je l'ai lu dans le *Sunday Times*. On parlait aussi de votre accident. Quel grand malheur d'être obligée de se retirer du métier aussi brutalement.

— J'admets que je n'ai pas eu de chance. J'ai eu une belle carrière, mais elle s'est arrêtée de façon un peu prématurée. Une petite chute qui aurait dû être sans gravité et ne m'immobiliser que quelques jours. Mais non : fractures multiples, et j'ai dû raccrocher les chaussons.

— Quel coup terrible. J'aurais été au désespoir !
Hester soupira, puis eut un sourire.

— Oui, c'est vrai, j'ai passé quelques très mauvais

moments. Je suis restée cachée dans mon lit pendant des semaines, sans perspectives, anéantie. Je ne voulais voir personne, parler à personne. Quand j'ai été rétablie, je n'avais même plus envie de sortir. Sans Edmund, je me serais laissée mourir. Edmund m'a sauvée, avec l'aide de mon vieux professeur, Mme Olga. Ils m'ont obligée à me secouer, m'ont montré que je pouvais faire autre chose. Il y a une vie après la danse. Mais j'ai souffert. Je ne parle pas souvent de cette période, mais vous avez l'air de comprendre. J'espère que je ne vous ai pas déprimée !

— Bien sûr que non !

Silver se leva impulsivement pour aller s'accroupir à côté du fauteuil d'Hester. Elle lui saisit les mains et les serra dans les siennes.

— Au contraire, je suis honorée que vous m'ayez raconté ça. Oui, je vous comprends. Je sais que ça ne sert à rien, mais je compatis. Vous êtes tellement courageuse ! Je ne regrette vraiment pas d'avoir pris le rôle dans *Sarabande*. Au début, j'hésitais, mais je voulais vous rencontrer, et venir à Wychwood. J'ai bien fait.

Elle se pencha, posa vite un baiser sur la joue d'Hester, puis se releva.

— C'est promis : j'arrête de m'apitoyer sur mon sort. Je ferai encore plus d'efforts. Je suis tellement heureuse de vous avoir parlé !

Elle se sauva sans laisser à Hester le temps de répondre ; dans son sillage flottait un parfum vanillé avec une pointe... de santal. Hester se sentait toute revigorée par cette rencontre. C'était tellement délicieux de se savoir appréciée... Pure vanité, sans doute, mais pourquoi bouder son plaisir ? Était-ce de l'immodestie d'aimer les compliments, l'admiration ? En tout cas, pensa-t-elle, je n'ai jamais joué les divas. Je n'étais pas comme Claudia. Claudia quête les regards, elle se pavane. Silver, elle, ne se conduit pas comme une star. Elle est sûre d'elle sans pour autant être imbue de sa personne. Une qualité rare. Et puis sa réserve ne l'empêche pas d'être chaleureuse. On ne recevait pas souvent de baisers aussi affectueux et désintéressés. La spontanéité de Silver lui allait droit au cœur.

— Tu rentres ? demanda Nick à Claudia à la fin de la répétition.

Penchée en avant pour remonter la fermeture de ses bottes, elle sentit son regard posé sur elle, ou plus exactement sur ses jambes gainées de noir. Elle eut un sourire en imaginant ses pensées. Il n'a qu'à me toucher, puisqu'il en a envie, songea-t-elle. Évidemment, c'était difficile devant tout le monde.

Elle se redressa.

— Je vais passer par l'extérieur. J'ai besoin d'une cigarette. Puisque Hester ne veut pas qu'on fume à l'intérieur, je suis obligée de me geler le nez. Je serais ravie que tu m'accompagnes... Si tu n'as pas peur du froid.

— Je n'ai jamais froid, et encore moins quand je suis avec une belle femme.

— Flatteur !

Ils sortirent du théâtre en riant, et Claudia s'arrêta dès la porte franchie pour allumer sa cigarette.

— Ça me fait du bien de rire, remarqua-t-elle. Hugo prend tout tellement au sérieux ! C'est un grand inquiet. Parfois, j'ose à peine respirer en sa présence.

— Il est fou. Quand on a la chance de t'avoir, on ne devrait pas penser à autre chose.

Claudia le regarda. Il était vraiment craquant ! Elle avait envie de se jeter à son cou, mais attention. Dans le jeu de la séduction, il fallait ne pas céder trop vite pour aiguillonner le désir. Mais elle ne le ferait pas attendre longtemps, songea-t-elle avec un trouble délicieux. Elle ne résistait jamais à la tentation. Nick l'embrasserait... Elle en avait déjà le vertige. Elle aspira une bouffée et souffla la fumée dans l'air gelé, puis elle prit le sentier, Nick à ses côtés.

— Ce n'est pas ce que j'ai entendu dire, remarqua-t-elle.

— À quel propos ?

— Es-tu sûr que tu voudrais vraiment m'avoir ? Moi ou n'importe quelle autre femme, d'ailleurs ?

— Ah ! Je vois ! s'exclama Nick avec un rire. La rumeur que je suis gay court toujours. Il ne faut pas croire tout ce qu'on entend ! Les gens déforment tout, parfois. Tu devrais le savoir.

— Alors tu n'es pas… Tu n'as jamais…

— Jamais est un bien grand mot. Admettons que les hommes ne m'ont pas toujours laissé indifférent. Surtout quand j'étais plus jeune. Quoi qu'il arrive, je fais très attention. Avec le sida…

— C'est bien de se protéger.

Cette épouvantable maladie l'avait comme tout le monde amenée à changer certaines habitudes. Que Nick pense au sida, rien de plus naturel, mais sa bisexualité affichée la laissait plus perplexe. Qu'on aime indifféremment les hommes et les femmes, cela l'étonnait. L'un ou l'autre, très bien, mais les deux ? Peu importait, si Nick la trouvait attirante, elle n'allait pas s'en plaindre. Encore mieux, elle y voyait un défi à relever : *Je vais le convertir définitivement*, se disait-elle. *Quand il aura couché avec moi, il ne sera plus le même. Il ne regardera plus jamais un homme. Ni une femme, d'ailleurs.* Elle lui ferait passer l'envie de folâtrer.

En chemin, ils parlèrent de *Sarabande*, échangèrent quelques commérages sur les membres de la troupe et sur Hester Fielding, mais le trajet n'étant pas long, ils arrivèrent vite au manoir. La promenade allait s'achever, et Dieu sait quand ils retrouveraient l'occasion de se revoir seuls. Qui ne tente rien n'a rien, pensa-t-elle.

— Je vais prendre un bain. J'aurais bien aimé que tu puisses venir me frotter le dos.

Il s'arrêta net et la regarda dans les yeux. Il avança la main pour attraper une mèche échappée de son chignon, puis la roula doucement entre ses doigts. Claudia trouva le geste très érotique. Il se pencha pour lui parler à l'oreille, lui tenant le bras. Précaution inutile, car personne n'était à portée de voix.

— J'aurais bien aimé aussi… Mais je ne me contenterais pas de si peu, Claudia. Tu me plais beaucoup, tu sais. C'est une torture de danser avec toi. Nous n'allons pas en rester là.

Claudia hocha la tête, incapable de répondre. Ne pas en rester là, avec plaisir, mais comment ? eut-elle envie de demander. Je dors dans la même chambre qu'Hugo, et ma fille me colle aux basques.

— Bientôt, promit Nick en s'éloignant.

Elle le suivit à la porte, se rendant compte un peu tard qu'on aurait pu les voir d'une fenêtre. Heureusement, elle aurait le temps de retrouver ses esprits avant le retour d'Hugo. Elle sourit. Oui, Nick, bientôt, très bientôt.

— Claudia ne se débrouille pas trop mal.

Hester hocha la tête à ce commentaire d'Hugo et le laissa continuer.

— J'avais peur qu'elle n'arrive pas à danser son rôle. Elle a perdu de la puissance depuis deux ans, mais on dirait qu'elle se rattrape. Elle a beaucoup plus d'énergie. C'est peut-être l'influence de Nick. Les danseuses sont parfois meilleures avec un partenaire plus jeune.

— C'est vrai. Regardez, moi et Kaspar Beilin. Fonteyn et Noureïev. Un beau garçon énergique galvanise souvent la danseuse. Je suis sûre qu'elle dansera très bien.

— Silver nous fera honneur aussi, en tout cas je l'espère. Je lui ai montré le nouvel enchaînement que vous avez suggéré, et elle s'y est mise sans rechigner.

Il prit le verre de vin que lui avait servi Hester et en but une gorgée. C'est le meilleur moment de la journée, songea-t-il. Cette pièce agréable, et ma conversation avec Hester.

255

— C'est un vrai soulagement de pouvoir discuter avec vous de ce qui me préoccupe. J'apprécie beaucoup nos rencontres. Pendant les répétitions, je note des questions à vous poser. Je vous suis reconnaissant de me recevoir tous les jours.

— Mais pour moi aussi c'est important ! Je veux être accessible au chorégraphe. J'aime savoir ce qui se passe chez moi, aussi. Parler de danse me rend bien un peu nostalgique, mais ça n'a rien de désagréable. On a beau se croire guérie de la scène, ce n'est jamais vraiment le cas. J'imagine que je suis enfin devenue sage, que la cinquantaine ne me fait pas peur, que mes performances physiques ne me manquent plus, et puis soudain, j'entends un air, je vois une jeune danseuse comme Silver, et les regrets se réveillent. Je donnerais n'importe quoi pour retrouver ma vie d'autrefois. Aller à une répétition, mettre mes pointes, attendre dans les coulisses, la scène inondée de lumière s'étendant comme un désert devant moi.

Elle s'interrompit avec un sourire.

— Désolée, je suis un peu lyrique. Vous avez une qualité rare qui donne envie de se confier.

— C'est un grand honneur. Vous pouvez avoir confiance en moi, je ne vous décevrai pas. Je donnerai le maximum pour *Sarabande*, je vous le promets.

— J'en suis persuadée. Reprenez un verre avant de partir.

— Ce n'est pas très raisonnable. J'ai encore beaucoup à faire avant le dîner. Juste une goutte, alors.

En regardant Hester lui verser du vin, Hugo sentit une grande paix monter en lui. Elle avait le don de lui redonner des forces, de le rassurer. Avec elle, il retrouvait son calme. Il ferma les yeux et entendit de légers ronflements. C'était Siggy, endormi devant le feu.

31 décembre 1986

Silver se plaça derrière Alison pour la regarder dans le miroir.

— Pas mal. Ouvre un peu la bouche... Ça va. Ce rouge à lèvres s'appelle *Tulipe*. Je l'aime beaucoup. Il ne va pas souvent aux brunes dont le teint mat jure avec certains roses. Toi, tu as de la chance : tu as la jolie peau laiteuse de ta mère, même si tu n'es pas rousse.

— Dommage que mes boutons gâchent tout, hein !

Silver reprit la séance de maquillage.

— Tout le monde a des boutons. Pourquoi crois-tu qu'on a inventé le correcteur et le fond de teint ? Tiens, regarde, tu te vois des boutons ?

— C'est moi, ça ? Je ne me reconnais pas du tout. Attends, c'est fantastique. Quelle chance d'être tombée sur toi tout à l'heure !

Silver avait rencontré Alison devant chez Claudia et Hugo, les yeux pleins de larmes. Elle l'avait entraînée dans sa chambre.

— Qu'est-ce qui t'arrive ? avait-elle demandé. Pourquoi tu pleures ?

— Le pire, c'est que ça va me rendre encore plus moche !

— Tu t'es disputée avec ta mère ? J'ai passé toute mon adolescence à me bagarrer avec la mienne, et ça finissait toujours comme ça. Il faut boire, ça fait du bien. Je n'ai que de l'eau minérale, mais à la guerre comme à la guerre. La prochaine fois que je danserai à la campagne, j'emporterai une bouteille de gin. Pourquoi vous êtes-vous disputées ?

— Oh, pour rien. Comme d'habitude. Je suis allée lui demander ce que je devais mettre pour le réveillon, et elle m'a répondu que ça ne servait à rien de se casser la tête parce que, de toute façon, rien ne me va. Voilà. C'est tout.

— Elle n'a sûrement pas dit ça !

— Presque. Elle a dit : « Mets ce que tu voudras », sous-entendu, « tu seras toujours grosse et laide ».

— Alison, voyons !

Silver l'examina avec attention.

— Tu as un pantalon noir propre ?

— Oui.

— Et pour le haut, tu as du noir, aussi ? Un T-shirt à manches longues, par exemple. Ou un pull fin, du moment qu'il est noir.

— Oui, j'en ai un.

— Bon, dans ce cas, va les chercher et ramène-les dans… disons une demi-heure, histoire de laisser le temps à tes yeux de dégonfler.

Elle se dressa sur la pointe des pieds et agita une baguette magique imaginaire au-dessus de la tête d'Alison, avec un beau sourire chaleureux.

— Toi aussi, tu iras au bal, Cendrillon ! Tu verras si tu es grosse et laide une fois que je serai passée par là. Tu es très bien, je t'assure.

Maintenant que son maquillage était terminé, Alison devait bien donner raison à Silver. Elle pressa doucement les lèvres pour sentir son rouge Tulipe, mais ce qu'elle préférait, c'étaient ses yeux. De l'ombre brun-vert, une touche de fard plus claire, et une ligne noire très fine au bord de la paupière, qui se voyait à peine, mais qui changeait tout. Ses cils étaient méconnaissables sous le mascara : longs, épais, et noirs comme ceux d'une star.

— C'est important de mettre les yeux en valeur quand on porte des lunettes, avait expliqué Silver.

Elle considéra son œuvre avec satisfaction.

— Si je n'avais pas été danseuse, j'aurais adoré faire ce métier. Maquillage, coiffure. Relooking. Tu vois comme tu es belle ?

Alison ne put que sourire. Silver l'avait convaincue de se détacher les cheveux. Heureusement, elle les avait lavés le matin. Ils étaient souples sur ses épaules, et bien brillants, comme dans les publicités pour shampooing. Silver lui avait noué un foulard autour du cou, en soie, argent et rose, très joli. Ces couleurs mises à part, elle ne portait que du noir, ce qui la rendait... peut-être pas plus mince, mais en tout cas moins massive.

— Dommage que je ne puisse pas te prêter de chaussures, remarqua Silver. Tes bottes ne sont pas mal, mais la prochaine fois, choisis une paire avec un peu de talon. C'est toujours préférable de se grandir un peu.

— Ce que tu es sympa !

— Ça me fait plaisir. Je t'assure, ça m'amuse. Ne te laisse pas abattre, on les aura !

Alison la quitta, métamorphosée. Elle se sentait plus courageuse, plus belle, plus séduisante.

Elle adorait le réveillon du Nouvel An. Elle se représentait l'année comme un toboggan qui commençait en haut à gauche, et descendait vers la droite. Le premier janvier, on remontait jusqu'au sommet, puis on glissait vers l'hiver suivant. Ce n'était finalement pas si mal de finir l'année à la campagne sous la neige !

Les vacances devenaient franchement amusantes. Elle avait beaucoup apprécié son expédition à Leeds avec Ruby, et le lendemain, elle passerait la journée à s'occuper des costumes et des accessoires. Elle attendait le dîner avec impatience. La chance aidant, elle arriverait même à s'asseoir à côté de Nick, ou en face de lui. Souvent, son imagination était si vive qu'elle avait l'impression de voir ses pensées projetées sur grand écran. Le réveillon avec Nick : ils trinquaient à minuit, riaient ensemble, dansaient dans les bras l'un de l'autre. Ils s'embrassaient même, pourquoi pas. Mais Alison ne s'attardait pas sur ce point, parce que cela devenait trop déprimant quand elle refaisait surface. Elle se sentait ridicule. Nick était gay, et, de toute façon, il n'irait pas chercher une fille comme elle.

Arrivée à l'escalier, elle fit une pause sur le palier. Nick l'attendrait en bas des marches. Il l'admirerait pendant qu'elle descendait, princière, légère et élégante, son foulard rose et argent flottant à son cou. Il dirait : *Tu es magnifique, Alison. Je n'avais pas remarqué que tu étais aussi séduisante. Assieds-toi près de moi ce soir. Nous devons mieux faire connaissance...*

— Tiens, salut, la belle !

Alison sursauta, et vit en rougissant que Nick, le vrai Nick et non celui de son fantasme, l'attendait en bas. Plongée dans ses pensées, elle ne l'avait même pas vu !

— Salut...

Il y avait plus inspiré, mais c'était tout de même un début de conversation.

— Dis donc, tu t'es fait ravaler la façade ! Et par quelqu'un qui connaît sa partie. Tu es superbe.

— Silver m'a maquillée.

— Elle se débrouille bien. Viens dans la salle à manger. On dîne en grande pompe, ce soir. Prends mon bras, nous allons faire une entrée remarquée.

Il emprisonna le bras d'Alison sous le sien, et lui tapota la main. Ses muscles se tendirent à travers la chemise. Durs comme du bois ! Et il sentait très bon. C'était le plus beau jour de sa vie. Au bout de la pièce, la table était dressée, avec nappe blanche, fleurs et plusieurs verres à chaque place. La troupe était rassemblée pour l'apéritif, et toutes les têtes se tournèrent à leur arrivée.

— Nick ! s'exclama Claudia en accourant. Nous nous demandions où tu étais passé ! (Elle dévisagea Alison.) Tu es ravissante. Quelqu'un a eu la bonne idée de te faire abandonner tes chiffons habituels ! Et le maquillage... Très réussi.

— Silver m'a aidée. C'est elle qui m'a prêté le foulard.

— Bravo ! C'est très gentil de sa part. (Elle se tourna vers Nick.) Je me tue à lui donner des conseils, mais évidemment, on n'écoute jamais sa mère. Il suffit que Silver arrive, et miracle !

Alison se garda bien de la contredire. Personne, sauf elle, ne pouvait soupçonner à quel point Claudia était furieuse. Elle était déjà jalouse de Silver parce qu'elle était plus jeune et meilleure danseuse, mais là, ce devait être le comble de la voir agir comme si elle était une cousine d'Alison ou sa meilleure amie. Tant mieux si Claudia le prenait mal ! Elle l'avait bien cherché. Et elle ne pouvait rien dire : si elle se plaignait, elle paraîtrait mesquine.

— Bon, chérie, tu as monopolisé ce pauvre Nick assez longtemps. Il a joué le galant homme en accompagnant la princesse au bal, mais maintenant, je vais lui servir un verre.

Claudia effleura la main de Nick et lui lança une œillade. Il se laissa entraîner vers le bar avec un regard d'excuse qui signifiait : *Ce n'est pas ma faute, je n'y peux rien. Je préférerais rester avec toi.* En tout cas, ce fut ainsi qu'elle interpréta son sourcil levé et son sourire en coin.

Je m'en fiche, il m'aime bien, pensa Alison. S'il dit que je suis jolie, ça doit être vrai. Claudia s'était faite belle, elle aussi, et ressemblait à un lutin élégant dans sa combinaison moulante en velours brun imprimé de grosses feuilles vertes, évasée à la hauteur du mollet. Ilene portait une robe bleu canard, et Ruby un kilt long, avec un chemisier noir en soie. La robe d'Hester, haut ajusté et jupe ample, était taillée dans un tissu rouge foncé très souple, parcouru de fils d'or. À chaque mouvement, l'étoffe scintillait dans la lumière.

Mais malgré l'élégance générale, quand Silver parut, les

autres femmes furent toutes éclipsées, Hester comprise. On entendit un soupir collectif. Elle portait une robe noire droite très simple, bras nus, mais sur les épaules, elle avait drapé un immense châle soyeux qui descendait aux pieds. Il semblait avoir été taillé dans la mer : bleu, vert, violet et argent, des couleurs intenses qui se mêlaient les unes aux autres. Il était fluide comme une vague sur son fond noir. Ses pendants d'oreilles, argent et cristal, lui arrivaient presque aux épaules, et ses chaussures argentées à très hauts talons envoyaient des reflets. L'effet était saisissant, songea Alison. Ses talons la grandissaient tellement qu'elle dépassait tout le monde, sauf Hugo.

— Silver, tu es resplendissante, s'exclama-t-il en avançant pour l'accueillir.

Il l'embrassa sur une joue, puis sur l'autre. Alison surprit l'expression furieuse de sa mère. Tiens ! Elle pense que Silver plaît à Hugo. Ce n'est pas impossible, d'ailleurs. Une inquiétude la prit. Que se passerait-il si sa mère et Hugo se séparaient ? N'y pense pas, se dit-elle. C'est le réveillon. Je veux m'amuser.

Quel régal ! songea Alison. Elle parcourut la table du regard : à part elle, personne ne faisait attention au contenu des assiettes. Elle prit une gorgée de vin. Dégoûtant. Elle en avait accepté un verre pour avoir l'air adulte, mais dès qu'elle aurait terminé, elle prendrait du jus d'orange. Son assiette était remplie de pommes de terre au four bien dorées, d'oie ou de canard, elle ne savait pas, et de légumes qui n'avaient rien à voir avec ceux de la cantine. C'était délicieux. Seul Siggy semblait se régaler autant qu'elle. Il s'était posté sous la table à ses pieds, et attrapait les petits morceaux de viande qu'elle laissait tomber pour lui. La troupe jouait vaguement avec la nourriture, discutait et buvait beaucoup. À la fin du repas, les assiettes seraient encore presque pleines. Les danseurs ne mangeaient rien. C'était bien sa veine ! Sa mère ne sortait jamais au restaurant avec Alison, qui se sentait très privée. Papa m'emmenait au chinois, se souvint-elle. Il y avait des lanternes au plafond. Sans doute était-elle très petite alors, parce qu'elle se rappela aussi qu'elle avait été terrorisée par un masque de dragon rouge et or. Elle le revoyait dans tous ses détails. Ah ! si elle avait pu y retourner avec son père, elle n'aurait plus peur, maintenant.

Joan et Emmie débarrassèrent la table, et Siggy les suivit à la cuisine. Vu la quantité de restes, il allait avoir de quoi festoyer pendant des semaines. Le moment du dessert arriva. On l'apporta dans trois plats identiques, dignes d'un grand restaurant. Une généreuse couche de framboises à la crème prise entre deux épaisseurs de meringue blanche.

— La maîtresse de maison est une connaisseuse ! s'exclama Andy en se tournant vers Alison. De la meringue Pavlova. Le dessert traditionnel des danseurs.

Il s'en servit une généreuse portion.

— On n'en voit plus souvent, remarqua-t-il. Les gens n'osent plus rien avaler. Il ne faut quand même pas exagérer.

Alison hocha la tête. Elle termina trop vite, et se demanda combien de temps il allait falloir rester à table. Elle ne s'ennuyait pas, mais elle aurait préféré être assise plus près de Nick. L'attitude de sa mère la gênait, aussi. Elle était vautrée sur lui, un bras passé sur le dossier de sa chaise. Visiblement, elle avait trop bu, et elle se ridiculisait encore plus que d'habitude.

Personne ne semblait s'en formaliser, et les conversations allaient bon train. Malgré sa pudeur, Alison se posa pour la centième fois des questions sur les préférences sexuelles de Nick. L'idée de Nick au lit, que ce soit avec un homme ou une femme, n'avait rien de déplaisant. Au contraire. Elle y trouvait même tellement de plaisir qu'elle commençait à s'inquiéter un peu.

Pour l'instant, tout va bien, pensa Claudia. La petite fête du réveillon se passait beaucoup mieux qu'elle ne l'avait redouté. Le hasard l'avait placée loin d'Hugo, dont elle était séparée de surcroît par une jungle de fleurs, et à côté de Nick. Elle avait flirté avec lui pendant tout le repas. La présence d'Hugo ajoutait même du piquant à la situation, l'astuce consistant à faire croire qu'il ne s'agissait que d'un jeu. D'ailleurs ce n'était guère plus que cela. Le vin, exquis, lui montait à la tête. Elle se sentait tous les courages, et le danger l'amusait.

— On ne pourrait pas sortir de table discrètement ? murmura-t-elle.

— Tout le monde s'en apercevrait. Hugo ne serait pas très content.

— Il boit, et il ne parle qu'à Hester. Je devrais sans doute être jalouse. Elle est très séduisante.

Elle passa un doigt sur la cuisse de Nick.

— Tu as une fiancée, un fiancé ?

— Je suis un électron libre, dit-il avec un sourire plein de promesses.

Claudia but une gorgée de vin pour reprendre ses esprits. Ne pourraient-ils pas trouver le moyen de s'éclipser discrètement un petit moment ?

Elle se redressa sur son siège, et son regard fut attiré par Alison, à l'autre bout de la table, qui la contemplait, choquée. Pourvu qu'elle ne se mette pas à pleurnicher. Elle aurait l'air d'une dinde.

— Tu me donnes à boire, chéri ? demanda-t-elle à Nick.

— Tu pourras danser demain avec la gueule de bois ?

— Mais bien sûr ! Je suis très hési... euh... résistante.

Son lapsus lui donna un fou rire qui dura un peu trop longtemps.

— Je ne vous monopolise pas trop, j'espère, dit Hugo à Hester. Arrêtez-moi dès que vous en aurez assez, j'ai un peu trop bu. Quel délicieux dîner !

Hester lui sourit.

— J'apprécie beaucoup notre conversation, et je reconnais que le repas était excellent. Regardez-moi ce champ de bataille !

Il ne restait que des assiettes sales sur la table abandonnée, des miettes, des serviettes chiffonnées, des verres teintés de rouge. Les autres convives étaient allés prendre le café au salon, laissant Hugo et Hester seuls dans la grande salle à manger.

— Voulez-vous aller les rejoindre pour le café ? Je vous ai fatiguée avec mes discours.

— Pas du tout.

Hester lui posa une main sur le poignet.

— Vous avez besoin de parler, et moi, ça me fait plaisir de vous écouter. Nous n'avons pas pu nous retrouver aujourd'hui pour notre petit conciliabule à cause du réveillon.

Elle désigna la salle à manger d'un geste large, et Hugo vit dans ce mouvement la trace de la merveilleuse danseuse qu'elle avait été. Son parfait port de bras, ses positions de mains élégantes n'avaient pas disparu. Je suis soûl, songea-t-il, je ferais mieux d'aller me coucher.

Mais il n'arrivait pas à s'arracher à la compagnie d'Hester.

— Parfois, j'ai peur de ne pas vous donner satisfaction... D'abord, les costumes et les accessoires, et puis mes difficultés avec ma danseuse principale. Non, je suis trop critique, c'est le vin. Je vous demande pardon. J'ai confiance en Claudia, mais...

Hester se taisait, les yeux posés sur lui avec une gentillesse réconfortante. Elle ne le jugeait pas. Ne lui reprochait pas ses doutes, son manque de loyauté. Elle comprenait. Il but encore un peu et continua.

— Silver progresse. Elle prend mes conseils au sérieux. Elle ne se donne pas encore tout à fait suffisamment à mon goût, mais...

265

— Je suis sûre qu'elle y arrivera. Je lui ai parlé hier, et je la trouve dans un très bon état d'esprit. Elle est intelligente. Elle répondra à vos attentes.

— Et puis j'ai peur de vous décevoir, Hester.

— Je n'ai aucune crainte. *Sarabande* sera un excellent ballet. Il faut vous rassurer. Vous êtes un chorégraphe inspiré, vous savez.

— Je ne doute pas de moi, mais plutôt des autres. Parfois, on est désenchanté, on ne ressent plus les mêmes sentiments...

— Ce n'est pas le moment de songer à cela. Restez discipliné. Travaillez, ne vous occupez que de la danse. Je sais que c'est votre objectif. Pour l'instant, *Sarabande* doit être le centre de votre vie. Quand ce sera fini, alors vous pourrez vous autoriser à réévaluer votre relation avec Claudia. C'est bien de Claudia qu'il s'agit, n'est-ce pas ?

— Oui. Le moment est mal choisi, mais elle est tellement... Vous l'avez vue, ce soir ? Vous avez remarqué son comportement avec Nick ? Elle tient très mal l'alcool. Mais vous avez raison, je ne dois pas penser à elle. C'est un soulagement d'être obligé de se préoccuper de problèmes matériels, et Dieu sait qu'il y en a eu !

— Les costumes et les accessoires seront réparés. Ruby est une femme de confiance, et avec Alison comme apprentie, elle ira encore plus vite. Elle trouve que cette petite est très douée.

— C'est vrai. Elle me manquerait si je quittais Claudia. Claudia est trop dure avec elle. On a beau faire, on a beau vouloir bien se conduire, on ne commande pas ses sentiments. On ne peut agir que de son mieux.

Hugo eut un soupir.

— Vous, Hester, vous vous êtes toujours conduite avec élégance, j'en suis certain. Vous n'avez jamais dû faire souffrir personne de votre vie.

— Vous êtes plus naïf que je ne le pensais. J'ai

beaucoup de regrets, au contraire. J'aurais souvent dû m'y prendre autrement.

— Par exemple ?... Vous voulez me raconter ?

— Non, pas ce soir. Une autre fois peut-être. Maintenant, il est grand temps de rejoindre les autres.

— Vous avez sans doute raison. Mais j'aime tellement vous parler. Vous êtes... une déesse. Exactement, Hester, vous êtes une déesse.

— Et vous, vous avez trop bu, et vous dites des bêtises. J'ai envie d'un café. Venez.

Claudia regardait dehors par la fenêtre du salon. La maisonnée dormait ; il était très tard. Le jardin enneigé luisait dans la nuit. Après le dégel de la veille, de nouvelles chutes de neige avaient déposé un tapis blanc immaculé. Elle était convenue avec Nick qu'ils se retrouveraient pour une petite promenade. Ils devaient être fous. Après le café, elle était montée et avait passé un pantalon, un pull et des chaussettes en laine. Ce rendez-vous lui semblait la plus amusante des escapades. Elle avait envie de marcher dans la neige, d'y laisser les traces de ses pas. Son manteau et ses bottes étaient dans le hall. Nick devait déjà l'attendre sur le banc, il allait geler si elle ne se dépêchait pas.

Dehors, la neige, dure et glacée, craquait sous les pieds. Claudia tâcha de suivre le sentier qui ne se distinguait plus que par les buissons blancs qui le bordaient. On aurait dit de petites collines. Une épaisse buée sortait de sa bouche à chaque respiration, et restait en suspension dans l'air.

Comme convenu, Nick était devant l'Arcadia, affalé sur le banc, épuisé, tête en avant. Peut-être s'était-il endormi. Ce rendez-vous dehors, par ce froid, n'était peut-être pas très bien choisi.

— Nick ? Nick, ça va ?

Il se redressa avec un sursaut.

— Ah ! Claudia. Je me demandais où tu étais passée J'ai un peu trop bu. Entrons dans le théâtre pour nous réchauffer. Nous risquerions de nous transformer en bonshommes de neige.

— Tu as raison.

Elle lui prit la main. Il portait des gants, son manteau et une écharpe en laine. Même s'il était engourdi par la boisson, il lui restait assez de jugeote pour bien se couvrir. Ils entrèrent, puis d'un commun accord empruntèrent le passage pour retourner au manoir.

— Allons dans ma chambre, murmura Nick dans la pénombre.

Il s'arrêta brusquement et se tourna vers elle.

— Tout le monde dort. Tu entends ce silence ? On croirait que...

— On croirait quoi ?

— Que nous sommes les seuls êtres vivants sur terre. Je le voudrais bien !

Le cœur de Claudia s'emballa. Nick lui posa les mains sur les épaules. Ils restèrent ainsi un moment, sans bouger, sans parler. Un puissant désir l'avait envahie. Quand il la prit dans ses bras, elle sentit son visage contre le sien, son odeur, la pression autour de sa taille. Vite, qu'il m'embrasse ! Avant même qu'elle eût formulé cette pensée, la langue de Nick s'était insinuée entre ses lèvres. Il s'attarda, puis s'arracha à leur baiser et lui murmura à l'oreille. Elle eut presque l'impression que sa voix entrait directement dans sa tête : *Claudia, Claudia, tu sais ce que tu me fais ? Je te désire comme un fou. Je ne pense à rien d'autre qu'à ton corps... Claudia, embrasse-moi. Ne dis rien. Viens plus près.*

Elle ferma les yeux et se laissa emporter. Leur baiser se prolongea tandis que Nick la plaquait contre le mur du couloir, ouvrait son manteau, s'emparait de ses seins. Il passa une main sous son pull. La caresse la fit gémir. Il s'écarta brusquement d'elle, et s'appuya de l'autre côté, beaucoup trop loin.

— Viens, Claudia, on monte.

Elle le rejoignit en deux pas, se colla à lui, attira sa tête vers elle à deux mains. Elle l'embrassa à en perdre le souffle, puis ils franchirent les derniers mètres, traversèrent le hall et prirent l'escalier. La maison était plongée dans un profond silence.

— Chut, murmura Nick. Il ne faut pas les réveiller.

Claudia hocha la tête. *Et Hugo ?* Tant pis. Il dormait sûrement. Il était monté depuis plus d'une heure, abruti par l'alcool. S'il s'apercevait qu'elle s'était couchée plus tard que lui, elle trouverait bien une excuse. Elle avait beaucoup d'imagination. Pour l'instant, rien ne comptait que Nick. La porte de sa chambre était là, devant eux. Il ouvrit, et ils entrèrent sans attendre. Il la renversa sur le lit et l'embrassa de nouveau. *Je voudrais que ça dure toujours,* songea-t-elle.

Dans son lit, Hester se souvenait avec angoisse d'un autre Noël. De longues années la séparaient de cette période terrible, mais elle avait toujours aussi mal quand elle y pensait.

Le lendemain aurait lieu l'enterrement d'Adam. Pauvre Edmund ; d'ici quelques heures, il rendrait un dernier hommage à son meilleur ami. Comment bannir le passé ? Elle ferma les yeux, appelant le sommeil. Malheureusement, ses pensées allaient la suivre jusque dans ses rêves comme des ombres.

1952

Le lendemain de sa rupture avec Adam, Hester se réveilla avec l'impression de ne pas avoir dormi de la nuit. Elle avait pourtant dû sommeiller, comme le lui prouvait le souvenir de ses cauchemars. Elle fit comme elle en avait l'habitude, c'est-à-dire qu'elle se leva, vomit, prit du thé et un biscuit, puis alla à son cours. Elle n'osait se confier à personne, se sentait séparée de la troupe par une paroi de verre. On lui adressait des remarques auxquelles elle ne trouvait pas de sens, et s'excusait en expliquant qu'elle avait mal à la tête. Le son de sa voix lui semblait monter du fond de l'eau.

— Hester, tu es avec nous ? demandait Piers en la regardant avec une attention trop soutenue.

— Oui, Piers.

Le moindre geste était un effort ; même les pas si bien connus, les pliés, les arabesques, les pirouettes, les grands jetés. Elle avait du plomb au bout des pieds. Je n'en peux plus, se dit-elle. Je n'arrive plus à danser. C'est une torture. Est-ce à cause de l'enfant ? Est-il déjà si grand qu'il me remplit, m'alourdit ? Elle imagina un Adam modèle réduit occupant son ventre, qui la dévorait et grandissait, grandissait... Elle fut saisie d'une révulsion insurmontable. J'ai le papier de Dinah. Je peux encore m'en débarrasser. Je ne suis pas obligée de donner naissance à cet enfant. Le médecin m'enlèvera Adam du corps, et ce sera fini. Elle eut un sursaut d'énergie, et décida de téléphoner dès la fin du cours. Si elle avait gardé l'adresse, c'était le signe qu'elle avait envisagé de s'en servir. Elle ne savait pas grand-chose de la grossesse, mais se doutait que si l'on voulait y mettre un terme, le plus tôt était le mieux. Il ne fallait pas imaginer une vraie personne. Il ne fallait pas penser à cela...

Quel temps pour un mois de mai ! Hester avançait dans une longue rue bordée de maisons tristes et ordinaires, sous une pluie battante. Elle avait un parapluie, ce qui n'empê-chait pas ses pieds d'être trempés. Au téléphone, la secré-taire médicale lui avait indiqué que le cabinet n'était qu'à quelques minutes du métro, mais elle avait l'impression de marcher depuis des heures.

Elle avait pris rendez-vous dès la fin de la classe, la veille, et elle se rendait à sa consultation tout au bout de la District Line, dans un quartier de Londres qu'elle ne connaissait pas. Elle croisait des gens maussades, qui ne songeaient qu'à se protéger du mauvais temps, mais elle imaginait qu'ils la regardaient d'un air méprisant, la montraient du doigt derrière son dos en disant : *elle va se faire avorter, quelle honte !*

Elle était passée à la banque pour retirer l'argent néces-saire. Un avortement coûtait cent livres, elle le savait main-tenant. Heureusement, elle avait suffisamment d'économies pour payer l'intervention, même si cela vidait son compte. *Je t'apporterai mon concours financier pour tous les aspects matériels.* Elle l'entendait encore, et était prise de la même fureur à ce souvenir.

Elle s'arrêta devant le numéro indiqué, le 56. La maison se distinguait à peine des autres. L'avancée d'un bow-window, une porte d'entrée peinte en vert avec une imposte. Le carré de jardin à l'avant était négligé, étouffé de mauvaises herbes, avec des rosiers trop touffus, laissés à l'abandon. Elle frappa.

— Mademoiselle Gordon ?

Une dame l'accueillit dans un hall sombre, par ce nom qu'elle s'était inventé.

— Oui, c'est moi.

La secrétaire médicale l'observa, puis l'invita à la suivre.

— La salle d'attente est par ici.

Hester lui trouvait un air de vampire. Elle était pâle, vêtue de noir, et sentait le moisi. Dans le salon glacé, meublé de quelques sièges et d'une table couverte de vieux magazines, il n'y avait personne.

Elle n'attendit pas longtemps.

— Mademoiselle Gordon. Suivez-moi.

Il n'y avait qu'à traverser le couloir. À son entrée, le médecin se leva de son bureau en souriant. Il se présenta. C'était un homme petit et mince, au teint aussi cireux que celui de son assistante. Cette dernière resta avec eux. Pour quelle raison ? Pour l'aider à effectuer l'opération ? Pour tenir la patiente ? Pour lui faire une piqûre ? Pour éponger le sang ? Elle fut prise d'une telle panique qu'elle parvint à peine à répondre aux questions. Une terrible nausée l'envahissait.

La pièce était mal éclairée, et la lampe de bureau créait des ombres inquiétantes. Hester sentait l'infirmière devenir gigantesque dans son dos, toute-puissante. Au bout de ses mains blanches poussaient des griffes. Elle allait les plonger dans son ventre, pendant que le médecin de cauchemar lui écarterait les jambes. Elle se tordrait de douleur, des jets de sang jailliraient de son corps. Et puis quelque chose... quelqu'un... Quelqu'un serait arraché d'elle, suffoquerait, lacéré par ce poing griffu, et serait jeté comme un détritus.

— S'il vous plaît, déshabillez-vous derrière le paravent et allongez-vous sur la table, dit le médecin.

Hester se leva.

— Je vous demande pardon de vous avoir fait perdre votre temps, balbutia-t-elle, s'étouffant à chaque mot. J'ai changé d'avis. Je vais garder mon enfant. Je m'en vais.

— Les jeunes filles ne savent pas ce qu'elles veulent, soupira-t-il. Elles couchent à droite et à gauche, mais elles n'assument pas les conséquences de leurs actes. J'imagine que le père est parti depuis longtemps. Enfin, c'est vous qui choisissez, mais il est bien dommage que...

— Je suis désolée, coupa Hester. Au revoir.

Elle sortit en courant, ayant l'impression de devenir folle. La veille encore, l'enfant qu'elle portait la remplissait de dégoût, alors que maintenant, un amour gigantesque se développait pour ce presque rien accroché dans son utérus. Son enfant. Son enfant à elle, rien qu'à elle. Son bébé. Je perds la tête, pensa-t-elle. Jamais je n'aurais pu laisser cet homme me toucher, m'enlever mon bébé. Le tuer. Ce serait un meurtre.

Elle repartit sous les trombes d'eau, sans même ouvrir son parapluie. Elle prit le métro jusqu'à Lancaster Gate, fascinée par son reflet fantomatique dans la vitre du wagon. Elle avait l'impression d'avoir échappé à la mort. Trempée, glacée, malade d'angoisse, elle ne songeait plus qu'à sa dernière planche de salut : Mme Olga. Mme Olga saurait quoi faire. Elle l'aiderait.

Bien que réconfortée par l'idée de la voir, elle redoutait la réaction de la vieille dame. Elle serait sûrement en colère. Jamais elle ne me pardonnera de gâcher ma carrière, songea-t-elle. Cette pensée la fit fondre en larmes. Et puis, pour obtenir un congé qui lui permettrait d'aller à Wychwood, elle serait obligée de parler à Piers. Jamais elle n'aurait le courage de lui faire face. Ou alors, il faudrait se sauver tout de suite sans retourner à Moscow Road. J'ai cent livres dans mon sac. Il n'est que seize heures. Je peux arriver là-bas ce soir. Mme Olga lui téléphonera. On m'enverra mes affaires dans le Yorkshire.

Dans une sorte de transe, elle changea à la station suivante pour aller à la gare de King's Cross. Elle voulait rentrer chez elle. Oui, mais elle ne se sentait chez elle nulle part. Elle avait envie de voir sa grand-mère, mais sa grand-mère était morte. Elle aurait voulu ne pas être enceinte mais était incapable de mettre fin à sa grossesse. Rien ne comptait que la danse. C'était son seul bonheur, désormais interdit. Ses jambes la portant à peine, elle changea encore de ligne. Elle avait vaguement conscience des regards inquiets que lui lançaient les voyageurs. Sans doute parce que je pleure, songea-t-elle. Je dois avoir l'air d'une folle. Je m'en fiche. Elle sanglotait maintenant ouvertement. Les tunnels résonnaient du bruit de ses pas, et les publicités, brouillées par ses larmes, se déformaient devant elle. Son cœur se déchirait : il lui semblait que les mâchoires impitoyables d'un étau le compressaient et qu'il allait éclater.

— *Moïa gaoubouchka !* Ma pauvre petite !

La surprise se peignit sur les traits de Mme Olga quand elle découvrit Hester à sa porte, sous la pluie.

Hester était trop épuisée pour parler. L'angoisse avait transformé en supplice le laborieux voyage. Le train de Leeds était comble, et elle n'avait trouvé de place qu'après de longues recherches. Elle avait passé le temps le nez collé à la vitre, sans rien voir du paysage. À Leeds, elle avait pris un taxi, mais avant de la laisser monter, le chauffeur avait hésité comme si sa détresse l'effrayait. Hester avait fourni un énorme effort pour le rassurer par un sourire. La pluie tombait à torrent quand la voiture entra dans le village, et Hester sortit de sa prostration pour guetter la grille du manoir.

— Voilà, c'est ici, indiqua-t-elle. Vous pouvez me laisser ici.

— Je peux vous conduire jusqu'à la maison. Ça ne me dérange pas.

— Merci, mais j'ai envie de marcher.

Hester s'étonna d'arriver encore à s'exprimer avec un calme relatif. Cela tenait du prodige.

— Comme vous voudrez.

Hester lui paya la course, puis chercha la poignée sans la trouver. Elle commençait à s'affoler quand la portière s'ouvrit, débloquée par le chauffeur qui était descendu pour l'aider à sortir.

Quand le taxi fut reparti, elle tourna la tête vers le manoir, puis vers le village. Après l'épicerie et l'église, il y avait l'ancienne maison des Wellick. Ils avaient déménagé depuis longtemps, mais les mauvais souvenirs restaient très vifs. Cet endroit où elle avait passé une si triste enfance ravivait son malaise au lieu de l'atténuer. Elle se résolut pourtant à pousser le portail et à entrer dans la propriété.

Tout en remontant l'allée, mal protégée par son parapluie, elle se demanda comment Mme Olga allait réagir. Serait-elle en colère ? Où aller, si elle la chassait ? Elle va s'étonner que je n'aie pas de bagages. Je téléphonerai à Nell pour qu'elle m'envoie des affaires. Elle est gentille, elle sera toute prête à m'aider. À bout de forces, elle sonna puis s'appuya au pilier de l'auvent.

— Entre, entre, *moia biednachka*.

Mme Olga passa un bras autour des épaules d'Hester, et l'entraîna dans la cuisine.

— Assieds-toi, je vais faire du thé, comme autrefois. Tu te souviens ? Dans les verres. Je crois que je n'ai pas de chocolat, mais il y a des biscuits. Où les ai-je fourrés ?

Assise à la table, Hester regardait Mme Olga s'affairer, allant de l'évier à la bouilloire, puis au placard, pour préparer le thé. Elle parlait sans interruption, comme si elle devinait qu'à l'instant où elle se tairait elle apprendrait de mauvaises nouvelles. Hester n'eut la force de l'interrompre qu'après avoir bu quelques gorgées de la boisson chaude et sucrée.

— Je suis enceinte.

Elle rentra la tête dans les épaules, s'attendant à une explosion. Mme Olga se figea et un petit gémissement s'échappa de sa gorge. Hester ne l'avait encore jamais vue si désemparée. Mais la vieille dame se redressa aussitôt et

275

sourit avec courage. Elle prit la main d'Hester entre les siennes, et la serra.

— Ne t'inquiète pas, ma petite fille, je vais m'occuper de toi. Tout va s'arranger, tu verras.

— Je suis déjà allée voir un médecin, mais je ne peux pas. Je ne veux pas avorter.

Mme Olga eut un froncement de sourcils.

— Es-tu sûre de toi ? Pris à temps, ce n'est rien, tu sais. Tu te remettras très vite.

— Non, je veux cet enfant. Au début, j'ai cru que je ne le supporterais pas, mais à présent...

Elle avait les yeux brillants de larmes.

— Je l'aimerai, et il m'aimera. Vous ne pensez pas que je ferais une bonne mère ?

— Ah ! Bien sûr, c'est facile, d'être une bonne mère ! Très facile à côté de la difficulté d'être une bonne danseuse. Comment vas-tu continuer ta carrière si tu as un enfant ? Je voudrais bien le savoir. Où est le père ?

— Je ne veux pas parler de lui. Il est marié. Il ne peut pas... Il refuse de... Je n'ai aucun compte à lui rendre. L'enfant n'est qu'à moi.

Elle posa la main sur son ventre où, c'était presque inimaginable, se développait une vraie personne.

— Ne prends pas cette décision à la légère. Reste ici, et je vais parler à Piers. Il sera de bon conseil. Il trouvera quoi dire aux autres. Tu travailles trop. Tu es surmenée, tu dois te reposer. Je m'occuperai de toi et je te donnerai un cours tous les jours jusqu'à ce que tu te décides. La campagne te fera du bien, l'air pur, l'éloignement. Si tu le gardes, dès que ton ventre grossira, je t'enverrai dans un endroit où tu ne connaîtras personne pour préserver le secret.

— Je me moque que ça se sache. D'ailleurs, quand l'enfant naîtra, il n'y aura plus de secret. Mon bébé vivra avec moi, et je m'en occuperai. Je ne vois pas l'utilité de faire des mystères.

— Les journalistes et le public ne doivent rien savoir. En

tout cas, le plus tard possible. C'est mon opinion et sans doute celle de Piers. Ne dis rien à personne, mais je t'en prie, ne t'inquiète pas. Ce n'est pas bon pour ta santé. Je suis là. Il faut te coucher maintenant. Je vais te faire couler un bain et te préparer une chambre. Je suis heureuse que tu sois venue chez moi. Oui. Je vais bien m'occuper de toi.

Le temps passa. Elles prirent leurs habitudes. Les semaines, les mois s'écoulèrent, paisibles. Le matin, elle suivait son cours, de moins en moins astreignant. Ensuite venaient un déjeuner léger avec Mme Olga puis une promenade dans la campagne. Elle se couchait tôt. Son amour pour Adam lui faisait souffrir mille morts. Parfois, elle se croyait enfin guérie, puis un choc rouvrait la blessure, un air à la radio, ou une remarque de Mme Olga.

Dinah lui écrivit :

Où es-tu passée ? J'ai cru deviner que tu étais à Wych-wood, mais Piers, à qui j'ai téléphoné dès que j'ai appris la nouvelle, m'a ordonné de te laisser tranquille. Il raconte que tu as été très malade. Une dépression nerveuse... Tu penses ! Quand j'ai demandé ce qui l'avait déclenchée, il a répondu que les dépressions survenaient sans raison apparente. Surmenage, et ce qu'il appelle des « difficultés personnelles ». Je ne suis pas complètement idiote ! Je sais très bien ce qui ne va pas. Depuis que je t'ai vue à Cardiff, je suis sûre que tu es enceinte. Ils te cachent pour empêcher la presse de s'emparer de la nouvelle. Piers raconte que tu es à Paris. Je ne le crois pas un instant. As-tu communiqué avec Edmund ? Ou avec A ?

C'est bête, parce que même si on ne te protégeait pas autant, je n'aurais malheureusement pas le temps de venir te voir Si je ne travaille pas, je ne suis pas payée, et je perdrais ma place dans la troupe alors que je me débrouille plutôt bien pour l'instant. Mais si tu en as besoin, je pourrais m'arranger pour me libérer un dimanche. Tu me manques, Hester. Tu sais que je ferais n'importe quoi pour toi. Je t'en supplie, donne-moi de tes nouvelles.

Hester répondit, et une correspondance s'établit. Dans ses lettres, elle essayait d'analyser ses sentiments et d'exprimer ses remords.

J'ai complètement changé, Dinah. Tu ne me reconnaîtrais pas. Je pleure pour un oui pour un non. Sans doute à cause du bouleversement hormonal. Je ne sais pas ce que je vais devenir. J'ai peur sans vraiment savoir de quoi. Je n'ai encore rien prévu pour après la naissance. Je me demande si je pourrai continuer à danser tout en m'occupant du bébé.

Adam apprendrait la naissance, par Edmund sans doute, et il voudrait envoyer de l'argent. Ou alors, il n'enverrait rien. De ces deux réactions, Hester ne savait laquelle redouter le plus. Mais sa peur principale était de ne plus pouvoir danser après l'accouchement. Plus personne ne voudrait d'elle dans un spectacle. Le miracle de son succès ne serait qu'une chimère. Qu'allait-elle devenir ? Mme Olga avait peut-être raison de lui conseiller l'adoption, mais l'idée d'abandonner son bébé la désespérait. Elle ne voulait même pas y songer. Jamais elle n'y consentirait. Sa première pensée le matin allait à son enfant, et rien d'autre ne lui donnait la force de se lever.

Elle passait de longs moments à choisir un prénom. Elle écrivait tous ceux qui lui venaient à l'esprit dans un carnet. Helen, pour sa mère ; Céleste, pour sa grand-mère ; Elizabeth, Suzanna, Maria, Marguerite. Pour un garçon, c'était plus difficile. Matthew, Jonathan, Christopher, Michael. Deux prénoms étaient exclus : Henri et Adam. Elle ne voulait aucun souvenir de son père, ni de celui de son enfant. Edmund serait le parrain, et Dinah une marraine de conte de fées. Tout irait bien. Certains jours, elle se persuadait presque qu'elle pourrait poursuivre sa carrière sans grande difficulté tout en élevant le bébé.

Edmund lui envoya une lettre qui la fit sourire. Elle entendait sa voix derrière chaque mot :

Chère Hester, je suis fou d'inquiétude. Écris-moi au moins une ligne pour confirmer ce que raconte Piers, c'est-à-dire que tu es dans une maison de repos, au diable, et que tu te remets d'une maladie mystérieuse. Je ne l'ai jamais vu aussi évasif, et je me suis d'abord dit qu'il était gêné, comme beaucoup d'hommes quand il s'agit de troubles spécifiquement féminins. À force d'insister, j'ai fini par lui faire avouer que tu avais une dépression, et que les médecins recommandaient la tranquillité totale et aucune visite. Tu parles d'une idiotie ! Pour la dépression, au contraire, il faut être entouré. C'est bien connu. Je viendrai te remonter le moral au moindre signe. Je ne peux pas écrire longtemps parce que je suis débordé, grâce au ciel. Sans le travail (Le Petit Chaperon rouge doit bientôt être monté à Amsterdam), je serais extrêmement abattu. Écris-moi, Hester, si tu peux. Tu me manques. Bien à toi, Edmund.

J'ai ma petite idée sur ce qui ne va pas. Le temps apportera confirmation, et, si j'ai raison, je te donne ma parole que je m'occuperai de toi. Cela t'aidera-t-il à m'écrire ? Je l'espère.

Elle trouvait touchant que Piers protège aussi farouchement sa réputation. Elle répondit aussitôt à Edmund et lui raconta tout. Dès qu'il eut reçu sa lettre, il lui envoya d'amusantes cartes postales d'Amsterdam pour lui remonter le moral. Elle répondait, puisqu'il le lui demandait, mais sans se sentir capable d'égaler sa verve et son énergie. Les mots qui tombaient de son stylo lui semblaient semblables à elle-même, lourds et malheureux comme les pierres.

Quand le désespoir était trop fort, elle essayait de se

réconforter en imaginant qu'Adam avait écrit, et que Mme Olga interceptait les lettres. Peut-être la bombardait-il de déclarations d'amour, et la suppliait-il de revenir. Il allait divorcer, ils vivraient ensemble jusqu'à la fin de leurs jours. Il viendrait la chercher, il l'emmènerait, et ils seraient heureux.

Tant qu'elle resta à Wychwood, elle passa des heures à sa fenêtre pour surveiller l'allée, guetter l'arrivée du facteur. Dès qu'elle l'apercevait, elle courait en bas pour récupérer les lettres avant Mme Olga. Il n'y avait jamais rien d'Adam. Pas une seule fois sa vigilance ne fut récompensée.

Certaines nuits, quand elle n'arrivait pas à dormir, elle se torturait en imaginant Adam au lit avec Virginia. Elle était sûre qu'en faisant l'amour à sa femme, il pensait à elle. Elle revivait tous les moments qu'ils avaient passés ensemble, se rappelait leur moindre conversation, jusqu'à en perdre la raison. Quand vint l'automne, la position allongée lui fut de plus en plus pénible, et la perspective de l'accouchement commença à lui faire peur. La souffrance devait être terrible. Mme Olga minimisait les douleurs de l'enfantement, tout en restant assez évasive, ce qui terrorisait Hester. Si elle racontait peu de choses, c'était que la vérité risquait de l'affoler. Son anxiété s'accentua avec la visite de Piers, qui dressa avec Mme Olga un « plan de bataille », selon ses termes. Dès qu'il fut reparti pour Londres, Mme Olga lui révéla la teneur de leur entretien.

— Tout est arrangé. Ruby va provisoirement quitter le service de Piers pour s'occuper de toi.

— Mais je n'en ai pas besoin ! Pourquoi ? Vous êtes là.

— Oui, bien sûr. Elle ne viendra que pour les quelques semaines précédant l'accouchement. Tu ne peux pas rester ici. Il te faut un bon médecin. Nous en connaissons un très bien en Écosse, dans un endroit qui s'appelle Gullane.

— En Écosse ? Mais pourquoi ? Pourquoi voulez-vous

que j'aille si loin ? Il doit bien y avoir des obstétriciens dans le Yorkshire. Je ne veux pas quitter Wychwood.

— L'air de la mer te fera du bien. Tu pourras te reposer. Raymond, le Dr Crawford, m'a assuré qu'il veillerait sur toi comme sur sa propre fille.

— Comment le connaissez-vous ?

— Peu importe. Il m'a soignée à Paris quand j'étais malade. C'était un jeune médecin, à l'époque, mais maintenant, c'est un grand professeur très respecté. Je crois qu'il était un peu amoureux de moi, mais je ne l'ai pas encouragé, bien entendu. Il est charmant, et c'est pratique de pouvoir s'adresser à un ami.

— Vous m'envoyez en Écosse uniquement pour m'éloigner, pour qu'on ne sache pas que je suis enceinte.

— Mais que veux-tu que nous fassions d'autre ? Piers dit que la presse le harcèle pour savoir ce qui est arrivé à sa meilleure ballerine. Avec le temps qui passe, la curiosité va s'accentuer. Des rumeurs se répandront. Pour éviter le scandale, mieux vaut annoncer que tu es surmenée, que tu te reposes.

— On m'oubliera vite. J'imagine que je n'ai pas le choix. Je me sens incapable de me débrouiller seule. Au moins, Ruby sera avec moi, là-bas.

— Tu parles comme si c'était le bout du monde. Ce coin d'Écosse est charmant. Ruby y allait en vacances avec sa famille quand elle était petite. Quelle heureuse coïncidence, tu ne crois pas ? Toi et Ruby, vous partirez en octobre, et je vous rejoindrai juste avant la naissance. Tout se passera bien. Raymond Crawford est un très bon médecin.

La mort du père d'Hester, à la fin juin, facilita leurs mensonges. Ce fut du moins ce que pensa Mme Olga, qui se garda bien de formuler cette opinion aussi crûment devant Hester. Si on demandait de ses nouvelles, on pouvait maintenant prétendre qu'elle était à Paris sans se donner le mal d'inventer une autre excuse. Assez rapidement, seuls ses plus proches amis continuèrent de s'inquiéter d'elle.

On prit pour acquis qu'Hester souhaitait se rendre à l'enterrement de son père. Elle ne l'avait pas vu cinq fois en quinze ans, mais elle accepta, moins pour aller dire adieu à un homme qu'elle connaissait à peine que pour retourner à Paris. Elle voulait retrouver les lieux de ses premières années, revoir l'appartement de son enfance, aller sur la tombe de sa grand-mère, et prendre le temps de la pleurer mieux qu'à sa mort.

Mme Olga se prépara à leur séjour en France comme pour des vacances. Elle passa des heures à choisir ses vêtements, ses chapeaux, ses châles. Elle vidait ses placards sur le lit, puis sélectionnait ce qu'elle emporterait avec grand soin.

— Tu te mettras en noir, Hester ? Le violet foncé serait bien, aussi. Heureusement, ta grossesse ne se voit pas encore. Un chapeau, ou une mantille ? Regarde, j'ai un carré de dentelle que je n'ai pas utilisé depuis des années et qui t'irait très bien. J'irai prendre un rang de perles pour toi dans mon coffre, à la banque.

— Non, merci, c'est inutile. Je ne veux que ça.

Elle avait porté la main à la chaînette en or de sa grand-mère.

Mme Olga poussa un soupir théâtral.

— Cette chaîne, quelle calamité ! J'ai pour toi des colliers d'ambre, de jade, de toutes les pierres imaginables, et toi, tu te contentes de cette vieillerie.

— Elle ne m'empêche pas de porter d'autres bijoux. Il me suffit de la cacher sous un col.

La traversée de la Manche fut calme. Le soleil brillait et la mer ressemblait à du satin gris clair. Hester resta sur le pont, et regarda s'éloigner l'Angleterre, étonnée de se sentir aussi indifférente. Je devrais être plus triste, songea-t-elle. Je devrais pleurer mon père. Je regrette qu'il soit mort avant que nous nous soyons revus. Que lui aurais-je dit ?

La conversation imaginaire ne l'intéressa pas longtemps, tant ses pensées étaient centrées sur son enfant.

Hester n'arrivait à fixer son attention sur rien d'autre, ni sur la mort de son père, ni sur la rencontre avec sa seconde femme, Yvonne, qu'elle n'avait encore jamais vue. Tout lui semblait irréel.

— Oh, ma petite, je suis tellement... Mais entrez, entrez, et bienvenue à toutes les deux !

Yvonne était une femme de petite taille, aux lèvres fines et aux yeux bruns. Ses cheveux grisonnants étaient remontés en chignon, et elle était entièrement vêtue de noir, sans doute en signe de deuil, mais peut-être aussi, songea Hester, par habitude. Comment son père avait-il pu aimer une femme pareille après avoir été marié à Helen ?

— Voici votre chambre, annonça Yvonne.

— C'était celle de ma grand-mère, commenta Hester en passant la main sur le lit. Le papier a changé, et le couvre-lit aussi. Grand-maman avait du jaune sur les murs, et une courtepointe en satin. Rien n'est plus pareil.

— C'est toi qui n'es plus pareille, remarqua Mme Olga. Les lieux restent les mêmes, tandis que nous, nous changeons. C'est normal.

Quoi qu'il en soit, l'appartement lui semblait plus petit et moins luxueux. La cuisine, dont elle gardait une image idéale, la déçut. L'évier n'était plus le même, ni la cuisinière. Les rideaux abricot avaient été remplacés par du Nylon imprimé de bouilloires et de casseroles. À la place de la table en bois, il y avait une monstruosité métallique à plateau de Formica.

— Votre père vous a laissé de l'argent, annonça Yvonne quand elles furent installées dans le salon pour le thé.

Les tasses étaient celles de sa mère. Hester les reconnut avec un coup au cœur et une intense nostalgie. Mme Olga se chargea de la conversation. Ce fut elle qui s'enquit du déroulement des funérailles, et qui découvrit qu'Yvonne était la principale héritière d'Henri Prévert.

— Je me fiche de l'argent, dit Hester à Mme Olga le lendemain matin alors qu'elles se préparaient pour la cérémonie. Je voulais revoir l'appartement, mais grand-maman est partie depuis trop longtemps. Ce n'est plus chez elle. L'agencement des pièces n'a pas changé, mais il n'y a plus les mêmes couleurs, les mêmes odeurs.

— Quelles odeurs ? demanda Mme Olga tandis qu'elle fixait son chapeau cloche noir avec une épingle à tête de jais.

Hester n'essaya même pas de répondre. C'était trop compliqué. Du temps de sa grand-mère, l'appartement fleurait bon la cannelle, le citron, le romarin, l'ail. Son parfum à la violette imprégnait les coussins et les rideaux, et flottait dans les moindres recoins de sa chambre. Les parquets cirés sentaient la lavande et l'encaustique.

En regardant par la fenêtre, elle vit le toit d'une voiture noire, venue les chercher pour l'enterrement. Elle eut un moment de vertige. Cette voiture lui en rappelait une autre, exactement semblable, il y avait bien longtemps. En ce temps-là, de la neige blanchissait la rue. On allait emmener sa mère dans une grande caisse en bois. Hester n'avait pas le droit de l'accompagner parce qu'elle était trop petite. Un tremblement la prit qui l'obligea à s'asseoir sur le lit, la vision brouillée par les larmes.

— Enfin, tu pleures pour ton papa, ma fille. C'est bien, laisse-toi un peu aller. C'est le choc.

Elle se trompe, mais elle fait attention à moi, pensa Hester. Quoi qu'il arrive, elle sera là pour moi.

— Je ne pleure pas vraiment pour mon père, mais pour ma mère. Je me souviens... Ce n'est pas grave. Il vaut mieux descendre. On nous attend.

Devant la tombe de son père, Hester se fit la réflexion que les cimetières parisiens ressemblaient à des villes en miniature. Les stèles étaient des façades, les allées des rues bordées d'arbres qui montaient la garde devant les maisonnettes des morts. Il faisait chaud, et elle transpirait dans son manteau de laine. Mme Olga avait fini par la convaincre de porter la mantille noire. Pourquoi la contrarier ? Mais dans cet accoutrement, elle se sentait costumée pour une production de *Don Quichotte*.

Du coin de l'œil, elle vit qu'Yvonne reniflait dans un mouchoir bordé de dentelle. Mme Olga se tenait très droite, très digne. Elle-même regardait le tombeau ouvert dans lequel on descendrait bientôt son père. La stèle portant le nom de sa grand-mère se dressait juste à côté. Il est mort, se répéta-t-elle. Il faudrait que je sois triste, mais je le connaissais à peine. Elle avait envie de crier : *Ce n'est pas lui que je pleure ! Il ne le méritait pas ! Il m'a chassée quand j'étais toute petite. Il ne m'aimait pas. Je pleure pour ma grand-mère qui est morte sans moi.* Elle se mordit les lèvres et ferma les yeux, n'attendant plus que la fin de l'enterrement.

Pendant que la famille et les amis reprenaient les allées bien entretenues pour sortir du cimetière, Hester resta devant la tombe de sa grand-mère. Elle réfréna une soudaine envie de se jeter sur la dalle, d'enlacer la pierre comme dans *Giselle*. À la fin du ballet, elle se couchait sur l'accessoire de carton-pâte, et jouait le désespoir. Je connais trop bien les postures qui traduisent la douleur, songea-t-elle. Peu importait la gestuelle, il fallait se convaincre que ce n'était pas vraiment sa grand-mère qui gisait sous la terre. Sa vraie grand-mère survivait dans son souvenir.

De retour à Wychwood, elles reprirent leur vie paisible, ce qui n'empêcha pas Hester d'être hantée par des cauchemars pendant plusieurs semaines. Elle s'étouffait, un goût de terre dans la bouche. Des fossoyeurs l'ensevelissaient sous des pétales de roses blanches, au fond d'une tombe. Alors, suffoquant, elle s'asseyait dans son lit, allumait la lampe de chevet, et descendait pour se faire une tasse de thé parce qu'elle savait qu'elle ne se rendormirait pas.

Vers le début du mois d'octobre, leur tranquillité prit fin. Hester et Mme Olga se promenaient dans le jardin, magnifique avec son tapis de feuilles rouge et or, sous un ciel de perle. Hester n'était pas encore gênée par son ventre qui s'arrondissait à peine. Elle avançait, droite, la tête haute, tandis que Mme Olga enfonçait le menton dans l'énorme col de mouton de son manteau.

— Hester, dit-elle, il est temps de penser à l'étape suivante. Le Dr Crawford m'a mise en contact avec un organisme spécialisé dans les adoptions, en Écosse.

Hester se tourna vers elle, sidérée, et devint écarlate.

— Quoi ? Une adoption ? Mais que voulez-vous dire ? Je n'abandonnerai pas mon enfant ! Vous le savez depuis le début. Jamais je ne m'en séparerai. Je ne comprends pas comment vous avez pu penser que j'avais changé d'avis.

— Il faut bien en parler. Quand tu es arrivée, tu étais tellement triste que j'ai accédé à tous tes désirs sans discuter.

— Je veux le garder. Je m'en occuperai. Je suis sa mère.

— Impossible ! As-tu songé à la vie que tu lui ferais mener ? Tu le laisserais tous les matins pour aller à ton cours, et puis il y aurait les répétitions, la représentation du soir. Là, tu l'abandonnerais vraiment. Il ne te verrait jamais. Tu es danseuse, tu ne peux pas aussi être mère. J'ai vu tellement de catastrophes. Réfléchis : des millions de femmes sont de bonnes mères, mais il n'y a que toi, Hester Fielding, qui sois capable d'être la plus grande étoile de notre époque. Tu n'as pas le choix.

— Bien sûr que si ! Vous vous trompez ! Je suis sa mère. Je vous l'ai dit dès le premier jour. Je veux m'occuper de mon bébé ! Je sais ce que c'est, d'être privée de sa mère, et mon enfant ne subira pas ce que j'ai subi. Je serai là pour lui, tous les jours, tous les soirs. Je ne reprendrai pas la danse si je ne peux pas le garder. J'engagerai une nourrice pour veiller sur lui pendant les classes, les spectacles. Comment les mères actives se débrouillent-elles ?

— Mais quel intérêt ? Si c'est une nourrice qui se charge de lui, ce ne sera plus toi, sa mère. Tu lui manqueras. Il sera plus heureux avec une mère adoptive qui restera avec lui. L'organisme le placera dans une très bonne famille, je peux te l'assurer.

— Il n'en est pas question ! Je me fiche de ce que vous avez comploté, vous et Piers. Vous n'avez pas le droit de m'obliger à l'abandonner.

— Petite écervelée ! Tu ne comprends pas le public ! Il ne t'aimera plus si tu as un enfant sans être mariée. Les gens seront scandalisés. Les danseuses doivent être pures, parfaites. On les admire. On les vénère. Si cela s'ébruite, ils verront que tu es…

— Une traînée ? Une putain ?

— N'utilise pas ces mots grossiers ! Tu sais très bien que ce n'est pas ce que je pense. Non, ils verront que tu es humaine. Comme eux, pas meilleure qu'eux, alors qu'ils veulent te mettre sur un piédestal. Ils se demanderont qui est le père, et il y aura des rumeurs. Les années passeront, et l'enfant grandira dans la honte. C'est injuste pour lui. Il souffrira.

— Non ! Je l'aime trop. Assez pour deux parents. Jamais il ne manquera d'amour. Il sera heureux. Si c'est une fille, elle deviendra peut-être danseuse, comme moi. Vous n'avez jamais pensé à ça ? Comment pouvez-vous vouloir m'arracher mon enfant ? C'est monstrueux.

— C'est à toi que je pense, et rien qu'à toi. À ta carrière, à ta vie. À ton avenir. Qui t'épousera si tu es déjà mère ?

— Peu importe ! Je me moque de me marier. Je veux mon enfant.

— Je ne songe pas à te forcer ! Je fais ce qu'il y a de mieux pour toi, *gloupych* ! Mais si tu le gardes, tu le regretteras.

— Eh bien, tant pis. Vous n'êtes pas ma mère, ni ma grand-mère. Laissez-moi tranquille !

Mme Olga devint pâle comme un linge. Hester vit que ses mains tremblaient.

— Excusez-moi, madame Olga... Je ne voulais pas vous blesser. Je ne pense vraiment pas ça.

Des larmes jaillirent de ses yeux.

— Vous savez bien que je vous aime. Ne nous disputons pas, c'est trop dur !

Hester se laissa tomber sur une marche du perron et se cacha le visage dans les mains. Elle sanglotait, gémissait sans pouvoir s'arrêter.

Mme Olga s'accroupit près d'elle et lui caressa les cheveux, doucement, comme si elle touchait une petite bête sauvage qui risquait de prendre peur et de la mordre. Peu à peu, les pleurs d'Hester se calmèrent, et on n'entendit plus que le vent qui emportait les feuilles mortes.

— Rentrons, ma fille. Je ferai ce que tu désires, évidemment, mais je te demande de réfléchir. Tu n'as que dix-neuf ans, ne l'oublie pas. Pour moi, tu es encore une enfant. Nous aviserons, mais il faut que tu ailles accoucher en Écosse. Piers a payé la location d'une maison près de la mer. Ce sera bon pour toi, comme des vacances. D'accord ? Tout se passera bien. Nous ne dirons encore rien à personne, d'accord ? Tu seras tranquille, là-bas.

— Je ne suis pas très dérangée ici ! remarqua Hester en prenant le mouchoir que lui tendait Mme Olga. Il n'y a pas un bruit, et personne ne vient me voir, sauf Piers.

— Peu importe. Tu verras, tout va bien se passer.

Au début du mois de novembre, Hester et Ruby emménagèrent dans une maisonnette à la mer, à Gullane. Il n'y avait que deux chambres à l'étage, et un salon-cuisine au rez-de-chaussée. Située un peu à l'écart du village, elle n'avait pas de voisins proches. Même ici, songea Hester, où je ne connais personne, on s'arrange pour que je sois complètement isolée. Ça m'est égal. Bientôt, j'aurai mon enfant pour me tenir compagnie.

Le Dr Crawford, le grand professeur qu'admirait tant Mme Olga, vint rendre visite à Hester quelques jours après son arrivée.

Elle le trouva en effet rassurant. Pendant qu'il prenait sa tension, elle essaya de se l'imaginer jeune, mais sans succès. C'était un petit homme trapu, vêtu de tweed, au visage mélancolique et à la tête couronnée d'épais cheveux gris. Il avait les mains fraîches et un gentil sourire.

— Il vous faut du repos. Vous avez une tension un peu élevée, il va falloir surveiller ça.

— Est-ce dangereux pour le bébé ?

— Ne vous inquiétez pas pour le moment, mais évitez les émotions fortes, et prenez de l'exercice, sans forcer. Je reviendrai vous voir d'ici quelques jours.

— Vous boirez bien une tasse de thé, docteur, proposa Ruby alors qu'il repliait son stéthoscope.

— Non, merci, mes patients m'attendent. Je vous souhaite une bonne journée à toutes les deux.

Après son départ, Hester s'étonna.

— Il est très sympathique, mais j'ai du mal à l'imaginer en amoureux de Mme Olga. Et toi ?

— Je ne sais pas. Je pense qu'il a dû être assez beau garçon. C'est une personne très rassurante.

— En tout cas, je suis contente qu'il soit là pour s'occuper de moi. Je vais être raisonnable et de ne pas m'inquiéter, me reposer, me promener, et bien me nourrir. Tu profiteras de cet agréable régime, puisque tu dois me tenir compagnie.

Ruby encouragea Hester à respecter ses bonnes résolutions. Tous les jours, elles se couvraient chaudement, et partaient pour de longues promenades dans les dunes. Elles parlaient de tout et de rien, et la placidité de Ruby avait un effet calmant sur Hester. Dès que le désespoir la reprenait, Ruby trouvait les mots qu'il fallait, et surtout des diversions. Elle ne mentionnait que très peu l'avenir après la naissance de l'enfant. Sans doute laissait-elle cette tâche à Mme Olga qui devait les rejoindre pour l'accouchement. Son arrivée était prévue bien à temps, à la mi-décembre.

Pendant les sept premiers mois de sa grossesse, Hester avait remarqué peu de transformations. Et puis soudain, elle était devenue lourde, lente. Son ventre avait grossi presque d'un coup, et lui rendait la marche difficile. Même les positions assises et allongées lui étaient inconfortables. Son fils, car elle imaginait plutôt un garçon, bougeait presque sans interruption. Elle le sentait se tourner, pousser, donner des coups de pied dans son ventre. Il agitait ses mains comme des algues dans sa danse sous-marine. Elle rêvait de lui ; dès qu'elle fermait les yeux, elle voyait son petit corps, enchâssé dans le sien. Elle déambulait lentement dans la maison, se sentant énorme, à peine humaine.

Dans la maisonnette, les journées s'écoulaient lentement. Si près de la fin de l'année, la nuit tombait presque après le déjeuner, et durait jusque tard dans la matinée. Cela ne dérangeait pas Hester, qui se découvrait excellente dormeuse. Ruby se chargeait des repas, mais demandait son concours à Hester pour l'occuper : gratter les carottes, mettre la table, couper les légumes pour les délicieux potages dont elle s'était fait une spécialité.

— Ruby, tu me promets des sablés, mais nous ne mangeons que de la soupe ! Je veux bien que ce soit bon pour la santé, seulement c'est la seule fois de ma vie où je peux me régaler sans m'inquiéter, autant en profiter. Un kilo de plus ou de moins, ça ne fera pas de différence !

— J'en préparerai demain. C'est la recette secrète de ma mère. Je vais t'apprendre.

— Ah ! Très bien ! Je voudrais être le genre de mère qui fait des biscuits à ses enfants.

— Mais certainement ! Quand tu rentreras de répétition, tu rangeras tes chaussons, et tu enfileras ton tablier !

— Et pourquoi pas ? Je pourrais aussi cuisiner sur les pointes et en tutu !

— Tu me fais rire pour ne pas avoir à éplucher les navets, protesta Ruby. À cette allure, la soupe ne sera jamais prête.

Hester s'assit sagement devant les légumes. Quelle chance d'avoir Ruby pour compagne d'infortune !

Lors de leurs promenades, Hester portait un gros manteau, et un bonnet tricoté par Ruby. Mme Olga lui avait offert un manchon en fourrure, retrouvé dans une malle et souvenir des hivers russes de sa jeunesse.

Elle adorait regarder la course rapide des nuages dans le ciel immense. Elle marchait en s'enfonçant dans le sable, les yeux posés sur l'horizon, ralentie par le vent. Sachant que Ruby préférait rester près du feu avec sa couture, elle arrivait certains jours à la convaincre de la laisser se promener seule. Elle appréciait aussi ces moments de solitude, ces tête-à-tête avec son enfant, sous le ciel tourmenté, devant la mer grise.

La douleur de la rupture s'était quelque peu apaisée, mais elle ne parvenait pas à oublier Adam : le moindre mouvement du bébé le lui rappelait, et la transportait loin des dunes, et du joli village que Mme Olga avait choisi pour la naissance. Elle pensait aussi à la lumière des projecteurs, au maquillage et aux costumes, aux fleurs jetées à ses pieds sur la scène. Tout cela était si lointain que parfois elle avait du mal à croire à l'existence de cet autre univers. Maintenant, sa vérité, c'étaient ses chevilles enflées, son ventre rond, et l'épuisement qui s'emparait d'elle à ses retours de promenade.

Après le dîner, elle passait un moment avec Ruby, et la regardait coudre ou tricoter.

Ruby parlait parfois de l'accouchement. Cela partait d'une bonne intention : elle voulait la préparer de son mieux à l'épreuve qui l'attendait. Mais précisément, le fait même de le présenter comme une épreuve ne faisait qu'accroître ses inquiétudes.

— Le premier enfant est toujours le plus difficile, expliqua-t-elle un soir. C'est ce que disait ma mère. Justement, c'était moi le premier. Le travail a duré trois jours ! On se demande comment elle a eu le courage d'avoir mes frères et sœurs après ça.

— Moi, je n'aurai pas d'autres enfants.

— Ne t'inquiète pas, ce n'est pas si long pour tout le monde, et puis c'était il y a trente ans. Depuis, des progrès ont été faits. Je suis née chez moi, dans le lit de mes parents. L'obstétrique est plus... scientifique, à présent. Le Dr Crawford est très bon médecin, et il s'occupera bien de toi. N'oublie pas aussi que tu es beaucoup plus souple que n'était ma mère.

— Et la douleur, Ruby ? C'est vraiment terrible ?

— Il paraît que ce n'est pas facile, je ne peux pas dire le contraire.

— Mais mal, on a mal comment ?

— Ma mère dit que c'est comme de se faire arracher les entrailles avec des pinces chauffées au rouge.

— Mon Dieu ! Et les femmes subissent toutes ça ?

— Mais oui. On oublie vite quand on se retrouve avec un joli bébé dans les bras.

Hester se demandait si elle le supporterait, et si elle pourrait l'oublier, mais elle ne disait rien. Ruby se penchait sur son ouvrage sans paraître s'apercevoir qu'elle s'enfermait dans le silence. Il n'y avait plus d'issue. Rien ne la sauverait de l'abominable souffrance qui l'attendait.

Mme Olga les rejoignit à la mi-décembre et s'installa dans une modeste chambre d'hôtel avec autant de cérémonie que si elle emménageait au Ritz à Paris.

Au bout de quelques jours, Hester se rendit compte qu'elle était comme un poisson hors de l'eau en Écosse. Elle passait ses journées avec Ruby et Hester, ne rentrait à son hôtel que pour dormir, et se plaignait sans cesse des après-midi sans lumière, du froid et de la bruine.

— Vous n'êtes pas obligée d'attendre la naissance, vous savez, lui dit Hester.

— Si ! Je veux être ici avec toi. C'est mon devoir et mon plaisir. Ce sera un peu ma petite-fille.

Contrairement à Hester, elle n'arrivait pas à imaginer que l'enfant pourrait être un garçon. Elle but une gorgée de thé, et reposa sa tasse. Ruby tricotait au coin du feu, tandis que Mme Olga et Hester étaient assises à la table. Hester préférait désormais les chaises à dossier droit à toute autre position. Mme Olga continua :

— Les bébés, c'est très intéressant, mais j'ai beaucoup mieux pour toi : des nouvelles de la compagnie Charleroi. Je suis allée rendre visite à Piers à Londres avant de venir. Il prépare pour Noël un ballet tiré du conte d'Andersen *La Reine des neiges*. Magnifique. Emily Harkness dansera Gerda, le rôle principal.

Emily était arrivée trois ans après elle. Elle était blonde, austère, renfermée, mais très douée. Hester écouta Mme Olga qui ne tarissait pas d'éloges sur Emily et les autres membres de la troupe, la musique, la chorégraphie créée par Piers. Il lui semblait que cet autre monde la concernait à peine. Le ballet était comme un pays dont elle se serait exilée depuis si longtemps qu'elle en avait oublié la langue, les coutumes, l'esprit. C'était une contrée magnifique dans laquelle elle ne pourrait peut-être jamais retourner. Soudain, une telle nostalgie la prit que des larmes lui montèrent aux yeux. En la voyant sortir son mouchoir, Mme Olga se leva d'un bond.

— Non, ne pleure pas, ma petite chérie ! Je t'attriste avec mes histoires. Et moi qui voulais te faire plaisir ! Je n'en parlerai plus.

— Si, si, il faut me raconter. Je veux tout savoir. Dites-moi ce qui se passe. C'est ma faute, je sais, mais je me sens coupée de tout. Je suis loin de ma vie, de mes amis, de vous. J'en ai assez d'être grosse, laide, lourde, et j'ai peur d'avoir mal. Je ne sais pas ce que je vais devenir. Jamais je ne redeviendrai moi-même. Où est Hester Fielding ? Je suis perdue.

Ses larmes se transformèrent en sanglots. Ruby se leva pour faire du thé. Mme Olga l'aida à monter dans sa chambre en la prenant doucement par la main. Elle lui lava le visage, puis la déshabilla. Avant de la border dans son lit, elle plia ses vêtements sur la chaise comme si elle s'occupait d'un enfant.

— Il faut dormir, maintenant. Le taxi doit arriver pour me ramener à l'hôtel. Je reviendrai demain matin. C'est une belle saison pour naître ! Peut-être aura-t-elle le même anniversaire que l'Enfant Jésus. Je vais acheter un sapin et de jolies décorations. Nous allumerons des bougies, nous chanterons des chants de Noël, et Ruby nous préparera un bon repas... Tous tes plats préférés. Tu auras des cadeaux, et les anges descendront du ciel pour nous rendre visite, tu verras. Fais de beaux rêves.

Hester ferma les yeux avec un frisson. C'était la plus longue nuit de l'année, et sans doute la plus froide. Le petit radiateur électrique de la chambre, avec ses deux résistances horizontales incandescentes, donnait plus de lumière que de chaleur. Peu importait car on l'éteignait la nuit, Ruby trouvant dangereux de laisser les appareils allumés pendant qu'on dormait. Les draps sur sa peau étaient comme des plaques de glace. Claquant des dents, elle attendit le sommeil dans le noir. L'étroite armoire, face au lit, était peinte en blanc. À l'intérieur, sa valise était prête pour son départ à la maternité. Ruby l'avait préparée depuis une semaine, avec une chemise de nuit, une trousse de toilette, une liseuse tricotée par ses soins.

Elle entendit le taxi de Mme Olga arriver puis repartir, et Ruby marcher dans la maison. La bouilloire racla la cuisinière pour le dernier thé de la journée. Un bruit réconfortant, pensa Hester en s'assoupissant.

Elle se réveilla en sursaut. Il faisait encore nuit. En se levant pour aller aux toilettes, elle fut prise d'une douleur fulgurante à la tête. Elle tituba jusqu'à la salle de bains qui n'était qu'à deux pas, et alluma. La lumière l'aveugla, des éclairs fusèrent devant ses yeux et elle crut que ses tempes explosaient. Elle se protégea avec la main, mais cela ne servit à rien. La première migraine de sa vie ! Comme si les prochaines douleurs de l'accouchement ne suffisaient pas... En larmes, elle s'assit sur le bord de la baignoire.

Alors, elle remarqua ses pieds, et ne comprit pas. Elle ne les reconnaissait pas. Ses chevilles étaient terriblement enflées, éléphantesques. Je ne vais plus pouvoir danser, pensa-t-elle aussitôt. Je ne pourrai jamais entrer ces pieds monstrueux dans des chaussons ! Elle pleurait tellement qu'elle parvenait à peine à respirer.

— Ruby ! hurla-t-elle.

Celle-ci arriva en courant.

— Que se passe-t-il ? Qu'est-ce qu'il y a ?

— J'ai mal à la tête, et regarde mes jambes, comme elles sont gonflées. Je vois des éclairs. Je deviens aveugle, Ruby, j'ai peur !

— J'appelle le Dr Crawford. Reste ici. Je vais t'apporter ta robe de chambre. Il fait très froid. Je reviens tout de suite.

Hester attendit, bougeant le moins possible, car le moindre geste lui plantait un couteau entre les yeux. Ses mains aussi étaient atteintes, répugnantes avec les doigts boudinés comme des saucisses, épais et rouges. Elle tendit un peu le bras, ébauche d'un mouvement qu'elle aurait pu faire sur scène. C'était grotesque. Des pattes monstrueuses avaient été greffées au bout de ses bras. Elle n'était plus qu'une loque humaine. Et sa tête, sa tête qui lui faisait si mal.

Ruby revint dans la salle de bains et lui passa sa robe de chambre sur les épaules.

— Dépêchons-nous. On t'envoie une ambulance. Je vais

chercher ta valise. Il faut mettre ton manteau : il fait trop froid pour sortir en chemise de nuit. Le Dr Crawford exige que nous t'emmenions de toute urgence à l'hôpital.

— Pourquoi ? s'écria Hester, affolée.

— Il a peur que ce ne soit une éclampsie.

— Qu'est-ce que c'est ?

— Je ne sais pas. Je n'ai pas eu le temps de le lui demander. En tout cas, cela nécessite une intervention rapide. Il m'a dit qu'il appelait Mme Olga à son hôtel pour qu'elle nous retrouve là-bas. Tu es prête à descendre ?

Dans l'ambulance qui la conduisait à l'hôpital, allongée dans le noir, Hester entendait comme un hurlement. Elle pensa d'abord que c'était le vent, puis que ce devait être la sirène. Pourquoi, se demanda-t-elle, y avait-il besoin de tout ce bruit sur des routes de campagne désertes en pleine nuit ? La douleur était telle qu'elle se sentait près de s'évanouir. Puis, dans un couloir, elle vit le visage du Dr Crawford au-dessus d'elle, à demi caché par un masque.

Elle saisit quelques mots : urgence... césarienne... vite, vite...

Était-elle allongée dans un lit ? sur un chariot roulant ? Elle n'en savait trop rien. Il n'y avait plus que la souffrance, les éclairs aveuglants, et puis soudain le noir, comme un drap épais qui descendait sur ses yeux. La douleur s'évanouit, tout s'effaça, les sentiments, les souvenirs, la honte, l'inquiétude. Elle était au bord d'un puits d'inconscience dans lequel elle se laissa volontiers tomber.

Quand elle en émergea, elle crut que son sommeil n'avait duré que quelques heures, mais elle apprit plus tard que trois jours s'étaient écoulés. Des images revenaient, comme des lambeaux d'un mauvais rêve, mais se dérobaient pour la plupart avant de se matérialiser. Elle se rappelait des masques blancs, un carrelage d'hôpital. Elle avait cru voir le petit visage d'un nouveau-né, yeux encore fermés, mais elle avait fort bien pu l'imaginer.

Trois jours avaient disparu de la vie d'Hester. Les trois jours qu'avait vécu son enfant. Elle avait manqué son bref passage dans l'existence. Un matin, elle sortit de sa torpeur comme une bête enlisée se hisse hors d'un marécage. Mme Olga était à son chevet.

— Ma petite fille chérie, c'est terrible. Ton pauvre enfant... Il n'a pas survécu. Il était fragile. Il est monté au ciel.

Hester eut envie de hurler. Où est-il ? Que lui est-il arrivé ? Il était si petit ! Son impuissance était une torture. Elle ne put même pas pleurer.

Elle n'avait plus aucune force. Les questions se bousculaient sans parvenir à s'exprimer. Elle sentit vaguement Mme Olga lui prendre la main, eut conscience que Ruby se tenait au bout du lit, mais elle était enfermée dans son désespoir comme dans un cercueil de verre.

Plus tard, le Dr Crawford lui fournit quelques explications. Mme Olga et Ruby étaient avec elle quand il fit sa visite. Il leur demanda de les laisser seuls. Mme Olga obéit à contrecœur.

— Ma pauvre petite, dit-il quand elles furent sorties.

Il avait l'air réellement peiné.

— Nous sommes assez désarmés devant les éclampsies. Quand vous êtes arrivée à l'hôpital, il y a quatre jours, vous étiez en pleine crise. Il fallait penser à la santé de votre enfant comme à la vôtre, mais le meilleur moyen de faire baisser la tension, c'est d'en enlever la cause, c'est-à-dire l'enfant. Nous avons donc pratiqué une césarienne en urgence. Malheureusement, ce genre d'opération comporte des risques. Je suis sincèrement navré.

— J'aurais voulu le voir, le tenir, murmura-t-elle. Même mort, j'aurais eu besoin...

— C'est tout à fait naturel, mais le meilleur traitement pour la mère, c'est la sédation, le temps qu'il faut à la pression sanguine pour revenir à la normale. Il ne fallait surtout pas prendre le risque de vous perdre aussi.

J'aurais préféré mourir avec lui, songea Hester. Pourquoi m'a-t-on laissée vivre ?

— Merci pour vos explications, répondit-elle au Dr Crawford.

— J'ai autre chose à vous apprendre, dit-il en lui prenant la main. Je suis désolé, Hester, mais malheureusement, vous ne pourrez plus avoir d'enfants. L'opération…

Il n'acheva pas. Hester eut un gémissement.

— Je n'en veux plus, à aucun prix !

C'est celui-là que je voulais, pensa-t-elle. Pas un autre.

Le Dr Crawford resta encore un peu, puis quitta la chambre. Le désespoir s'empara d'elle. Elle eut une forte fièvre qui la fit délirer. Elle vit des monstres, des danseurs, et des paysages cauchemardesques. Sa grand-mère lui apparut dans son linceul. Ruby lui dit plus tard que, malgré son impression d'avoir parlé tout haut, elle n'avait pas ouvert la bouche pendant tout ce temps. Quand elle sortit de la crise, elle n'était plus à l'hôpital mais dans une maison de repos, *Les Lauriers*, tenue par une certaine Mme McGreevey. Elle bénéficiait d'une chambre individuelle très confortable, mais elle ne rêvait que de quitter l'Écosse pour rentrer à Wychwood.

La maison de repos, joli bâtiment de briques rouges couvert de lierre, était entourée d'un jardin assez quelconque. En le regardant par la fenêtre, Hester ressentait un besoin intense de retrouver la campagne du Yorkshire. Une rue le longeait, bordée de maisons toutes semblables. L'intérieur sentait l'encaustique, et les chaussures de Mme McGreevey grinçaient sur le lino vert olive des couloirs. Il y avait un salon pour les patients capables de quitter leur lit. Ce n'était pas encore le cas d'Hester, mais il ne la tentait nullement d'après le bref aperçu qu'elle en avait eu. Le papier peint était très laid, et les brins de houx piqués dans les cadres des tableaux rappelaient que les fêtes n'étaient pas loin. La souffrance était encore plus difficile à supporter dans cette période de réjouissances, et elle se jura de ne plus jamais célébrer Noël.

Elle ne pouvait guère bouger. Elle se sentait faible, encore fiévreuse. Ses seins la faisaient souffrir comme deux plaies ouvertes près du cœur. Son enfant était mort...

Ruby lui tint compagnie des heures durant, assise à son chevet, les mains occupées par ses interminables travaux d'aiguille. Quand Hester lui posait des questions, elle lui répondait de son mieux.

— Raconte-moi encore. Je ne me souviens de rien. Parle-moi des derniers jours. Quand m'a-t-on amenée ici ? Pourquoi est-ce que je ne peux pas rentrer à Wychwood ? Ou au moins à la maison de Gullane ?

— Tu as été très malade. Tu as besoin de temps pour te remettre. Nous rentrerons bientôt. Depuis ton arrivée, tu as à peine pu quitter ton lit. Tu as eu beaucoup de fièvre. Une infirmière t'a veillée jour et nuit. Tu ne mangeais rien. Le Dr Crawford est venu te voir tous les jours. Tu n'étais alimentée que par intraveineuse, et Mme Olga et moi, nous nous sommes relayées auprès de toi. Nous te parlions, mais tu ne nous entendais pas.

— Si, je crois que j'entendais, mais je ne pouvais pas répondre. J'étais au fond d'un trou, d'une tombe, peut-être. Celle de mon fils.

Après cela, elle parvint à pleurer. Plus d'une semaine après la césarienne, Ruby lui apprit que Mme Olga avait organisé l'enterrement pour le lendemain.

— Elle ne veut pas que tu y ailles, ajouta Ruby. Tu n'es pas en état d'y assister.

— Mais c'est impossible ! Je veux aller à l'enterrement de mon fils ! Je veux le voir ! Comment peut-on faire la cérémonie sans moi ? Et la chaîne en or ? La chaîne de ma grand-mère doit être mise avec lui dans le cercueil. Celle qui complète la mienne.

Elle tira la chaînette de sous son col de chemise de nuit pour la montrer à Ruby.

— C'est très important. Je lui ai juré que je la donnerais à mon enfant. Je t'en prie, arrange-toi pour qu'on la place près de lui. Promets-le-moi ! Vous devez le promettre toutes les deux.

Ses sanglots étaient si violents qu'elle avait du mal à parler.

Mme Olga entra dans la chambre.

— Ma petite fille chérie, pourquoi tout ce chagrin ?

— Je veux aller à l'enterrement ! dit Hester entre ses larmes. Je vous en prie, je peux marcher jusqu'à la voiture. Je me remettrai au lit tout de suite après, c'est promis.

— Nous verrons demain. Je demanderai à Raymond.

Un instant, Hester ne comprit pas qui était Raymond, puis elle se rappela que c'était le prénom du Dr Crawford.

— Merci ! Merci ! s'écria Hester en retombant sur ses oreillers. Je prendrai la chaîne pour la placer dans son cercueil.

— Où est-elle ? s'enquit Mme Olga. Je peux m'en occuper. Ce sera fait, je t'en donne ma parole.

— Elle est ici, dans la commode, intervint Ruby. Nous l'avions prise dans la valise.

Hester ferma les yeux, à bout de forces. Il faut que je me repose pour être assez forte demain, songea-t-elle. Mon fils. Je ne lui ai même pas donné de nom. Le fils d'Adam. Elle se sentait incapable de lui trouver un prénom, à présent. Ruby lui avait dit qu'il avait été placé quelques secondes dans ses bras, juste avant que les sédatifs n'agissent, mais il ne lui restait qu'une vague image de nouveau-né. Elle ne se souvenait pas de son visage ; ils n'avaient pas pu faire connaissance. Il avait dû être très beau, son enfant. C'était cela le pire, le plus insupportable, peut-être : il n'avait d'existence que sous forme d'un manque, d'une absence.

Le lendemain matin, Mme Olga l'aida à s'habiller, car on lui avait tout de même permis d'aller à l'enterrement. En silence, elle se laissa passer une robe noire, puis son manteau. Sa faiblesse extrême l'empêchait presque de se lever. Comment allait-elle réussir à se tenir près de la tombe ? Des étourdissements la prenaient dès qu'elle se mettait debout. Elle connaissait le cimetière, qu'elle avait souvent longé avec Ruby lors de leurs promenades. Bien qu'elle n'y ait pas particulièrement prêté attention, il restait dans sa mémoire, car ces endroits frappent l'esprit. L'idée de la mort vous saisit, même si elle n'est que passagère. Elle eut soudain envie que son fils repose près de sa grand-mère et de son père, à Paris, dans cette ville miniature avec ses rues et ses maisons pour les morts. C'était impossible, bien sûr. Il demeurerait ici, dans la terre écossaise, dans cet endroit balayé par les vents où, du haut des dunes, on voyait le soleil se lever sur une mer couleur d'ardoise.

— Ma petite chérie, te sens-tu assez forte ? demanda Mme Olga, soucieuse, en ajustant le chapeau noir d'Hester. Es-tu certaine de pouvoir venir ?

Hester hocha la tête, car elle avait peur que sa voix ne tremble. Elle se leva, les jambes vacillantes. Ses jambes ! Elle avait toujours trouvé qu'elles étaient aussi solides que des tiges d'acier ! Elle tituba et s'accrocha au dossier d'une chaise. Mme Olga la retint.

— Attends, je vais te donner un remontant. Avale. Ça te remettra d'aplomb.

Elle lui mit un verre dans la main et lui fit prendre un comprimé.

Hester avança dans le couloir. Elle vit qu'elle portait des gants noirs, sans se souvenir de les avoir enfilés. Elle descendit dans le hall de la maison de repos. Il y avait une horloge de parquet dont les aiguilles marquaient onze heures moins dix. Il pleuvait. Elle entendait la pluie battre contre les fenêtres. Les carreaux du haut étaient à vitraux. Elle eut l'impression de cligner des paupières, puis se

301

retrouva dans son lit, émergeant d'un profond sommeil. Mme McGreevey se tenait à côté d'elle.

— Quoi ? gémit Hester d'une voix enrouée. Qu'est-ce que je fais ici ? Et l'enterrement ? Mon bébé...

Elle ne put achever, et dut attendre que ses forces reviennent pour continuer.

— Où est Mme Olga ? Où est Ruby ?

— Ne vous inquiétez pas. Elles s'occupent de tout. Elles m'ont chargé de vous dire qu'elles rentreraient très vite, dès que... dès que le pauvre mignon serait en terre.

Hester tourna la tête vers le mur et ferma les yeux. L'enterrement aurait lieu sans elle. Elle abandonnait son fils. Il est dans son cercueil, songea-t-elle. Ils l'ensevelissent... La chaîne !

— Mme McGreevey, s'il vous plaît, pourriez-vous vérifier quelque chose pour moi ? Je voudrais savoir s'il y a une petite boîte en écaille dans un tiroir de la commode. Merci.

La brave dame eut l'air soulagée que la mission soit si simple à accomplir. Elle ouvrit les tiroirs et chercha dans les affaires d'Hester.

— Non, désolée, je ne trouve pas. Vous êtes sûre qu'elle était ici ?

— Oui, mais cela veut dire qu'elles l'ont bien prise pour mon enfant.

Elle ferma les yeux et attendit. Quand elle entendit les pas discrets de Mme McGreevey sortir de la chambre, elle se redressa dans son lit. Elle avait l'impression qu'une hache était plantée dans sa tête ; sa vue se brouillait, les contours étaient mal définis. Elle se rallongea et enfouit son visage dans les oreillers. Au moins, son bébé aurait la chaînette avec lui, quelque chose de sa mère pour le réconforter.

Quelques minutes passèrent. La honte de sa défection céda la place à un autre sentiment, dont elle ne fut pas plus fière : le soulagement. Elle préférait ne pas savoir où son enfant était enterré. De cette façon, elle pourrait peut-être un peu oublier. Elle ne voulait pas penser à ce petit corps qui n'était plus une personne. Pas penser aux membres fragiles, à la peau satinée, aux yeux tout neufs, aux doigts minuscules, rongés sous la terre. Elle ne voulait pas voir l'endroit où on l'avait fait disparaître. Je ne demanderai pas à aller au cimetière, décida-t-elle. Tant pis si Mme Olga et Ruby ne comprennent pas. Il n'y a pas de tombe, il n'est pas mort.

Hester et Ruby retournèrent à la maison de Gullane le soir du réveillon. Toute l'Écosse fêtait Hogmanay, sauf elles. Mme Olga les accompagna pour les aider à faire leurs bagages. Les pièces sentaient le renfermé, car Ruby n'était rentrée que pour dormir, ayant passé toutes ses journées avec Hester à la maison de repos.

Les valises étaient presque terminées quand Hester vit le bas de Noël en feutre posé sur le dessus de la commode.

— Qu'est-ce que c'est, madame Olga ?

— Oh, mon Dieu ! Je voulais le cacher. C'était pour le bébé.

Hester se jeta sur le lit et sanglota en battant l'oreiller avec les poings, dans un paroxysme de désespoir. Elle se rendit vaguement compte que Mme Olga descendait en courant et parlait à Ruby. Comment allait-elle reprendre une vie normale alors que tout lui rappelait son deuil ? Jamais elle ne supporterait de vivre. Elle aurait voulu imaginer un monde meilleur après la mort, mais elle n'y croyait pas et n'y avait jamais cru. Peut-être y parviendrait-elle, au prix d'un effort. Son enfant était avec les anges, pourquoi pas, et il souriait depuis les nuages. Rien n'y fit. Après, il n'y avait que le néant, elle en était trop convaincue pour se bercer d'illusions. Elle ne se consolerait jamais d'avoir perdu son fils. Le fils qu'elle avait eu d'Adam.

1er janvier 1987

Le jour du Nouvel An, Hester se leva un peu fatiguée. Elle avait trop bu la veille, mais le réveillon était le meilleur moment des répétitions. Elle aimait se mêler aux troupes en résidence, et elle avait beaucoup apprécié la soirée.

Après avoir pris une douche et enfilé son justaucorps, elle se mit à la barre dans son bureau-loge. Parfois, elle faisait ses exercices du matin en musique, mais elle n'en avait pas envie aujourd'hui. Elle avait besoin de silence. Son enchaînement n'en souffrirait pas : elle connaissait les pas par cœur, leur ordre et leur rythmique. Elle y était si habituée qu'elle pouvait les effectuer sans même y penser. C'était devenu une seconde nature. Elle avait beau vieillir, elle restait bonne danseuse grâce à l'entraînement quotidien auquel elle s'astreignait depuis plus de quarante ans.

Je me fais de jolies illusions, songea-t-elle avec un sourire. J'ai beau me sentir toujours capable des mêmes performances, je ne suis plus aussi souple, je ne monte plus les jambes aussi haut. Autrefois, elles me touchaient l'oreille, ce qui est loin d'être le cas maintenant. Peu importe.

Après ses exercices à la barre, elle enfila un pull, des bottes et un bonnet sur sa tenue de danse. Une petite promenade l'aiderait à chasser les brumes d'une soirée trop arrosée. Elle sortit sans bruit de la maison. De la neige était encore tombée pendant la nuit, mais elle avait commencé à fondre. Ici et là sur la pelouse, des plaques blanches brillaient sous le soleil matinal. Des nuages laiteux s'amassaient dans le ciel. Il faisait doux, le vent s'était calmé. Dans la nature silencieuse, on n'entendait que ses pas sur le gravier.

Alison regardait Ruby déplier l'échelle métallique du grenier. Il lui fallut assez longtemps, car le mécanisme avait besoin d'être huilé, mais les marches finirent par descendre jusqu'à elles. Ruby monta la première pour allumer. Alison était très curieuse. Elle ne connaissait que les greniers de romans, mystérieux et remplis de vieilleries insolites – documents secrets, photos anciennes, ou objets terrorisants couverts de toiles d'araignée. En arrivant derrière Ruby, elle eut la surprise de découvrir une pièce, certes sombre, mais beaucoup mieux rangée et plus propre qu'elle ne l'avait imaginé. Quatre énormes cantines métalliques étaient alignées sous la soupente, chacune étiquetée. *Costumes*, sur l'une, puis *Accessoires, Programmes et presse, Divers*.

— Nous y voilà, dit Ruby. Nous allons pouvoir récupérer beaucoup de choses : des châles, des bijoux, des parures, que nous arrangerons avec ce que nous avons acheté à Leeds. Nous n'avons qu'à nous occuper des accessoires ce matin, et puis nous passerons aux tenues elles-mêmes. Nous avons très peu de temps avant la répétition en costumes – la « couturière », comme on l'appelle. Tu vas commencer par t'attaquer aux roses en papier crépon. Il nous en faut des quantités.

Alison se pencha sur la cantine que Ruby venait d'ouvrir et en tira un bouquet de fleurs rouges artificielles, un peu froissées.

— Comme celles-ci ?

— Exactement. Elles ont servi dans *La Belle au bois dormant*. Tu connais l'Adage à la rose ?

Oui, Alison avait vu Claudia danser le rôle d'Aurore, et elle se souvenait d'avoir remarqué beaucoup de roses sur scène. Sa mère avait même fait un scandale parce qu'elle n'aimait pas leur couleur, à tel point que l'accessoiriste avait failli donner sa démission. Ses récriminations avaient duré des heures. *C'est moi qui vais danser avec ces cochonneries de fleurs, la moindre des choses serait que l'accessoiriste s'arrange pour que j'aie des roses qui ne jurent pas avec mes cheveux !*

Ruby récupéra des objets qu'elle enfourna dans une taie d'oreiller.

— Voilà, j'ai ce qu'il me faut pour commencer. Nous pouvons redescendre.

Alison regretta de ne pas avoir le temps d'explorer les autres cantines. Pourvu qu'elle ait l'occasion de remonter au grenier avant la fin de son séjour !

— Le lendemain du réveillon, personne n'arrive à se lever, remarqua Ruby.

Elle était installée avec Alison à la table de la pièce des costumes. Il était treize heures, et alors qu'elles avaient déjà pris leur repas de midi, la troupe n'en était qu'au petit déjeuner. Une fois n'est pas coutume, les danseurs avaient pu faire la grasse matinée. Les répétitions n'étaient prévues qu'à partir de quatorze heures.

Siggy, en mal de compagnie, les avait suivies à l'Arcadia et s'était installé sur le couvercle de la malle.

— On dirait qu'il nous surveille, remarqua Ruby. Nous avons intérêt à travailler vite, avec un contremaître comme lui !

Alison sourit. Siggy lui rappelait l'une des chansonnettes du livre de son père.

> *Le petit chaton*
> *Dort couché en rond.*
> *Sage comme une image,*
> *Il rêve qu'un papillon*
> *Lui chatouille le menton*
> *D'un coup d'aile au passage.*

Il n'y aurait pas de courrier aujourd'hui. Demain, peut-être, le facteur apporterait-il une lettre de son père. L'espoir de recevoir des nouvelles de lui pendant son séjour devenait de plus en plus mince. Elle avait pourtant écrit l'adresse du manoir au dos de son enveloppe. Elle reporta son attention sur la bande de papier crépon rouge qu'elle enroulait selon les explications de Ruby. Elle comptait bien réaliser une rose aussi parfaite que le modèle qui se trouvait devant elle, et acquérir de la rapidité, car il en fallait des quantités. Quel soulagement d'être occupée, loin de sa mère, de Nick, et du reste de la troupe ! Parfois, elle aurait voulu vivre seule sur une île déserte, comme Robinson Crusoé. Ce devait être tellement plus facile de n'avoir à se préoccuper que de survivre et de se procurer de la nourriture. Elle détestait les complications.

Ruby brodait à une allure vertigineuse des feuilles et des grosses fleurs bigarrées sur une jupe bleue. Elle parlait peu, et seulement pour lui donner des explications.

— De la soie à broder, ce serait trop fin pour ce travail, et beaucoup trop long. La laine est épaisse, ce qui permettra de voir les motifs depuis la salle. Les couleurs sont plus intenses, plus franches, et c'est beaucoup plus rapide. Regarde la taille de mon aiguille ! C'est mon aiguille à repriser.

Alison hocha la tête. L'attente d'une lettre de son père l'épuisait et lui ôtait un peu le goût de tout. Au fond, elle se moquait pas mal du ballet, ce qui n'était pas très gentil, elle le savait. *Sarabande* comptait beaucoup pour sa mère et pour Hugo. Il avait été vraiment ennuyé par l'incident des costumes, et elle avait eu à cœur de l'aider, mais après leur comportement de la veille au soir, elle leur en voulait à tous les deux.

— Tu vas bien ? lui demanda Ruby en s'arrêtant une

seconde pour la dévisager. Tu dois être fatiguée. Nous nous sommes couchés très tard.

— Et je n'ai même pas réussi à m'endormir tout de suite.

Elle sourit pour montrer que ce n'était pas bien grave. Il ne fallait surtout pas donner envie à Ruby de la questionner, parce qu'elle ne voulait pas révéler ce qu'elle avait surpris. Elle retourna à son papier crépon, coupa une longueur de vert, puis l'enroula autour du fil de fer qui servait de tige à la rose.

— Tu commences à prendre le coup de main !

— Ça me plaît.

Ruby approuva tout en continuant sa broderie. Très vite Alison recommença à ressasser ce qu'elle avait vu, ou cru voir, pendant le dîner. Sa mère était ivre. Elle avait flirté avec Nick, qui, malgré ce qu'avait espéré Alison, avait paru enchanté. Il s'était collé à Claudia, avait lorgné son décolleté. Alison avait attendu les douze coups de minuit avant de monter se coucher. Tous s'étaient embrassés, ou plutôt avaient fait claquer des bruits de baisers en l'air, tout en se courant les uns après les autres. Une agitation qui soudain lui avait donné envie de se retrouver seule.

Contrairement à ce qu'elle avait prétendu, elle s'était presque endormie tout de suite, mais elle s'était réveillée en sursaut peu de temps après. Un bourdonnement de conversation provenait du couloir. Elle avait cru reconnaître le rire de sa mère, ses chuchotements. Elle avait tendu l'oreille. L'autre voix... Était-ce celle de Nick ? Elle avait de nouveau entendu le rire de sa mère. Alison avait sauté au bas de son lit et ouvert la porte, juste à temps pour voir celle de la chambre de Nick se refermer. Où était passée Claudia ? Étaient-ils entrés ensemble ? Elle n'en était pas certaine, pourtant elle l'avait bien entendue rire. La mort dans l'âme, elle était retournée se coucher et avait eu beaucoup de mal à retrouver le sommeil.

Alison serra le fil de fer avec un geste un peu trop

brutal, et posa la rose achevée dans le panier avec les autres. Plus que vingt. Le jeu de séduction de sa mère et de Nick à table l'avait écœurée. Jamais de sa vie elle ne s'était sentie aussi mal à l'aise. Sa mère ne pensait pas à elle, c'était certain, mais son père était-il plus attentif ? Que faisait-il pour le Nouvel An ? Il ne pense sûrement pas davantage à moi, se dit-elle.

Les roses s'amoncelaient dans le panier. Le travail répétitif avait un effet soporifique. Ses yeux se fermaient malgré elle. Ruby le remarqua.

— Tu voudrais faire une pause ?

— Non, merci, ça va.

Tout en continuant à confectionner ses fleurs, Alison chercha un sujet de conversation.

— Vous vous souvenez du temps où Hester était danseuse, quand vous étiez son habilleuse ?

— Je l'ai connue quand elle avait ton âge, à peu près. Elle a commencé à danser très jeune.

— Ma mère m'a un peu parlé d'elle avant de venir. C'est dommage qu'elle ait été obligée d'arrêter la danse à cause d'un accident. Elle est tombée d'une falaise ? En Cornouailles ?

— Pas exactement, mais le résultat est le même : elle a dû se retirer. Une vraie pitié. C'était en 1966. Elle avait trente-trois ans. Elle aurait encore pu continuer quelques années. Elle se promenait sur le sentier des douaniers avec un ami. Edmund Norland, justement, le compositeur de la musique de *Sarabande*. Elle a simplement trébuché, mais elle s'est cassé la cheville. Une fracture grave. On s'en remet très difficilement à cet âge, quand on est danseuse.

— La pauvre.

Alison imagina Hester, le pied dans le plâtre, et pensa qu'elle avait dû être désespérée.

— C'est vraiment affreux.

— Oui, elle a eu… Enfin bref.

— Si, dites-moi, supplia Alison. Je ne répéterai rien, c'est promis.

— Je ne devrais pas en parler... Enfin, après tout ce temps, j'imagine que ça n'a plus grande importance. Elle a fait une sorte de dépression, juste après. Elle a très mal supporté de devoir abandonner la danse. C'était toute sa vie. Ça suffit ! conclut Ruby avec un large sourire. Parlons de quelque chose de plus joyeux. Le jour du Nouvel An, il ne faut pas penser à des choses tristes.

Alison opina du bonnet.

— Hugo va adorer les roses, reprit Ruby. Et quand nous les aurons terminées, tu couvriras les paniers de jardin avec du papier doré. J'en ai toujours des rouleaux en réserve dans l'armoire des accessoires. Et puis je te demanderai encore ton aide pour une autre tâche, si tu veux bien.

— Bien sûr !

— Le soir de la première, nous organisons une réception. Nous ne faisons rien de compliqué, mais j'aime bien me donner un peu de mal pour la décoration de la salle à manger.

— Je serais ravie de vous aider. Je dois faire quoi ?

— J'ai mis de côté quelques jolies branches, et je me demande si nous ne pourrions pas les utiliser.

— J'ai une idée !

Alison posa sa rose en se retenant de bondir de sa chaise.

— Une idée géniale ! Et si je m'en occupais toute seule ? Vous, vous avez beaucoup trop de travail. Vous voulez bien me laisser me charger de toute la décoration ?

— Pourquoi pas... Ça dépendra de ton idée !

— Je voudrais que ce soit une surprise. Si je vous le dis, vous promettez de n'en parler à personne ?

Ruby sourit.

— Bon, bon, d'accord !

— Merci.

Alison alla fermer la porte avec soin, et s'assit à côté de

Ruby comme une conspiratrice pour lui expliquer son projet. Il fallait se méfier quand on avait une bonne idée. Les murs avaient des oreilles.

— Ah, te voilà, Claudia !

Hugo était jovial, mais elle le connaissait bien. S'il n'y avait pas eu de témoins, il lui aurait fait une scène.

— Désolée, chéri. Je sais, je suis terriblement en retard ! Mes plus plates excuses à tous. Je suis navrée, navrée, mais je ne suis pas encore tout à fait remise d'hier soir.

Elle se dirigea vers les chaises, en poussa une contre le mur de la salle de répétition, posa son gros sac de danse par terre, et s'assit pour sortir ses pointes.

— Tu as un peu de temps, intervint Hugo. Nous sommes tous en retard aujourd'hui, et j'ai encore du travail avec Andy et Ilene.

Le sursis était providentiel. Merde, pensa-t-elle. Je vieillis, ça devient trop éreintant pour moi. Elle avait dû rester une demi-heure sous une douche brûlante avant de se sentir capable de descendre. Elle avait très mal à la tête. J'arrête de boire, se promit-elle. Je devrais me ménager plus. Si elle s'en voulait de ses excès, elle ne regrettait nullement d'avoir fini la nuit dans le lit de Nick. Rien n'aurait pu la retenir. Mais il est vrai que vers le milieu du dîner, elle avait commencé à ne plus trop savoir ce qui se passait.

Malheureusement, elle ne se souvenait de presque rien. Elle avait suivi Nick à l'étage, dans sa chambre au bout du couloir. Ils étaient tombés sur le lit, puis c'était le noir total. Longtemps après, plusieurs heures, sans doute, elle avait rouvert les yeux et s'était traînée dans la salle de bains, en proie à une soif inextinguible. Elle avait presque été surprise de trouver Nick endormi dans le lit qu'elle venait de quitter. Elle l'avait réveillé.

Et puis ?... Claudia avait du mal à suivre ses pensées. Le thème qui accompagnait les apparitions d'Andy sur scène

311

était un peu trop guilleret à son goût, et l'empêchait de réfléchir. Elle rougit en se souvenant de ce que Nick lui avait dit pendant leur premier baiser, de l'intensité de son désir pour elle. Il avait encore envie d'elle, avait-il affirmé au moment où elle s'apprêtait à regagner sa chambre.

— Où vas-tu ? Reviens te coucher.

— Tu es fou ! Il ne manquerait plus qu'Hugo comprenne ce qui se passe. Promets-moi de ne rien dire.

— Ne t'inquiète pas. Je serai muet comme une carpe. Et si tu tiens absolument à partir, moi, je me rendors. Demain, on danse.

Eh oui ! Il fallait danser. Claudia allait devoir quitter sa chaise d'ici une minute, justement, et c'était bien la dernière chose dont elle avait envie. Hugo s'occupait heureusement encore d'Ilene. Il était profondément endormi quand elle était revenue sur la pointe des pieds, et il lui avait été très facile de lui mentir au réveil. « Je me suis couchée juste après toi. Tu dormais à poings fermés, chéri. Je ne voulais surtout pas te réveiller. »

— Et un, et deux, et tourne, disait Hugo. Rejoins Andy, descendez vers l'avant-scène, et retour. C'est bien. Claudia, tu es prête à nous rejoindre ?

— Bien sûr.

Elle alla prendre place sur la pile de coussins qui représentait le lit de la princesse. Bientôt viendrait le moment de se relever. Allait-elle en être capable ? Il ne s'agissait pas de se rendormir ! C'est vraiment bien ma chance, songea-t-elle. Je passe la nuit avec un beau jeune homme, et je ne me souviens de rien. Et puis j'ai mal au cœur. L'alcool, quelle saleté ! J'arrête, c'est décidé. Par pitié, mon Dieu, faites que j'arrive à terminer la répétition sans vomir.

Alison regarda sous la bâche qui recouvrait les branchages au fond du garage. Ruby était une femme de parole. Ah ! Si tout le monde avait pu être comme elle ! Pourquoi Claudia ne lui ressemblait-elle pas ? Ruby lui avait promis de la végétation, et il y en avait une pile, bien entreposée. Elle pouvait commencer tout de suite, en profitant de ce que la troupe était en pleine répétition, et Ruby encore occupée aux costumes. Elle avait emporté tout ce dont elle avait besoin dans un grand sac en plastique. Ici, on ne la dérangerait pas, et elle serait libre de revenir travailler à son idée dès qu'elle en aurait le temps.

Elle empoigna son gros sécateur. La tâche allait sans doute être longue, mais qu'importe. L'activité lui plaisait : couper ici, trancher là, en fonction de son plan d'accrochage. Pendant qu'elle taillait, elle laissa filer ses pensées à leur gré. Elle rêvassait, pensait à Nick, à Silver, à Siggy, à l'arbre que son père avait dessiné dans son livre de berceuses, et au poème qui l'accompagnait :

> *Pour tous les arbres, le bonheur*
> *Est d'accueillir les oiseaux,*
> *D'offrir leurs branches et leur cœur,*
> *Leurs feuilles et leurs petits rameaux*
> *Pour qu'ils puissent à loisir chanter,*
> *Siffler, roucouler et danser.*

C'était un de ses dessins favoris. L'arbre occupait presque toute la page, et des oiseaux étaient perchés sur chaque branche, par centaines. Elle aurait voulu que son père voie sa décoration du salon. Il apprécierait. Quelqu'un allait peut-être prendre des photos. Elle les lui enverrait en Amérique. Je demanderai à Hugo, songea-t-elle. Il a un appareil.

Hester était montée dans la pièce des costumes. Si elle avait été inquiète, la vue de Ruby, parfaitement maîtresse de la situation, l'avait rassurée. C'était tout elle, cette efficacité ! Elle la trouva très en beauté. Elle faillit le lui dire, mais Ruby détestait les compliments et ne savait pas y répondre. Dire qu'elle a dix ans de plus que moi, pensa

Hester. Et même si elle n'était pas jolie, à proprement parler, il y avait quelque chose de majestueux en elle. Elle était imposante, digne, avec sa grande taille, ses traits décidés. Même ses lunettes à monture d'écaille claire lui allaient bien. Elle portait des vêtements de qualité qu'elle se confectionnait elle-même pour la plupart. Ses jupes tombaient impeccablement. On aurait seulement pu lui reprocher un certain conformisme : des tweeds dans les mauves, des chemisiers en coton et des cardigans tricotés main. Chaussures pratiques à talons plats, toujours cirées. Hester ne lui avait jamais vu les jambes nues. Même par temps chaud, Ruby portait des collants.

Elle avait envie de lui parler d'Adam, mais ne sachant comment aborder le sujet, elle commença par des considérations générales.

— Les costumes avancent bien ? Nous serons prêts à temps ? J'ai promis à Hugo que tout irait bien.

— Oui, ne t'en fais pas. Mais tu n'es pas montée jusqu'ici pour me parler des costumes. Quelque chose te tracasse ?

— Ah ! Ruby ! Tu me connais tellement bien !

Hester approcha de la fenêtre.

— Je me demande ce qu'Edmund va nous raconter...

— Sur l'enterrement ?

— Oui. Il va bien falloir que je lui pose des questions. Je serais tentée de tout savoir, jusqu'au moindre détail, mais je sais que je regretterai ma curiosité.

— Es-tu encore ?...

Ruby n'acheva pas, mais Hester lui trouva du courage d'avoir même amorcé la phrase. C'était la première fois, depuis toutes ces longues années, que Ruby l'interrogeait sur ses sentiments pour Adam. Elle était toujours tellement pudique...

— Tu me demandes si j'aime encore Adam ? La réponse est non. Non, pas vraiment. Je ne suis plus amoureuse de lui depuis longtemps. Mais... Pour justifier les épreuves que j'ai traversées, sans doute a-t-il fallu me convaincre qu'il était le grand amour de ma vie. Le poids de cet amour m'a étouffée. Je n'ai plus eu de vrais sentiments après lui. Ma liaison avec Adam a parasité toutes mes autres aventures. C'est difficile à expliquer.

Ruby avait pris de la dentelle pour la coudre à la manche de la veste du bouffon. Elle s'interrompit un instant pour relever la tête.

— La mort d'Adam devrait te libérer.

— Tu as raison. Mais j'ai peur, aussi, comme les gens qui sortent de prison après une longue peine. Se retrouver dans le monde réel n'est pas évident. L'incarcération finit par devenir rassurante, et on redoute la liberté. C'est pareil pour moi. Je suis prête à me détacher d'Adam, mais l'avenir sans mon amour pour lui m'angoisse.

— Je sais que ça ne me regarde pas, Hester, mais je te le dis quand même. Ce serait vraiment triste si tu finissais ta vie toute seule.

— Je ne suis pas toute seule ! Il y a toi, il y a George, il y a Edmund. Je suis débordée par toutes mes activités : les master classes, le festival ! Les compagnies invitées...

Comme Ruby ne répondait pas, Hester continua.

— Tu as peur que je vieillisse seule, comme Mme Olga ?

— J'espère juste que ce ne sera pas le cas.

Elles évitaient en général ce sujet, Hester sentant que Ruby n'aimait pas Mme Olga, sans comprendre pourquoi. Ruby s'était de nouveau penchée sur la chemise du bouffon, l'air fermé, comme cela lui arrivait souvent quand on évoquait le passé. D'expérience, Hester savait qu'elle n'en tirerait plus rien.

— Je te laisse travailler tranquille. À plus tard, Ruby.

1953

À travers les vitres de la véranda, la promenade noyée de pluie était déserte devant une mer sans couleur, sous un ciel de plomb. Le vent soulevait des gerbes d'eau. Hester serra son cardigan autour d'elle. Elle s'imagina dans la tempête, la gifle des éléments sur ses joues. Elle avait envie de se jeter dans la tourmente. Là, elle pourrait pleurer sans être vue. Brighton était vide en février. Mme Olga m'empêcherait de sortir, se dit-elle, et il faut la rassurer. Si je veux partir d'ici, je dois guérir. Comme si c'était possible...

Mme Olga lui avait proposé le sud de la France, l'Espagne.

— Tu dois te rétablir, ma petite chérie. Tu as besoin de soleil, de te réchauffer.

— Non, pas de soleil.

Elle n'avait envie que de froid, justement. Elle aurait voulu s'enfermer dans un bloc de glace pour toujours.

— En tout cas, partons le plus loin possible de Gullane, je vous en prie.

À moins de franchir la mer, on ne pouvait pas s'éloigner plus de l'Écosse qu'en allant à Brighton. Mme Olga l'avait emmenée au White Cliffs Hotel, établissement beaucoup plus modeste que le Royal Albion, ou le Grand Hotel, mais tranquille et agréable. Elles avaient pris deux chambres communicantes en pension complète pour un mois. Déjà, au bout d'une semaine, Hester se demandait comment elle allait supporter un aussi long séjour.

Mme Olga adorait la véranda, un jardin d'hiver meublé de gros fauteuils et de tables basses. Elles y passaient pratiquement tout leur temps, et il n'y avait pas d'autre occupation pour Hester que de regarder la pluie tomber, et de rêver qu'elle s'enfonçait dans la mer, pour ne jamais revenir. La véranda faisait la fierté de Mme Norrington, la directrice de l'hôtel. Elle entourait les rares clients qui s'y installaient, des personnes âgées pour la plupart, d'une affection quasi maternelle. Elle vouait une admiration sans bornes à Hester, Mme Olga ayant exagéré sa célébrité et entouré sa maladie d'un grand mystère, grâce à quoi elles étaient des hôtes privilégiées.

Edmund avait annoncé une visite pour l'après-midi. Habituellement, on servait le thé dans le salon de l'hôtel, mais Mme Norrington leur accordait un traitement de faveur.

— Pour vous, madame Rakovska, je vous laisse avec plaisir disposer de la véranda. Je surveillerai les arrivées, et dès que votre invité sera là, je vous l'enverrai.

— Elle doit s'attendre à accueillir une personne connue, remarqua Mme Olga, le nez collé à la vitre embuée. Je ne l'ai pas détrompée.

Hester n'avait pas très envie de voir Edmund. Il lui avait beaucoup écrit, l'avait suppliée de le laisser venir. De guerre lasse elle avait accepté, et elle l'avait aussitôt regretté. Elle appréciait sa compagnie, bien sûr, mais préférait qu'il demeure extérieur à son malheur. Tout irait bien tant que leur conversation resterait superficielle. Je ne suis pas prête, pensa-t-elle, oppressée. De quoi pourraient-ils bien parler ? Elle cligna les paupières pour chasser ses larmes.

Tu es bête, ce n'est qu'Edmund, se dit-elle. Il n'y a rien à craindre. Ce sera formidable. J'ai besoin d'un ami pour me consoler.

— Ah ! s'exclama Mme Olga. Je crois que c'est lui. Oui, c'est Edmund, mais...

Deux hommes passaient la porte à tambour. L'un d'eux était Edmund, sans chapeau malgré le temps, et derrière lui... Quelques mètres seulement séparaient le hall de la véranda. Il ne leur fallut que quelques secondes pour entrer.

Hester ferma les yeux. C'était son seul moyen de fuir. Si je ne regarde pas, il va disparaître. Si j'arrêtais de respirer, là, je n'aurais plus rien à craindre. Si c'est bien lui. Bien sûr que c'est lui. Edmund a osé faire venir Adam sans m'avertir !

Une violente colère montait en elle. On foulait aux pieds ses sentiments les plus intimes. On la bafouait, on brûlait son cœur !

— Hester, Hester, ma chérie ! s'écria Edmund en la serrant dans ses bras.

Raide de fureur, elle ne répondit pas.

— Je t'ai amené Adam. Il... Je me suis dit que ça serait mieux si nous pouvions... si nous pouvions discuter. Prendre le thé, je ne sais pas.

Il eut un rire, mais qui sonnait faux. Hester se taisait toujours. Elle tomba dans un fauteuil en gardant les yeux sur le tapis et son motif à grosses fleurs rouges. Ne relève pas la tête. Ne croise pas son regard. Il s'assit à côté d'elle ! Comment se permettait-il ? Comment Edmund avait-il osé ? Je ne peux pas rester, pensa-t-elle. Je ne peux pas prendre le thé avec Edmund et Adam. Je ne veux pas parler de ce qui est arrivé. Je m'y refuse absolument.

Mme Norrington entra dans la véranda pour les servir. Deux employées la suivaient avec des plateaux. Hester n'osa pas faire d'esclandre devant elle.

— Chère Hester, dit Mme Olga dès qu'ils furent de nouveau seuls. Nous allons boire et discuter en gens civilisés. Je vais te laisser seul avec tes amis. C'est ce que tu souhaites, bien sûr ?

— Non !

Elle avait l'impression, comme cela se produisait souvent sur scène, de s'être détachée de son corps. *Je joue le rôle d'une femme qui va faire une crise. Elle ne se domine plus. Si elle ne dit pas ce qu'elle pense, son cœur va exploser.* Elle se tourna vers Edmund.

— Je croyais pouvoir te faire confiance, Edmund ! Je vois que je me trompais. Je ne veux pas prendre le thé avec vous. Comment as-tu pu me mettre dans une situation pareille ? Tu savais très bien que je ne voulais plus le voir.

Jusqu'à cet instant, elle était arrivée à ne pas regarder Adam. Quand il avait passé la porte, elle avait vu tout ce qui l'intéressait : les joues creuses, les cernes noirs. Il avait l'air de ne pas avoir dormi depuis des semaines. *Il fallait lui parler, maintenant.* Elle se leva et se força à se tourner vers lui.

— Adam, puisque Edmund t'a amené, je suis bien obligée de te tenir au courant. Nous avons eu un fils, et il est mort. Je n'ai rien d'autre à ajouter. Au revoir.

— Hester, je t'en prie...

Sa voix lui donna le frisson.

— Hester, je t'en prie, parle-moi. Assieds-toi.

Cette fois, elle hurla.

— Je n'ai pas à recevoir d'ordres de toi ! Je ne m'assiérai pas ! Je n'ai rien à te dire ! Va-t'en ! Je ne veux plus jamais te voir, jamais !

Elle se tourna vers Edmund, criant toujours.

— Et toi non plus, je ne veux plus te revoir ! Tu crois toujours tout mieux savoir que tout le monde. Cette visite me fait du mal, et je ne sais pas comment je vais arriver à...

Incapable de continuer, elle s'enfuit de la véranda avant qu'on ne puisse la retenir, passa la porte à tambour, et courut sur la promenade. *Ah ! Le vent !* songea-t-elle. *Qu'il me fouette, qu'il m'emporte !* Elle se rua vers la mer. Un souffle puissant s'engouffra dans ses vêtements, l'ébouriffa, jeta sur son visage des embruns qui ruisselèrent avec ses larmes. Edmund, pensait-elle, Edmund, pourquoi m'as-tu fait ça ? Pourquoi as-tu amené Adam ? Je ne pourrai jamais te pardonner. Tu m'as trahie.

— Hester !

C'était lui, ce traître !

— Hester, ne reste pas dehors. Tu vas attraper du mal. Viens, rentre. Il est parti. Adam est parti. Il ne reviendra pas. Je te demande pardon.

Elle résista, puis finit par accepter de le suivre. Je ne suis plus rien, pensait-elle, rien qu'une coquille vide, comme celles que l'on trouve sur la plage, fines, blanches et creuses. *Pardon*, ne cessait de répéter Edmund. *Pardon*, comme si cela pouvait servir à quoi que ce soit.

2 janvier 1987

En revenant du petit déjeuner, Hester regarda par la fenêtre de son bureau, et songea que c'était une journée d'hiver idéale. Il n'y avait pas un nuage, et le ciel était d'un bleu si pâle qu'il en était presque argenté. La température avait chuté pendant la nuit, et autour de chaque brin d'herbe, de chaque branche, de chaque feuille une gangue de gel scintillait dans le soleil voilé. La campagne était blanche. Il y avait même un oiseau, un rouge-gorge, peut-être, perché sur la grille d'entrée. Une vraie carte postale. Tant mieux, Edmund allait voir Wychwood dans toute sa splendeur hivernale.

Son cœur battait plus fort quand elle pensait à Edmund. *C'est bête, alors que je le connais depuis presque quarante ans ! Nous avons traversé tellement d'épreuves ensemble. Je n'arriverai pas à l'attendre sans rien faire. Je n'ai qu'à aller me promener.*

Elle enfila ses bottes, mit son manteau et sortit, marchant d'un bon pas, respirant à fond l'air vivifiant. Elle se rappelait les mois désolés qui avaient suivi sa dispute avec Edmund. Elle s'était sentie si seule. Lui aussi avait souffert. *Pauvre Edmund, non seulement je ne voulais plus le voir, mais il était aussi en froid avec Adam.* Quand, enfin, ils avaient tiré un trait sur l'incident de Brighton, il lui avait confié qu'Adam, lui aussi, s'était senti trahi. *Il croyait que tu avais donné ton accord, que je t'en avais parlé d'abord. Il prétendait que je le lui avais dit. C'était un malentendu. Tu imagines, je n'allais pas lui mentir.*

Dieu sait quand il va arriver, pensa-t-elle. Dans sa dernière carte postale, il n'avait pas précisé l'heure. *Je viendrai le plus tôt possible le 2 janvier. J'ai hâte de te voir. Je t'embrasse de tout mon cœur. Edmund.*

Quand elle rentra au manoir, la grille était ouverte. Elle remonta l'allée d'un pas vif, et elle l'aperçut devant la maison. Il venait de descendre de voiture. Il lui tendit les bras. Elle courut se jeter à son cou, et éclata en sanglots.

— Edmund ! Pardon ! Je n'y peux rien. Je suis... Il faut que j'arrête ! C'est parce que je suis contente de te voir. Tu me fais pleurer. Je suis tellement soulagée que tu sois là.

— Hester, ma chérie ! Moi aussi je suis heureux.

Elle ne pouvait plus prononcer un mot. Elle le serra dans ses bras, puis recula avec un sourire.

— Voilà que j'inonde ton manteau ! Ça va encore tripler ta note de teinturier. Tu m'as beaucoup manqué. Rentrons, il fait trop froid dehors.

Silver tâchait de garder sa concentration. Elle était seule avec Hugo dans la salle de répétitions, et travaillait l'enchaînement extrêmement technique qu'il avait mis au point pour son solo de l'ange, et qui précédait son pas de deux avec Nick. Il y avait des jetés en tournant, toute une série d'entrechats, et la vibration des bras qu'il venait d'inventer par-dessus le marché. Elle lui avait rappelé que les ailes allaient la ralentir dans ses tours et ses sauts, ce qui serait déjà assez difficile sans en rajouter. Fallait-il vraiment bouger autant les bras ?

— On aura l'impression que tu voles. La vibration montre le mouvement de l'air. Je veux que tu ne touches plus terre.

— Il fallait engager un oiseau, alors, marmonna-t-elle.

— Je t'ai entendue, Silver...

Il souriait sans tenir compte de ses remarques. Si elle

avait pu le détester, tout aurait été tellement plus simple. Elle aurait pu être plus insolente, dire ce qu'elle pensait... Malheureusement, il était difficile de ne pas le trouver sympathique.

Prenant pour repère une marque noire sur le mur en face d'elle, elle se lança à corps perdu dans son enchaînement, ce tourbillon de tours sur les pointes. Elle ne connaissait pas beaucoup d'autres ballerines qui auraient pu accomplir ce qu'elle tentait. Hugo l'en croyait capable parce qu'elle avait réussi les fameux trente-deux fouettés du *Lac des cygnes*. Allez, mets toute la gomme, se dit-elle. Garde le rythme, l'équilibre. Tourne, tourne, tempo, vole, vole, tourne, tourne, encore, et frémis des bras, lève-les, flotte, saute, encore, encore. Silver n'existait plus, elle n'était plus qu'un corps qui évoluait dans l'espace, rien qu'un corps animé par la musique, incandescent, les poumons en feu.

— Bravo ! Tu as réussi !

Hugo l'avait attrapée dans ses bras et la serrait de toutes ses forces, en délire. Le cœur de Silver martelait ses côtes. Elle était inondée de sueur. La transpiration lui dégoulinait sur le visage. Elle se laissa aller contre lui pour retrouver son souffle tandis qu'il s'enthousiasmait.

— Je savais que tu y arrriverais ! Je savais que tu étais la meilleure ! Tu ne me croyais pas, et moi, je l'ai prouvé !

Il lui prit les mains.

— Tu m'en veux ? J'ai été très dur avec toi ?

— Dur, non. Mais exigeant, oui. Pénible, très pénible ! Tu crois toujours tout savoir. Comme tous les chorégraphes, d'ailleurs.

— D'accord, mais j'avais raison ! C'est ce qu'il fallait pour *Sarabande*. Et pour toi, pour toi !

Il la dévorait des yeux d'une façon fort troublante. Soudain, l'émotion la submergeait. Ils étaient si près l'un de l'autre qu'elle sentait sa chaleur. Il se passait quelque chose... En temps normal, elle aurait trouvé une plaisanterie, se serait moquée de lui pour désamorcer la situation. Là, elle avait perdu sa langue, elle se taisait comme une idiote. Elle avait envie qu'il la reprenne dans ses bras. Arrête, se dit-elle. Ne fais pas l'imbécile ! Il est pratiquement marié à Claudia. Il n'a jamais montré le moindre intérêt pour toi en dehors de la danse. Ne te monte pas le bourrichon juste parce que tu viens de réussir un enchaînement presque impossible. Ça ne va pas plus loin.

— Je ne sais pas si j'arriverai à le refaire, Hugo.

— Mais bien sûr, que tu y arriveras ! Et même, tu feras mieux. J'ai une totale confiance en toi.

Il lui caressa les cheveux sans y penser.

— On se retrouve au déjeuner, Silver. J'attends Ilene et Andy d'une minute à l'autre. Je te remercie.

— Oui, à plus tard.

Hester se leva pour tirer les rideaux puis reprit place dans son fauteuil. Dans la pénombre grandissante, la lampe du bureau jetait une lumière dorée dans la pièce. Edmund s'était joint à la troupe pour le déjeuner. Sa présence avait comblé les danseurs comme le chorégraphe, tous également ravis de faire la connaissance du compositeur.

— C'est une musique géniale pour danser, s'enthousiasma Andy, nous l'adorons.

Nick et Ilene acquiescèrent, et Hester entendit Claudia roucouler :

— Vous devez si bien comprendre les femmes...

Ce n'était pas étonnant. Edmund était encore très bel homme. Il avait pris un peu de poids, mais cela lui donnait l'air plus solide, plus vigoureux, ce qui lui allait bien. Son regard, d'un bleu toujours aussi intense, avait gagné en sagesse, et ses cheveux blonds, plus courts et un peu gris, tombaient toujours sur son front.

La troupe étant retournée répéter, la maison était silencieuse.

— Raconte-moi l'enterrement, Edmund.

— Très émouvant. Il faisait un froid de canard au cimetière, mais il y avait foule. Ils avaient aussi beaucoup d'amis en Amérique.

Elle le laissa parler, puis, quand il eut terminé, elle le remercia.

— Il fallait que je sache, mais tu veux bien qu'on ne s'éternise pas sur le sujet ?

— Oui, bien sûr, mais j'ai une dernière chose à te dire... Excuse-moi, Hester. Je sais que ça risque de te faire de la peine. J'ai une lettre pour toi. J'ai pensé à attendre que le stress du festival soit passé avant de te la donner, mais il vaut mieux que tu la lises tout de suite. Il me semble important que tu...

Il hésita avant de continuer.

— Je voulais te parler depuis longtemps, mais je n'en ai trouvé ni le courage ni l'occasion. Maintenant, je m'en sens le droit, puisqu'il est mort. Il faut oublier Adam. Tourne la page.

— Mais c'est ce que j'ai fait ! Je ne comprends pas. Il ne compte plus pour moi depuis des années.

— C'est ce que tu crois, mais moi, il m'a toujours semblé évident que tu l'aimais encore.

— Comment as-tu pu imaginer ça ? Je te l'aurais dit si tu me l'avais demandé !

Seulement, songea-t-elle, tu étais bien trop occupé par tes conquêtes.

— Je te connais, Hester, et je devine beaucoup de choses que tu crois bien cacher. Lis cette lettre. Je ne sais pas ce qu'elle contient, mais je pense que ça te fera du bien d'en prendre connaissance.

— Tu ne l'as pas lue ?

— Certainement pas. Elle se trouve dans une enveloppe cachetée, à ton nom, comme tu vas le voir, et elle était enfermée dans une autre enveloppe qui m'était adressée. Virginia l'a trouvée dans les affaires d'Adam. Elle n'a pas pu se douter qu'elle était pour toi, et si elle l'a deviné, elle n'en a rien laissé paraître.

Il sortit l'enveloppe de la poche intérieure de son veston et la lui tendit.

— Tu préfères que je te laisse seule pour la lire ?

— Non, reste.

Hester en retira une feuille de papier à lettres épais. Sa gorge se serra quand elle vit l'écriture d'Adam. Elle ferma les yeux une seconde, puis, rassemblant son courage, les rouvrit.

Très chère Hester,

Bien des fois j'ai voulu t'écrire, mais les années passent et je ne me décide pas. J'ai laissé à Edmund, par testament, une rente annuelle qui doit t'être versée jusqu'à la fin de ta vie, puis ensuite à tes héritiers, quels qu'ils soient. J'espère que tu accepteras ce geste. Je passe par l'intermédiaire d'Edmund, qui est mon plus vieil ami, et pour éviter que Virginia ne découvre après ma mort que j'ai pensé à toi chaque jour, avec chaque souffle. Pas une seconde ne s'est écoulée sans que je ne me reproche ce qui est arrivé, et que je ne pleure la disparition de l'unique enfant que j'aurai jamais eu. Edmund m'a parlé de toi, et j'ai suivi ta carrière avec un mélange de fierté, pour ton talent, et de désespoir, à cause de ma lâcheté. Tant de fois j'ai cru avoir le courage de quitter Virginia pour revenir vers toi, Hester, mais je n'en ai été capable ni quand il en était encore temps, ni plus tard. Je n'ai pas pu faire ce mal à une femme qui me semblait beaucoup plus fragile que toi, beaucoup moins apte à survivre sans mon soutien. Je n'ai rien à ajouter, Hester. Si tu lis ces lignes, c'est que je ne suis plus là. Je t'ai aimée toute ma vie et je t'aimerai même après la mort, s'il existe un au-delà. Crois en mon amour. Adam.

Hester replia la lettre et la remit dans son enveloppe. Ses mains tremblaient. Un énorme chagrin gonflait sa gorge, qui l'empêchait d'émettre le moindre son. Ses yeux s'embuèrent de larmes ; elle grelottait. Elle se couvrit le visage avec les mains. C'est le choc, songea-t-elle. C'est le choc. Je n'ai pas vu l'écriture d'Adam depuis plus de trente ans. C'est comme de voir un fantôme. Je dois me calmer, il le faut. Elle respira profondément, et peu à peu s'apaisa. Les dernières lignes lui revinrent en tête : *Je t'ai aimée toute ma vie et je t'aimerai même après la mort, s'il existe un au-delà.* Elle essaya d'entendre Adam prononcer ces mots, mais sans y parvenir. Son souvenir s'effaçait peu à peu. Le timbre de sa voix, son visage, tout ce qu'il avait été disparaissait, comme l'encre se dissout dans l'eau.

— Hester ?

L'appel d'Edmund la tira de ses pensées. Il s'était approché d'elle et s'accroupit au pied de son fauteuil en lui prenant la main.

— Ça va ?

Elle n'arrivait toujours pas à parler, mais elle le regarda en hochant la tête.

Assise à la table du dîner, Claudia avala une cuillerée d'un potage orange en se demandant pourquoi elle avait encore moins d'appétit que d'ordinaire. Autour d'elle, les autres convives semblaient de joyeuse humeur. Nick, en particulier, riait comme un fou, à l'autre bout de la table. Il s'amusait avec Ilene et Andy, aussi insouciant qu'un gamin du corps de ballet. Elle le fixa dans l'espoir de lui faire tourner la tête vers elle, mais sans succès. À sa gauche, il y avait Ruby, et à sa droite Hugo, voisins aussi décevants l'un que l'autre. Ruby discutait avec Alison, placée de son autre côté, tandis qu'Hugo semblait fasciné par George et ses fanfaronnades. Il se vantait de ce qu'il appelait sa « jeunesse de débauche » : cabarets, courses de chevaux, alcool... Quel ennui ! À moins d'être sourde, elle n'aurait malheureusement pas pu échapper à ses interminables anecdotes.

Avec un soupir, elle observa Alison. Sa fille avait l'air de s'amuser. Elle riait même aux éclats. Tant mieux. Avant leur départ pour Wychwood, elle avait redouté que sa présence ne soit un peu lourde, mais elle s'était trompée. Pourtant, au lieu de s'en réjouir, son indépendance l'irritait considérablement. Elle en voulait à Ruby de l'amitié qu'Alison lui portait. En fait, elle était jalouse. Ce n'était tout de même pas normal qu'Alison s'entende si bien avec Ruby et si mal avec sa propre mère ! Elle reprit une gorgée de soupe, puis posa sa cuillère. Encore une goutte de cette horreur, et elle allait vomir. Alison, comme d'habitude, engouffrait tout ce qu'on mettait devant elle. Elle se garda bien de lui conseiller d'arrêter. La dernière fois qu'elle avait voulu la réfréner, on l'avait considérée comme une tortionnaire !

Se désintéressant de sa fille, elle remarqua Silver, assise en face d'elle, qui semblait fascinée par Hugo. Elle le dévorait des yeux comme une adolescente enamourée. Ils n'avaient quand même pas ?... Non, bien sûr que non, elle s'en serait aperçu. Hugo discutait toujours avec George, mais lui aussi avait dû sentir l'intensité du regard de Silver. Il tourna la tête dans sa direction. Quoi ? Il levait son verre, et portait un toast silencieux. Elle ne le voyait que de profil, mais elle aurait donné cher pour l'étudier de face. Silver leva son verre à son tour, et lui sourit. Que signifiait cet échange ? Sans doute rien. À quoi bon se casser la tête ? Claudia préféra se tourner de nouveau vers Nick, et imaginer leur prochain tête-à-tête. Elle ferma les paupières avec un frisson de plaisir. Grâce aux fantasmes, on parvenait à bannir presque toutes les pensées désagréables. Ce n'était pas tout à fait aussi plaisant que l'acte lui-même, mais presque... presque.

George est bien gentil, songea Hugo, mais il n'en finit pas. C'était le type même du vieux séducteur, cheveux gris ondulés, yeux bleus où brûlait une flamme galante. Son stock de souvenirs et d'anecdotes était inépuisable, mais avec lui aucune véritable conversation n'était possible. Parfois il était amusant, mais pas toujours, loin s'en fallait. Aujourd'hui, heureusement, Hugo était trop plein de son ballet pour prêter grande attention aux bavardages de son voisin de table.

L'espace de quelques secondes, George se pencha sur son assiette et se tut. Quel bonheur, ce silence, se dit Hugo. À cet instant, il sentit un regard peser sur lui. Il se tourna, pensant que peut-être Nick, Ilene et Andy parlaient de lui. Ses yeux rencontrèrent ceux de Silver. Il lui sourit et leva son verre pour porter un toast à sa victoire. Quelle beauté ! C'était d'ailleurs ce charme qui l'avait aussi poussé à la choisir pour le rôle de l'ange. Ce matin, à la répétition, il avait ressenti une attirance si puissante qu'il en avait eu un choc. Il n'en était d'ailleurs pas encore revenu. Silver... Cela demandait réflexion. Jusqu'à aujourd'hui, ils avaient pourtant été à peine cordiaux l'un envers l'autre. Elle lui reprochait son exigence, même si elle atténuait ses propos par des sourires. Elle s'était montrée brillante, et peut-être l'émotion venait-elle uniquement de la danse, et non de sentiments plus personnels. Silver, jusqu'à cet instant, n'avait trahi aucun signe d'intérêt pour lui, pourtant elle lui souriait, mystérieuse, complice. Rougissait-elle ? Il avait envie de la toucher, de lui parler. Attention, se dit-il. Claudia te regarde, et elle n'a pas l'air contente. Inutile de créer des complications inutiles. Il se pencha de nouveau vers George, priant pour que le temps passe un peu plus vite. Il assisterait à la prochaine répétition de Silver avec intérêt. Intérêt ? Inutile de se mentir. Hugo était toujours honnête avec lui-même : il mourait d'impatience.

Alison était enchantée. Le dîner avait été délicieux et, quelle chance, il y avait de la tarte aux pommes pour le dessert ! Le plat trônait au milieu de la table, mais personne n'y touchait. Espérant être suffisamment cachée de Claudia par Ruby, elle se servit une part généreuse qu'elle fit disparaître sous plusieurs cuillerées de crème fraîche. Sa mère n'avait pas l'air en forme. En général, elle prenait ce genre de tête quand elle n'obtenait pas ce qu'elle voulait. Que se passait-il ? Était-ce à cause de Nick ? Si quelqu'un avait des raisons de se plaindre, ce n'était pas sa mère, mais plutôt elle : d'abord, Nick la traitait comme une gamine de trois ans, ensuite, elle attendait toujours la lettre de son père. Tout en dégustant son dessert, elle se dit qu'elle regretterait beaucoup de devoir retourner en pension avant la fin des représentations. Hester lui manquerait, ainsi que Siggy, et surtout Ruby qui voyait en elle une assistante providentielle, et non une adolescente difficile, une goulue qu'il fallait empêcher de grossir. Ruby, encore mieux, lui laissait l'entière responsabilité de la décoration de la salle à manger. Quelle immense preuve de confiance ! Alison ne s'était pas sentie aussi appréciée depuis longtemps. Et la tarte aux pommes était excellente.

Elle jeta un coup d'œil à Claudia, et la vit regarder Hugo, qui, lui, observait Silver. Silver était belle, comme d'habitude. Ce soir, elle portait un cache-cœur gris, et elle avait la peau nacrée. On aurait pu croire qu'elle n'était pas fardée, mais Silver lui avait confié qu'elle se maquillait toujours. Quand Alison s'en était étonnée, parce que cela ne se remarquait pas, elle lui avait expliqué son excellente philosophie : *C'est tout l'intérêt. Il faut que ça paraisse naturel.*

Trouvant dommage de laisser autant de tarte aux pommes dans le plat, elle eut envie de se resservir, mais elle n'avait plus faim...

3 janvier 1987

La salle de théâtre était éteinte. Alison s'était glissée à l'orchestre après l'extinction des lumières, deux rangées derrière Andy et Nick. Elle pouvait ainsi contempler la nuque du prince de ses rêves sans se gêner. La troupe était réunie pour la couturière, la première répétition en costumes. L'assemblage des décors, arrivés en camion très tôt le matin, avait demandé une journée entière de travail à George et à trois jeunes du village.

À présent, George avait pris possession de la régie, tandis qu'Hugo, sur scène, lui adressait de grands signes en complétant ses directives par l'intermédiaire d'un talkie-walkie. Ilene et Claudia aussi étaient à l'orchestre, ainsi que Silver, au premier rang, prête à monter sur le plateau. Les autres danseurs allaient suivre et prendre leurs places les uns après les autres pour les réglages. Les projecteurs s'allumaient et s'éteignaient. Bleu, orange, rose. Hugo vérifiait les positions, puis baissait ou levait le pouce pour indiquer les intensités. Ruby préparait une table dans les coulisses, où elle disposait les accessoires qu'Alison l'aiderait à distribuer. Il faudrait donner le panier de fruits à Ilene, les rubans et les poupées à Andy, les fleurs à Silver.

Le décor était superbe. Alison se promit de profiter d'un moment où la salle serait vide, le lendemain, pour prendre le temps de l'examiner de plus près. Elle était subjuguée. Deux immenses écrans mobiles se déplaçaient entre les scènes pour modifier l'espace. Ils étaient pour l'instant placés l'un à l'arrière, à droite, et l'autre à gauche à l'avant. Les couleurs en étaient si intenses qu'elles en vibraient : violet, or, vert, corail, chocolat, cobalt et turquoise, bronze, noir et carmin. Elles s'imbriquaient, formant des motifs subtils. On ne savait trop si c'était abstrait, ou s'il fallait reconnaître des visages, des arbres, des paysages... Justement, le doute les rendait encore plus belles. Les éclairages changeaient les teintes de ces deux éléments de décor. Quand ils se retrouvaient dans l'ombre, l'or et le bronze dominaient, car les couleurs métalliques prenaient mieux la lumière.

Le murmure d'une conversation entre Andy et Nick attira son attention. En entendant le nom de sa mère, elle tendit l'oreille et eut envie de se rapprocher. Après une hésitation, elle resta à sa place par peur de se faire surprendre, mais tâcha de filtrer les bruits pour mieux écouter, et se pencha le plus possible vers eux.

Nick plaisait-il vraiment à Claudia, ou jouait-elle les séductrices pour rendre Hugo jaloux ? Au retour de la répétition, elle avait entendu sa mère lui reprocher de trop s'occuper de Silver. Il avait protesté en riant. *J'essaie simplement d'en faire une vraie danseuse, chérie.* N'empêche, Alison se demandait si sa mère n'avait pas un peu raison. Hugo passait plus de temps à travailler avec Silver qu'avec les autres. Ce n'était pas une excuse pour que sa mère flirte avec Nick, mais elle était tellement impulsive...

Alison soupira en contemplant le cou de Nick. Je ne suis pas idiote, je sais bien qu'il ne s'intéressera jamais à moi. Cela ne l'attristait pas vraiment, car sa passion pour lui avait tiédi. Finalement, il était comme tout le monde : au premier signe de Claudia, il accourait comme un toutou. Elle avait déjà vu sa mère à l'œuvre. Claudia s'apprêtait probablement à quitter Hugo. S'en rendait-il compte ? Fallait-il l'éclairer ?

Elle sursauta : quelqu'un venait de surgir à côté d'elle. C'était Claudia qui s'asseyait dans le fauteuil voisin.

— Tu m'as fait peur, maman !

— Toujours aimable. Tu ne pourrais pas m'accueillir plus gentiment ? Je suis en retard ! Hugo va me tuer. Bisou bisou, chérie. Je ne te vois plus. Tu t'amuses ?

Pas autant que toi, faillit rétorquer Alison.

— Oui, ça va. J'aime bien Ruby. Je ne m'ennuie pas trop.

— Bravo, chérie ! Toujours aussi enthousiaste, à ce que je vois... et exaltée...

Alison ne se donna pas la peine de répondre.

— Tu vas être contente, chérie, tu as reçu une lettre de papa.

— Ah bon ? Quand ? Donne-la-moi !

— Attends que je cherche.

Claudia fouilla au fond de son sac de danse.

— Tiens, je crois que c'est ça, murmura-t-elle en examinant un papier froissé. Non... Une minute...

Alison eut envie de crier, de frapper, mais n'ouvrit pas la bouche par peur de la ralentir.

— Elle a mis longtemps à arriver.

— Le facteur l'a apportée il y a un ou deux jours. Je l'ai fourrée là-dedans pour te la donner, et ça m'est complètement sorti de la tête.

— Quoi ?!

— Mais flûte ! Pas la peine d'en faire un drame, ce n'est pas une affaire d'État. Ça n'avait rien d'urgent, ce n'est qu'une carte de Noël. J'ai oublié, et puis c'est tout. Je suis occupée, moi ! Tiens, la voilà !

À cet instant, Hugo cria :

— Claudia ? Tu peux monter sur le plateau ?

— Je te laisse, chérie. Pardon pour ta carte, bisou. Tu me pardonnes ?

Non, sûrement pas ! pensa Alison.

— Dépêche-toi, Hugo t'attend.

Alison ouvrit l'enveloppe pendant que Claudia se dirigeait vers la scène. C'était bien une carte de Noël, mais avec une lettre à l'intérieur.

Bonjour, chérie. Merci beaucoup pour ta lettre. Quand tu recevras celle-ci, je suis sûr que tu te seras habituée à Wychwood. En tout cas, je l'espère. Nous passons Noël chez les parents de Jeanette, mais j'essaierai de t'appeler dès notre retour. Je préfère te parler de vive voix, tu sais comme j'ai horreur d'écrire. Je t'embrasse très fort, Papa.

Sous la signature, il avait dessiné un bonhomme de neige sur les pointes, les bras en l'air, et griffonné quelques vers de mirliton :

> *Ce bonhomme de neige*
> *Avec son chapeau*
> *Danse sur des arpèges*
> *Tourne et fait des sauts,*
> *Des arabesques, des pirouettes,*
> *Des pas de bourrée et des claquettes.*
> *Trop enchanté pour compter les bravos.*

Alison fut rassurée. Son père l'aimait vraiment. Il se souvenait du livre de comptines, et il allait lui téléphoner. Dommage qu'il n'ait pas précisé le jour et l'heure. Que se passerait-il s'il appelait pendant qu'elle s'occupait des costumes avec Ruby ? Viendrait-on la chercher ? Il faudrait avertir Hester. En attendant, elle était folle de rage. Dire que sa mère avait oublié de lui donner sa lettre ! Pendant qu'elle souffrait, l'enveloppe était au fond de sa saleté de sac de danse pourri !

— Alison ? appela Ruby qui était entrée dans la salle obscure.

— J'arrive !

Elle courut la rejoindre, la lettre à la main.

— J'ai reçu la carte de mon père. Je peux aller la mettre dans ma chambre pour ne pas la perdre ?

— Ah ! Bonne nouvelle ! Bien sûr, vas-y, mais vite. J'ai besoin de toi en coulisses.

— Je n'en ai que pour cinq minutes.

Quand elle eut rangé son enveloppe dans l'atlas, avec le livre de comptines, elle se dépêcha d'aller retrouver Ruby.

— Tiens, te voilà ! Ça ne t'a pas pris longtemps ! Nous allons faire l'inventaire des accessoires, mais avant, pourrais-tu aller poser ça de l'autre côté, s'il te plaît ?

Les paniers que Ruby lui tendait contenaient les roses en papier. L'arrière du plateau était plongé dans l'obscurité. Les lumières ne changeaient plus : George devait attendre la suite en régie. Hugo s'apprêtait à régler la scène suivante. En arrivant à la table des accessoires, Alison se figea. Elle apercevait deux personnes au fond, dissimulées dans les plis du rideau. Nick et sa mère, très proches l'un de l'autre.

Les surveillant du coin de l'œil, elle posa les paniers Nick avait pris la taille de Claudia, et elle se penchait comme s'ils répétaient un mouvement. Puis elle leva la main, caressa la joue de Nick, et se courba jusqu'à ce que leurs corps se soudent. Il l'embrasse, pensa Alison. Je suis sûre qu'il l'embrasse. Ils avaient pratiquement disparu dans le rideau. À cet instant, une rangée de projecteurs s'alluma, et le plateau et l'arrière-scène furent éclairés par une aveuglante lumière rose.

— Bon, dit Hugo en scrutant la salle. On continue. Ilene et Andy, tenez-vous prêts. Claudia ? Nick ? C'est à vous.

Seule Alison remarqua l'embarras de Nick et de Claudia qui se dirigeaient vers leurs marques. Que se passerait-il si elle rapportait à Hugo ce qu'elle venait de voir ? Ils se disputeraient, certainement. Il voudrait quitter Claudia, et le ballet risquait d'être annulé. Il fallait se taire. Elle n'avait aucune envie de saboter *Sarabande*, surtout pour Hester et

335

pour Ruby, et aussi pour son propre plaisir. Maintenant qu'elle avait travaillé aux accessoires et aux costumes, elle s'en sentait un peu responsable.

Plus tard, elle tint compagnie à sa mère pendant que celle-ci se changeait dans la loge. Silver et Ilene avaient été beaucoup plus rapides, parce que Claudia suivait un rituel interminable : démaquillant, égalisateur, puis fond de teint, blush, eye-liner. Un travail tout à fait inutile de l'avis d'Alison, qui ne comprenait pas pourquoi elle ne restait pas simplement comme elle était sur scène. D'ordinaire, le maquillage de théâtre était beaucoup plus accentué, mais avec Claudia, on ne remarquait pas tellement la différence.

— J'aurais besoin d'un collier, dit Claudia en se regardant dans la glace, la main à l'encolure de son peignoir de soie. Un petit bijou pour relever le costume, attraper la lumière. Sans cela, je ne me sens pas vraiment princesse. Pas des perles, mais quelque chose d'aussi discret. Qu'en penses-tu ?

Alison se doutait que sa mère ne la consultait que faute d'une autre interlocutrice.

— Hugo a une chaîne qu'il porte parfois. Il pourrait te la prêter, s'il l'a apportée.

— Tiens, ce n'est pas bête, chérie. Tu as vraiment de bonnes idées, parfois. J'ai un peu peur qu'il l'ait laissée chez lui au fond d'un tiroir. Je vais lui demander. Entrez !

On venait de frapper à la porte.

— C'est à moi que tu veux demander quelque chose ? s'enquit Hugo en entrant.

Il se jeta dans le fauteuil. Alison lui trouva les traits tirés.

— Nous parlions de ta chaîne en or. Pourrais-tu me la prêter ? J'aurais un peu plus l'air d'une princesse. Tu l'as prise avec toi ? Je crois qu'elle ferait l'affaire.

— Oui, je l'ai. Elle est en haut. Bonne idée. Elle complétera ton costume. J'étais tellement soulagé que les autres soient à peu près présentables que je n'ai pas fait attention à toi, Claudia. Je te demande pardon. Tu as tellement bon goût que je n'ai pas à m'inquiéter.

Alison vit que le compliment avait eu raison de l'irritation de sa mère. La connaissant, cela ne durerait pas longtemps.

Hugo rendait compte de la couturière à Hester. Il trouvait encore plus de plaisir que d'ordinaire à leur entretien, car elle était particulièrement à l'écoute.

— Je suis ravie, je me doutais que Silver finirait par être à la hauteur. Elle est très douée, très déterminée.

Silver... Il aurait préféré ne pas parler d'elle, passer le marathon des dernières répétitions, et attendre au moins la première, mais ses sentiments devenaient de plus en plus difficiles à ignorer. Il avait même rêvé d'elle, et ce souvenir l'avait poursuivi toute la journée, mêlé à l'angoisse de ses incertitudes. Fallait-il quitter Claudia, et, si oui, comment le lui annoncer ? Il avait de plus en plus l'impression d'être menotté à elle. Comment en était-il arrivé à cette presque hostilité après l'avoir tant aimée ? Sa frivolité l'agaçait, sa façon de flirter avec les hommes... La baisse d'intensité du désir, l'ennui qu'il ressentait en sa compagnie avaient eu raison du reste. Fallait-il vraiment attendre pour parler à Claudia ? Hester pourrait-elle le conseiller ? Il lui trouvait une expression lumineuse qu'elle n'avait pas lors de leurs précédentes entrevues.

— Vous paraissez en forme, Hester.

Il n'osait pas dire qu'il lui trouvait l'air heureux, cela semblait trop intime.

— Oui, c'est vrai, je me sens bien. J'ai l'impression d'avoir tourné une page, de commencer un nouveau chapitre de ma vie.

— Je suis content pour vous ! Moi aussi, je suis arrivé à un tournant. Mais je préfère ne pas en parler. C'est un peu tôt.

— Ne dites rien. Je suis enchantée que le ballet s'annonce bien.

— Pour l'instant, je suis satisfait. Je croise les doigts, bien sûr.

Le spectacle allait bientôt prendre toute sa cohérence. Hester aimait particulièrement ce moment, juste avant la générale, où l'on appréhendait enfin le projet dans son ensemble. Les intentions du chorégraphe devenaient apparentes. Les danseurs avaient intégré leur rôle. La camaraderie n'était pas encore gâchée par la lassitude et les inimitiés. Elle approcha de la fenêtre. Pourquoi n'avait-elle pas encore tiré les rideaux ? Elle se dépêcha de le faire avant l'arrivée d'Edmund qui devait la rejoindre pour boire un café. Quel plaisir qu'il soit enfin à Wychwood...

Elle s'assit à son secrétaire, laissant la méridienne à Siggy qui s'y était voluptueusement allongé de tout son long. Les photos de danseurs accrochées au mur ressemblaient à une armée de fantômes. Elle ferma les yeux. Voilà ce qui me manque, songea-t-elle, et qui me manquera toujours. L'émotion précédant l'ouverture d'un ballet. Cet état d'effervescence à nul autre pareil. Quels qu'aient été ses succès depuis la fin de sa carrière d'étoile, elle était privée de cette magie.

1966

Les journalistes devaient arriver pour la conférence de presse organisée en prévision de la tournée américaine. La troupe allait à New York, Chicago puis San Francisco avec une nouvelle production des *Sylphides*. Hester, en sa qualité d'étoile de la compagnie Charleroi, secondait Piers pour répondre aux questions et, surtout, poser devant les photographes. Le blond Kaspar Beilin, son partenaire, les avait devancés sur le continent américain pour rendre visite à sa mère au Canada avant le début de la tournée.

— Personne ne s'intéresse à un vieux bonhomme gros et gras comme moi, remarqua Piers. La presse te réclame à cor et à cri.

Son sourire était communicatif.

— Je suis très flattée, Piers, mais tu n'es pas un vieux bonhomme. Certainement pas !

— Gros et gras, en tout cas. Et tout de même pas de la première fraîcheur.

Quand Hester était arrivée à Londres, adolescente, Piers avait promis de veiller sur elle. Il avait plus que tenu parole, et joué son rôle de tuteur. Dès qu'elle s'était remise de sa césarienne, il avait chargé Mme Olga de lui faire reprendre l'entraînement. Il avait très vite parlé d'un retour, et s'était arrangé pour étouffer les rumeurs embarrassantes. Hester avait été malade, et c'était tout. Sa fermeté déjouait les indiscrétions, mais Hester se doutait qu'il n'avait pas pu empêcher tous les bavardages. Peu importait, du moment qu'on se taisait en sa présence. Dès qu'il serait établi qu'elle n'avait rien perdu de ses capacités, plus personne n'oserait rien dire.

Mme Olga était parvenue à lui redonner son niveau en quelques semaines seulement. Elles avaient travaillé tous les jours dans le studio de Wychwood. Mme Olga avait prouvé à Hester qu'elle n'avait rien oublié, malgré ses craintes. Dès leur retour dans le Yorkshire, Hester s'était juré que rien ne pourrait plus l'arrêter. Elle remonterait sur scène, et le plus tôt possible.

Elle s'entraînait presque sans repos. Quand elle dansait, elle ne sentait plus rien, ne pensait à rien d'autre qu'à ses tours et à ses sauts. La douleur physique atténuait la douleur morale. Jour après jour, elle érigeait un mur de protection autour d'elle. Elle le voulait haut, et très solide pour se mettre à l'abri du malheur. La pauvre Hester et ses larmes seraient reléguées hors de vue, et de l'autre côté évoluerait la ballerine auréolée de lumière, portée par l'adoration du public. Elle ne serait plus que cette créature féerique, aussi légère que l'air.

Pour Hester, le travail était le seul moyen de s'anesthésier. Depuis son apprentissage des positions élémentaires, le tout premier jour, elle s'était servie de cet exutoire pour se distancier des blessures de son enfance. Elle avait eu besoin de cette discipline pour effacer sa nostalgie de Paris. À la mort de sa grand-mère, comment, sans la danse, aurait-elle pu se consoler ? Au début, elle n'avait pas eu conscience de ce rempart qu'elle dressait entre elle et la réalité, mais ensuite, elle avait sciemment utilisé ce subterfuge pour se sauver.

— Les paparazzi attendent bien sagement à l'orchestre, comme une gentille classe d'école primaire à une matinée. Tu es prête, Hester ?

Piers avait fait irruption dans la loge, la tirant de sa rêverie. Comme sa convalescence était loin ! Treize ans, déjà. Treize ans qu'elle avait retrouvé sa place dans la compagnie Charleroi, au cours de l'été 1953. Le retour n'avait pas été facile pour la jeune danseuse d'alors. Il avait fallu lutter pour tout : pour récupérer sa forme physique, son équilibre mental. Elle s'était raccrochée aux rôles que lui confiait Piers comme à des bouées de sauvetage.

— Je suis prête à entrer dans la cage aux fauves !

Sans l'ombre d'une appréhension, Hester suivit Piers sur la scène du Royalty, dont la salle venait d'être entièrement rénovée. Le public américain était peut-être son préféré, et elle se savait attendue par de nombreux fans. Mais avant le départ, elle s'offrait un peu de repos. Ce soir, après la conférence de presse, elle prenait le train pour rejoindre Edmund dans sa maison de Cornouailles pour le week-end. Quand elle avait annoncé ce projet à Piers, il avait commenté avec un froncement de sourcils :

— Mais enfin, Hester, c'est trop loin pour si peu de temps. Tu mérites de te détendre après la préparation des *Sylphides*, je te l'accorde, mais je pensais plutôt à une promenade dans Hyde Park. La Cornouailles, c'est au bout du monde.

— Ce n'est pas beaucoup plus éloigné que le Yorkshire, et j'ai envie de voir Edmund avant la tournée.

Les questions des reporters n'eurent rien d'original. Malgré son ennui, elle parla avec animation des différences entre cette production et les précédentes, des villes où la troupe jouerait, du décor. Elle les amusa avec un commentaire sur sa minijupe, et loua le bon goût d'un reporter qui mettait les Beatles au niveau de Schubert. Mais, après quelques remarques de Piers, au moment où Hester s'apprêtait à rentrer dans les coulisses, une jeune journaliste l'interpella du fond de la salle.

— Mademoiselle Fielding, si je peux me permettre, est-il vrai que vous avez rompu avec Hans Werner ?

Hester retraversa la scène d'un pas décidé et s'arrêta sur le bord. Sans doute aurait-il était plus diplomate de sourire et de s'éclipser, mais elle était excédée par les indiscrétions et les rumeurs colportées par la presse.

— Vous devriez savoir que je ne parle jamais de ma vie privée ! Maintenant, je vous prie de m'excuser, mais j'ai un train à prendre.

Elle sortit, furieuse, mais quand Piers la rejoignit dans sa loge, elle avait déjà des remords.

— Je suis incorrigible ! J'ai encore fait peur à une pauvre innocente. Franchement, Piers, ils exagèrent. Est-ce que je me mêle de leurs amours, moi ? Je suis désolée. J'ai donné une mauvaise image de la compagnie.

— Au contraire ! Tu as eu raison. Le public adore que les idoles aient du caractère. Il serait déçu que tu ne fasses pas un éclat de temps en temps. Tu n'aurais pas autant d'admirateurs si tu étais insipide. Tu ne peux pas empêcher les gens de s'intéresser à toi, et ta discrétion même les titille. Leur rêve, ce serait une grande histoire d'amour entre toi et Kaspar. Ne t'inquiète pas, les journalistes ont l'habitude qu'on les rabroue. N'en profite quand même pas pour jouer les divas avec moi !

Hester se leva pour lui poser un baiser sur le front.

— C'est toi, la diva de la compagnie, Piers.

— Bien vu. Je te souhaite un bon week-end. À lundi.

Dans le train qui l'emmenait en Cornouailles, Hester admira les ors et les pourpres du ciel. Edmund disait souvent qu'il vivait si loin à l'ouest que le soleil touchait presque le toit de sa maison en se couchant. Elle eut un sourire. Ce cher Edmund ! Elle se demanda ce qu'elle lui répondrait s'il lui posait la même question que la jeune journaliste. Avait-elle rompu avec Hans ? Oui, sans doute. Elle soupira. Elle n'était plus très douée pour l'amour. Ce talent lui avait été ôté quand elle avait quitté Adam.

Pourtant, elle avait eu plus que sa part de soupirants. Les plus insistants lui envoyaient des cadeaux, venaient la voir danser, lui écrivaient des lettres et l'invitaient au restaurant. Là, ils la regardaient au fond des yeux, et lui disaient qu'elle était la plus belle, la plus merveilleuse, l'unique, et qu'ils ne pouvaient pas vivre sans elle. Parfois, Hester sentait une petite étincelle de désir, d'affection, d'amitié. Alors elle s'embarquait dans des liaisons qui suivaient un scénario trop prévisible.

Pour commencer, elle se laissait prendre au jeu pendant quelques mois. Parfois, quand son amant était vraiment séduisant, leur couple devenait même officiel. On les photographiait au cours de réceptions. Leurs nuits passionnées convainquaient presque Hester qu'elle avait enfin découvert un homme capable de la rendre heureuse. Et puis l'ennui s'insinuait. Elle ne rêvait plus que d'aller voir Edmund pour lui raconter leurs conversations, et savoir s'il les trouvait aussi risibles qu'elle. Quand ce moment arrivait, elle rompait aussitôt. Ce serait plus cruel de les laisser se faire des illusions, raisonnait-elle. On ne pouvait pas rester avec un homme qu'on ne respectait pas.

Était-ce le souvenir d'Adam qui l'empêchait de tomber amoureuse ? En tout cas, elle pensait toujours à lui. Edmund évitait de lui en parler, puisqu'elle ne voulait pas avoir de ses nouvelles, mais ils se voyaient toujours. Elle avait appris par lui, par exemple, qu'Adam et Virginia se partageaient à présent entre les États-Unis et l'Angleterre. Plus de dix ans avaient passé, mais elle redoutait toujours autant d'entrer dans les librairies par crainte de découvrir sa photo au dos d'un livre. Parfois, elle tombait sur une critique dans un journal. Quand cela arrivait, elle la sautait sans la lire, ne voulant à aucun prix céder à des curiosités malsaines.

Était-elle encore amoureuse ? Il fallait se rendre à l'évidence : elle rêvait encore de lui, ses souvenirs restaient douloureux, elle était incapable d'en parler. Autant de signes révélateurs. Ce n'était pas un amour absolu, dévorant, mais tout au fond, elle ne s'était jamais guérie d'Adam. Comment déloger le noyau de tristesse qui alourdissait son cœur ?

Edmund lui faisait du bien. Il la rendait aussi heureuse qu'elle s'autorisait à l'être. Elle l'aimait profondément. C'était un ami fidèle et si gai qu'il était difficile de rester longtemps mélancolique en sa présence. Il l'aimait, lui aussi. Elle en avait eu de multiples preuves, tout en étant absolument sûre qu'il ne s'agissait que d'amitié. Il était attentif, partageait ses secrets avec elle, lui envoyait des cartes postales amusantes, et même des lettres, de tous les coins du monde. Il avait toujours envie de la voir, mais n'avait jamais montré le moindre intérêt sentimental à son égard. Quand il l'embrassait, c'était en frère. Elle le regrettait parfois, mais il n'était pas amoureux ; d'ailleurs, il y avait toujours une femme dans son sillage. Ses plus longues liaisons ne duraient pas plus de quelques mois, et il passait de l'une à l'autre avec un parfait naturel. Le plus étrange était que toutes semblaient rester en excellents termes avec lui.

— Hester ! Je suis là !

Edmund arrivait à sa rencontre sur le quai d'un pas joyeux, l'accueillant avec des cris et des gestes qui attiraient le regard des voyageurs. Il aurait pu avoir encore vingt ans.

— Edmund, que je suis contente de te voir ! s'exclamat-elle au milieu de leurs exubérantes embrassades.

Il était tellement grand qu'il lui écrasait le nez sur sa veste.

— Je crois que tu n'as encore jamais rencontré Marisa. Elle est là-bas, au bout du quai.

Hester se dégagea pour regarder dans la direction qu'il indiquait.

— Tu vas voir, elle est adorable ! Je suis sûr que vous allez vous entendre à merveille.

Une sensation très désagréable saisit Hester. Elle avait horreur d'être mise devant le fait accompli, et Edmund le savait très bien.

— Tu aurais dû m'avertir que tu n'étais pas seul, lui

reprocha-t-elle tandis qu'ils remontaient le quai. Je serais venue une autre fois.

— Mais justement ! Je voulais que tu viennes maintenant, expliqua-t-il avec un sourire désarmant. Tu vas partir en tournée aux États-Unis pendant des mois. On ne pouvait pas rater ce week-end.

— Enfin, Edmund, ce n'est pas une raison !

Elle se tut car ils approchaient de Marisa. À présent, il fallait faire bonne figure, et passer le meilleur moment possible.

— Marisa est hautboïste. Une excellente instrumentiste et interprète.

Edmund la lui présentait avec fierté. Elle était grande et hâlée, avec de longs cheveux châtains, de belles jambes et une jupe très courte. Elle avait vingt-cinq ans tout au plus. Voilà qui commence à devenir inquiétant, songea Hester. Il les prend au berceau, maintenant. Il faudra que je le mette en garde. Souriante, elle serra la main de Marisa qui n'avait sans doute pas plus envie qu'elle de partager Edmund. Cela ne devait pas être bien agréable de voir son échappée romantique être interrompue par l'arrivée de la meilleure amie de son amant. Pauvre Edmund, il n'avait aucun tact, mais il était tellement gentil. On ne pouvait pas lui en vouloir longtemps. Elle monta dans la voiture à côté d'Edmund presque avant que Marisa ne le lui propose.

Couchée dans la chambre d'amis mansardée, Hester écoutait le bruit de la mer. Heureusement, Edmund dormait à l'autre bout de la maison, après la salle de séjour, en haut d'un petit escalier. Elle aurait été horriblement gênée si par malheur elle l'avait entendu avec Marisa.

La mer... Belle et terrifiante... Hester ne s'en lassait pas. On en avait une vue magnifique des fenêtres, et elle l'avait beaucoup admirée à son arrivée à la nuit tombante, parfaite comme dans une brochure touristique. Mais quand il y avait de la tempête, par grand vent, les vagues se jetaient sans relâche sur la côte. Des images terribles venaient à l'esprit : des navires brisés sur les récifs, des noyés. On entendait alors des gémissements, des hurlements bien différents du murmure apaisant qui la berçait à présent. Le lendemain, ils avaient prévu de se promener le long du sentier des douaniers. Elle devrait peut-être trouver une excuse pour laisser les deux amoureux seuls, mais la promenade la tentait. Elle s'endormit sans s'être décidée.

Finalement, elle les accompagna. Edmund se gara près du chemin, et ils se donnèrent pour but un pub, trois kilomètres plus loin. Elle avait bien essayé, par pure politesse, de les laisser seuls pour leur promenade, mais Edmund n'avait rien voulu entendre.

— Quelle idée ! Il faut que tu viennes, voyons. C'est une journée magnifique, et tu adores marcher. Regarde la mer, c'est irrésistible ce turquoise, non ?

Le sentier était trop étroit pour trois promeneurs, mais cela ne la gênait pas de suivre. Elle préférait profiter du silence et de ce moment de tranquillité. La mer, en effet, était magnifique. Il ne faudrait pas oublier d'envoyer une carte postale à Dinah pour lui donner la nostalgie du pays qu'elle avait abandonné.

De temps à autre, Edmund jetait un coup d'œil en arrière.

— Ça va, Hester ?

Elle faisait un geste pour le rassurer et lui indiquer d'avancer avec Marisa sans s'inquiéter. Ensuite elle continuait, perdue dans ses pensées, contemplant ses chaussures de randonnée si différentes de ses chaussons de danse. Du moment que les vacances restaient brèves, il ne lui déplaisait pas de se reposer un peu.

Ayant de l'avance, Edmund et Marisa s'étaient arrêtés pour l'attendre. Le vent rabattait les cheveux de Marisa sur son visage. Hester hâta le pas pour les rejoindre.

Les yeux sur eux, elle marchait vite, et ne vit pas un terrier de lapin, au bord du chemin, juste derrière une bosse. Son pied gauche se prit dans le trou, et sa cheville se tordit tandis qu'elle tombait, pas très brutalement mais dans une très mauvaise position. Une violente douleur explosa dans sa jambe. Le souffle coupé, elle ne pouvait pas crier, même plus respirer, mais, dans sa tête, elle hurla : *Les Sylphides* ! Je ne vais pas pouvoir danser *Les Sylphides* !

— Vous en avez de la chance ! s'enthousiasma la jeune infirmière. Regardez-moi toutes ces fleurs ! Je n'en ai jamais vu autant dans la chambre d'un patient ! C'est normal, puisque vous êtes célèbre. Quand j'ai dit à ma mère que vous étiez ici, elle ne voulait pas le croire. Elle m'a demandé de lui rapporter un autographe. Une danseuse étoile, ça ne nous arrive pas tous les jours !

Pitié, faites qu'elle se taise, pensa Hester. Je n'ai pas envie d'être aimable, pas du tout même.

— Il paraît qu'il y a eu un de ces remue-ménage ! Des journalistes, des photographes. Le parking était tellement plein qu'il a fallu les chasser. Quelle histoire ! On m'a raconté que le gentil monsieur qui vient vous rendre visite vous a portée dans ses bras jusqu'à sa voiture pour vous emmener à l'hôpital, et que vous avez été transportée en ambulance de Cornouailles jusqu'à Londres. Vous avez dû trouver le voyage long ! Je vous ai même vue aux informations. Une légende vivante, ils disaient. On vous a gardé les journaux. Je vous les ai mis là, il y en a une sacrée pile. Vous faites toutes les couvertures.

L'infirmière était entrée avec un vase, et ne savait pas où le poser. La chambre ressemblait à une échoppe de fleuriste, ou à un salon mortuaire.

— Vous vous sentez mieux ? demanda-t-elle après avoir finalement trouvé un petit coin sur la table de chevet.

Comment veut-elle que je me sente mieux ? pensa Hester. Qu'elle est bête, mais qu'elle est bête ! Pour une ballerine, apprendre qu'elle ne pourra plus jamais danser !

Je voudrais mourir. Je voudrais brûler toutes ces fleurs qu'elle m'envie tant. Je me fiche des journaux. Je me fiche de tout !

Elle balaya d'un mouvement de bras furieux tout ce qui se trouvait sur sa table. Le vase vola en éclats en touchant le sol, et les fleurs s'éparpillèrent dans une mare d'eau. Elle fondit en larmes. Et l'infirmière, médusée, restait comme une bûche à la regarder.

— Hester ?

Edmund venait d'entrer. Il comprit en un clin d'œil.

— Ma pauvre chérie !

Ses sanglots l'empêchaient de parler. Des gémissements terribles s'échappaient de sa gorge. Il la prit dans ses bras.

— Je suis là, chérie. Nous sommes tous là. Personne ne te laissera tomber. Piers est là, Mme Olga est là. Il faut que tu te consoles, il faut guérir.

— À quoi bon ? s'écria Hester en pleurant contre l'épaule d'Edmund. Je ne sers plus à rien, maintenant. Je ne sais rien faire d'autre. Et ne me dis surtout pas que ça aurait pu être pire. J'en ai plus qu'assez des lieux communs. Je ne veux pas... Je ne peux pas vivre dans cet état ! Sauve-moi, Edmund ! Tu as promis de m'aider. Donne-moi quelque chose, n'importe quoi, des somnifères pour que je m'endorme, que je ne me réveille pas.

Elle s'attendait à ce qu'il proteste, qu'il l'assomme de paroles creuses, mais il ne dit rien. Il la garda dans ses bras en silence. Il lui caressait les cheveux, la berçait comme un enfant. Et pendant ce temps, elle pleurait, pleurait, avec l'impression de n'être plus elle-même qu'un fragile vase de verre rempli de larmes.

Elle mit longtemps à retrouver un semblant d'équilibre. On ne lui avait laissé aucun espoir : ses fractures multiples du tibia et du péroné, juste au ras de la cheville, lui interdiraient de continuer la danse au niveau professionnel. Privée de son rempart, elle se sentait mortellement vulnérable. Elle était un coquillage arraché à la mer, extirpé de sa coquille, présenté, vivant et nu, sur un plateau. Avec sa carrière, elle avait perdu sa protection, sa carapace. Qu'allait-elle devenir ? Son cœur était enfermé dans une gangue de glace. Elle ne pouvait parler à personne, sauf à Mme Olga et à Edmund. Elle aurait pu supporter Piers, à la rigueur, s'il n'était parti en Amérique pour la tournée. Le spectacle devait continuer. Quelle torture de penser à la troupe, qui dansait sans elle. Sa remplaçante, Patricia Blake, à présent la partenaire de Kaspar, lui avait pris son rôle, portait le costume créé pour elle.

Elle resta deux semaines à l'hôpital, puis alla à Wychwood pour sa convalescence. Rien ne parvenait à la réconforter. Le temps, comme son humeur, était au gris. Par ce printemps particulièrement pluvieux et froid, les bourgeons n'éclataient pas, les branches, toujours nues, formaient un grillage sur le ciel. Grelottante, Hester avait oublié la couleur du soleil.

Enfin, un matin, Mme Olga lui annonça une visite.

— Regarde, ma petite fille chérie, dit-elle en lui relevant ses oreillers. Le soleil pointe son nez, une superbe journée nous attend.

Hester regarda par la fenêtre et s'aperçut que, en effet, le ciel s'éclaircissait. Ce n'était pas encore le grand beau temps, mais il y avait un peu plus de lumière.

— Qui est venu me voir ?

— Patience. Je vais te faire belle. Prends tes béquilles, et au travail.

Mme Olga l'aidait à sa toilette tous les matins. Aujourd'hui, elle lui avait sorti la robe bleue qu'elle avait portée juste avant l'accident, lors de la conférence de presse pour la tournée américaine. Ils sont à San Francisco, maintenant, pensa Hester. Je ne fais plus partie de la troupe. C'est fini. Les larmes lui montèrent aux yeux. Elle les essuya, et s'habilla tant bien que mal. Mme Olga lui tendit sa poudre, son rouge à lèvres, puis une brosse à cheveux dont elle se servit avec des gestes mécaniques.

Dans le miroir, elle voyait une femme qui ne lui ressemblait guère, les yeux cernés, le teint livide. On dirait une larve ! s'indigna-t-elle. Cette ébauche de révolte était peut-être le début de la guérison. Elle sentit naître une nouvelle détermination. Je ne peux pas me laisser aller comme ça, songea-t-elle. Il faut que je réagisse, que je redevienne moi-même.

Pour la première fois depuis des semaines, elle avait envie de se ressaisir. Et puis, elle était impatiente de savoir qui lui rendait visite. Jusqu'à présent, son désespoir avait étouffé tout désir. Un progrès, donc ! Elle termina de se brosser les cheveux avec plus d'entrain.

Dans le salon, elle trouva Edmund. Elle s'arrêta sur le pas de la porte, appuyée à ses cannes anglaises, tandis qu'il venait à sa rencontre.

— Hester ! Que je suis content ! Tu es très belle ! Tu as l'air d'aller beaucoup mieux. Et tu es debout. Combien de temps auras-tu besoin de tes béquilles ?

— Une semaine, pas plus. Je suis heureuse de te voir !

Il la considérait avec une tendresse extrême.

— Il faut que je m'asseye, Edmund. J'ai peut-être l'air en forme, mais ce n'est encore malheureusement qu'une apparence ! Tu me connais, je suis bonne comédienne. À l'intérieur, je me sens... vide. J'ai l'impression d'être au début d'une longue route déserte, en route pour une destination inconnue. Ne m'écoute pas ! Ce que je peux être déprimante ! Excuse-moi. Fais-moi rire, Edmund. Tu m'as manqué.

— Encore heureux ! Je serais venu beaucoup plus tôt si Mme Olga n'avait pas fait barrage. Je la supplie depuis des jours, mais elle est intraitable. Tout à coup, elle m'a donné le feu vert, alors me voilà, j'accours. Je ne sais pas si je vais arriver à te faire rire, mais ça ne coûte rien d'essayer.

— Crois-tu que j'aie un avenir, en dehors de la danse ?

— Mais bien sûr ! J'ai un peu réfléchi, et des quantités de possibilités s'ouvrent à toi. D'abord, tu serais un excellent professeur. On réclamerait tes master classes dans le monde entier. Tu gagnerais très bien ta vie, ce qui ne gâte rien. Et puis, tu as déjà trente-trois ans. Tu n'aurais pas pu... Enfin... De toute façon, ta carrière était presque terminée. Je sais que c'est un peu brutal, mais cet accident ne change pas grand-chose. Soyons réalistes : tu allais bientôt devoir te retirer. C'est vrai, je t'assure.

— J'en avais encore pour quelques années, au moins. Je n'étais quand même pas au bout de mes capacités, je m'en serais aperçu. Ou au moins, on me l'aurait dit.

— Tu en aurais peut-être pris conscience seule, mais une chose est sûre : personne n'aurait osé te l'annoncer. Qui voudrait dire à la grande Hester Fielding qu'elle n'est plus capable de danser ? Il suffit que ton nom soit à l'affiche pour remplir les Opéras. Même Piers n'aurait pas voulu tuer la poule aux œufs d'or.

— En somme, tu penses que cet accident était providentiel ? J'ai bien fait de me casser la jambe, me dis-tu, parce que, autrement, je n'aurais peut-être pas su m'arrêter à temps, et j'aurais dansé jusqu'à quatre-vingt-dix ans. Je ne suis pas aussi idiote ! Je me serais aperçu que mes performances baissaient !

— Bien, je t'ai mise en colère, c'est bon signe. Notre Hester est de retour ! Tu as raison, mais ce qui est fait n'est plus à faire. Le destin a tranché, et toi, tu rejoins le commun des mortels. Je t'aiderai. Beaucoup de gens sont prêts à te soutenir. Tu as de nombreux amis.

Hester lui sourit avec effort.

— Il faut simplement que je m'y habitue. Je vais me reconvertir, reste à savoir comment. Je vais me reprendre, je te le promets.

— Parfait. Je t'ai apporté un cadeau.

— Comme c'est gentil ! Il ne fallait pas !

— Tu vas voir, c'est un chef-d'œuvre, sans vouloir me vanter !

Il ouvrit le piano et s'assit sur le tabouret.

— J'ai écrit cet air pour toi. Écoute, ajouta-t-il en se mettant à jouer. Tout le charme oriental. Finies la pluie et la froidure.

Hester ferma les paupières. La musique emplissait la pièce comme une coulée d'or. Elle vit de l'eau turquoise, des minarets, des ombres fraîches et des fontaines, des citronniers couverts de fruits. Des fleurs pourpres s'accrochaient aux balcons, les vapeurs odorantes des huiles parfumées montaient des bains turcs ; des amoureux étaient allongés sur un lit de pétales de roses, appuyés à des coussins de soie. Elle rouvrit les yeux à la fin du morceau, subjuguée par sa puissance évocatrice.

— C'est magnifique, Edmund.

— Je l'ai appelé *Sarabande*. Il s'agit d'une danse de cour espagnole, à trois temps, pour être précis. C'est aussi le nom d'un tapis persan à motif de feuilles et de poires. Je crois que je n'en ai jamais vu.

— Je suis très flattée de te l'avoir inspiré, Edmund. Quel bien tu m'as fait ! Je tourne la page, c'est promis.

Il se leva du piano pour la rejoindre sur le canapé.

— Ah ! Tu vois ! L'idée, c'est de provoquer le bien-être, la langueur.

— C'est réussi. Je suis presque trop alanguie pour bouger !

— Je ferais n'importe quoi pour toi, Hester. N'hésite pas à me mettre à contribution, je suis prêt à tout pour te redonner le goût du bonheur.

Ils se sourirent. Soudain, il se pencha sur elle et lui posa un rapide baiser sur les lèvres. Elle eut un frisson de plaisir, mais ce fut trop vite fini.

4 janvier 1987

— J'adore me promener, dit Hester à Edmund. J'essaie de prendre une heure tous les jours avant le petit déjeuner. Quel plaisir d'être en ta compagnie !

Ils traversaient le village pour atteindre la pleine campagne.

— Je ne passe pas souvent par ici. Regarde, c'est la maison des Wellick. Tu te souviens, je te l'ai déjà montrée.

— Oui. Ce qu'elle peut être laide ! Je comprends que tu ne t'y sois pas sentie bien.

— C'était encore plus affreux de leur temps, tu te rends compte ! Au moins, maintenant, il y a des plantes par-devant. Les Wellick n'avaient mis qu'un carré de gazon. Ma tante Rhoda trouvait que trop de végétation faisait sale !

Elle eut un frisson.

— Tu as froid ?

— Pas vraiment. C'est de repenser à ce temps-là qui me donne la chair de poule.

Ils continuèrent en silence, laissant le village derrière eux. Ils prirent un chemin à travers champs, sur lequel restaient encore des plaques de neige ici et là. Le ciel ressemblait à un décor de théâtre, d'un bleu pastel très pâle avec des nuages blancs bien dessinés et un timide soleil hivernal. Une buée épaisse se formait dès qu'ils ouvraient la bouche.

— Même si la neige fond, il fait encore froid, remarqua Edmund.

— Le climat est rude, ici, mais j'en ai pris l'habitude. Et je me lève encore très tôt, comme si je devais me rendre à mes classes quotidiennes. Tu sais, c'est drôle, j'ai l'impression... d'être débarrassée d'un poids énorme. Je n'étouffe plus...

— Comme si on t'avait enlevé un corset ?

— Un peu ! Je crois que c'est la première fois depuis des années que je ne me réveille pas en pensant à Adam. Ou plutôt si, j'ai pensé à lui, mais ce n'était plus qu'un souvenir lointain. Auparavant...

— Je sais, Hester, tu n'as pas besoin de t'expliquer. Tu avais l'impression qu'il comptait encore, qu'il faisait partie de ta vie, ou pourrait revenir.

— Revenir, non. Je n'imaginais pas du tout le retrouver. Mais c'est vrai, il comptait encore. Je pensais si souvent à lui, je faisais tellement de cauchemars, que je me demandais parfois si j'étais encore amoureuse. On ne se pose pas ce genre de question sans raison. Je devais l'aimer encore. Je n'arrivais pas à en faire mon deuil.

— Ça ne laissait pas beaucoup de place aux autres hommes.

Elle éclata de rire.

— Oh ! Tu sais, personne n'a vraiment insisté non plus !

Absorbée par la conversation, elle trébucha sur un caillou et se rattrapa au bras d'Edmund, qui la retint par la taille. L'espace d'un instant, elle remonta le cours du temps, fut transportée sur un autre sentier, au bord de la mer, par une journée ensoleillée. Un peu plus loin, Edmund et Marisa l'attendaient. Elle allait tomber, une douleur atroce lui couperait le souffle. Cette fois pourtant, elle retrouva l'équilibre. Elle remua la cheville pour s'assurer qu'elle n'était pas tordue. Plus de peur que de mal, mais le souvenir de son accident lui avait causé un tel choc que son cœur battait à tout rompre et qu'elle avait les jambes en coton.

— Hester, tu t'es fait mal ?

Il lui prit le visage et le tourna doucement vers lui pour qu'elle le regarde dans les yeux. Elle allait le rassurer quand elle vit son expression. Il était transfiguré par un amour lumineux, rayonnant. La caresse intime de ses mains sur ses joues la bouleversa. Il prononça encore son nom, puis il ferma les yeux et avança les lèvres vers les siennes. Dans le froid hivernal, le contact fut brûlant. Hester eut l'impression de tomber, de tournoyer, prise d'un bonheur dont elle avait oublié l'existence. Edmund. Edmund l'embrassait.

Quand le baiser s'acheva, ils ne surent d'abord pas quoi se dire. Ils s'assirent sur un rocher, à l'abri du vent, puis prirent la parole en même temps.

— Je...

— Je...

— Vas-y, dit-il. Toi, commence.

— Je ne sais pas. Je tremble comme une feuille.

— Moi aussi. Hester ?

— Oui ?

— Je t'aime.

Il ne souriait plus. Respectant ce moment solennel, elle le laissa continuer.

— Je t'aime depuis longtemps, tu sais. Ce n'est pas une impulsion soudaine. Je suis amoureux de toi depuis le premier jour.

— Mais enfin, pourquoi n'as-tu rien dit ?

— Toi, tu aimais Adam. C'est arrivé très vite.

— Tu aurais dû essayer. Tu aurais pu me le faire comprendre.

— J'y ai souvent pensé, mais j'avais trop peur de ta réaction. Je ne voulais pas mettre notre amitié en danger.

— Notre amitié n'aurait pas pu en souffrir !... Dans le

fond, je n'en sais rien… J'aurais peut-être mal réagi. Mais j'aurais oublié Adam si tu avais…

— Non, tu étais encore amoureuse. Et puis, je ne savais pas si tu me trouvais séduisant.

— Mais si. Très séduisant. Seulement, je pensais…

— Oui ?…

Il enfouit son visage dans le cou d'Hester, et se fraya un passage entre son bonnet et son écharpe. Elle frissonna et chercha ses lèvres. Ils s'embrassèrent avec passion. Elle désirait tout de lui. Elle voulait sentir sa peau contre la sienne, se serrer dans ses bras de toutes ses forces, prendre possession de son corps. Elle dut s'arracher à leur étreinte pour retrouver un semblant de lucidité.

— Je pensais que tu m'aimais comme une petite sœur. Tu veillais sur moi. Et puis tu as toujours eu tellement de petites amies !

— Mes petites amies, oui… Je ne pouvais pas te pleurer éternellement. Je voyais bien que tu aimais encore Adam, alors je ne me faisais pas d'illusions.

— Je ne suis plus amoureuse de lui, déclara-t-elle en se levant et en lui tendant la main. Nous avons du temps à rattraper. Tu ne veux pas rentrer ?

— Je t'aime, Hester. Tu m'as bien entendu ? C'est vrai, tu sais.

— Moi aussi, je t'aime.

— Pas comme un frère ? Pas comme un ami ?

— Non. Je t'aime d'amour.

Ils retraversèrent le village, se tenant le bras, les doigts noués, tout en se confiant des pensées qu'ils n'avaient encore jamais osé partager. Et pendant tout ce temps, Hester n'avait qu'une idée en tête : *Cette nuit, il va dormir dans mon lit. Il sera près de moi demain matin. Il m'aime.*

— Pardon, je vous dérange ?

Alison avait passé la tête par la porte du bureau. Hester

était à son secrétaire, tandis que Siggy occupait la méridienne.

— Entre. J'écris à ma meilleure amie, en Nouvelle-Zélande.

— Je ne veux pas vous embêter, mais j'aimerais vous demander quelque chose.

— Vas-y, je t'écoute. Tu as l'air préoccupée, Alison. Ça ne va pas ?

Alison s'assit timidement à côté de Siggy et le caressa. Il ouvrit un œil, puis le referma.

— Je crois qu'il me reconnaît. Ce qu'il peut être beau ! Il me manquera.

— Tu n'as pas envie d'avoir un chat à toi ?

— Ma mère ne veut pas. Je vais en pension, et elle, elle est très peu à la maison.

— Dommage. Alors, dis-moi ce qui ne va pas.

— Je me fais du souci à cause de mon père. Il doit me téléphoner, mais comme je passe presque tout mon temps à l'Arcadia, j'ai peur de louper son appel. Ça m'ennuierait.

— Ne t'inquiète pas. Moi, je suis ici quasiment toute la journée. Je te préviendrai s'il téléphone. Si je ne suis pas là, il y a le répondeur. Ton père laissera sûrement un numéro où le joindre, tu ne crois pas ?

— Génial, un répondeur ! Merci. Merci beaucoup ! Ça va mieux !

— Je suis contente que le problème soit réglé. On s'inquiète pour des riens. Tu ne trouves pas ça drôle ? Tout le monde fait ça.

— Oui, merci. Il faut que je retourne aider Ruby. Elle a beaucoup de repassage pour la générale.

— J'ai hâte de découvrir le ballet. J'ai pris du temps pour préparer mes master classes de février, mais je suis curieuse de voir comment Hugo a interprété l'œuvre d'Edmund.

— Moi, d'habitude, je n'aime pas trop la danse, mais là,

357

c'est un peu différent parce que j'ai participé. Et puis, la musique me plaît.

En sortant du bureau, Alison rencontra Hugo qui se dirigeait à grands pas vers le couloir de l'Arcadia. Il s'arrêta pour l'attendre.

— Tiens, bonjour, toi !

— Bonjour, Hugo. Tu vas au théâtre ?

— Oui, j'ai des réglages à effectuer avant la générale. Tu viens ?

Ils repartirent ensemble.

— Tu vas bien, Alison ? Tu as l'air fatiguée.

— Je n'ai pas très bien dormi, mais maintenant ça va mieux.

Soudain, elle eut un soupçon.

— Hugo, Claudia t'avait dit qu'une lettre de mon père était arrivée pour moi ?

— Non, mais tu sais, je suis tellement occupé que nous avons à peine le temps de nous parler. Je ne vis que pour *Sarabande*.

— Ah bon, d'accord. Tu crois qu'il va être bien, le ballet ?

— J'espère ! Sûrement. J'ai eu pas mal de soucis au début, mais je pense que finalement nous allons réussir à faire quelque chose de bien. Silver va être formidable.

Il s'exprimait avec une telle chaleur qu'Alison ne put que s'en rendre compte.

— Elle te plaît, Silver ?

Elle regretta aussitôt d'avoir laissé échapper cette question si brutalement, mais il était trop tard pour se rattraper. Hugo eut l'air ennuyé.

— Ça se voit tant que ça ? Moi qui espérais être discret ! Oui, elle me plaît, c'est vrai, mais je préfère que ça ne se sache pas pour l'instant. Ce n'est pas le moment, surtout pour Claudia. Il faut qu'elle puisse danser sans s'inquiéter. Après, nous verrons... Enfin, je verrai. Je ne veux pas te mentir. Je vais... Je ne crois pas que ta mère et moi, nous allons rester ensemble encore très longtemps.

— Tu ne l'aimes plus ?

— Ce n'est pas aussi simple. C'est juste que... C'est compliqué.

À sa grande surprise, Alison se sentait prête à prendre la défense de sa mère. La pauvre ! C'était drôle, alors que la veille, elle avait envie de la tuer à cause de la lettre oubliée dans son sac. Comment sa mère réagirait-elle si Hugo la quittait ? Elle serait sûrement très malheureuse. Et puis, il n'y avait pas que Claudia.

— Et moi ? demanda-t-elle soudain.

— Tu vas me manquer, Alison, tu le sais bien. Je t'aime beaucoup. Je me suis beaucoup attaché à toi. Je garderai le contact. On ne se perdra pas de vue.

— Oui, bien sûr, marmonna-t-elle. Toi aussi, tu me manqueras.

Si Hugo les quittait, elle ne le reverrait sans doute jamais. Les gens promettaient de vous faire signe, et puis ils ne tenaient pas parole. La vie, c'était horrible ! On rencontrait des tas de personnes qu'on aimait bien, on s'attachait, et puis crac ! les gens disparaissaient. Elle ne reverrait pas Nick non plus, après les vacances. Franchement, ça donnait envie de pleurer.

— Je te jure que je t'écrirai.

— Mon père me fait des tas de promesses aussi, mais il est nul, pour les lettres.

— Moi, pas du tout, j'adore écrire. Je t'assure. Tu ne diras rien à Claudia, d'accord ? Il ne faut surtout pas qu'il y ait de crise avant la première.

— D'accord.

Ils étaient arrivés dans le hall de l'Arcadia. Hugo se pencha pour lui poser un baiser sur le dessus de la tête.

— Bon, on se voit à la générale ?

— Oui, à plus tard, Hugo.

Elle le regarda s'éloigner vers la salle d'un pas pressé.

Assise devant le miroir de sa loge, Claudia se dévisageait dans la lumière crue. Elle était déprimée sans savoir pourquoi. Patrick s'était un jour moqué d'elle en l'accusant d'avoir autant d'états d'âme qu'une crevette. Elle lui avait lancé un chausson de danse à la tête, parce que ce n'était pas vrai. Tiens, là, par exemple, pensa-t-elle, je suis dans une détresse absolue, et la vie me déçoit profondément.

Elle prépara sa peau avec une boule de coton imbibée de lotion, et fronça les sourcils. Habituellement, elle se regardait avec plaisir. Sa beauté avait le don de lui remonter le moral. Tout le monde la trouvait jolie. Pourtant, depuis quelque temps, un minuscule réseau de ridules apparaissait au coin de ses yeux, et une expression maussade semblait s'être imprimée sur son visage. Elle essaya de sourire, mais se fit presque peur. Ses traits se marquaient et, dans la lumière impitoyable, elle eut l'impression de porter un masque. Affreux ! Elle se saisit de sa boîte à maquillage.

Là ! se dit-elle en étalant son fond de teint. Dès qu'elle ne vit plus ses imperfections, elle se sentit mieux. Finies les rougeurs, les irrégularités. Je serai parfaite, se rassura-t-elle. Mais alors, pourquoi continuait-elle à éprouver une telle contrariété ? Que se passait-il ? C'était sans doute à cause de Nick. De Nick et d'Hugo. Entre Hugo et elle, rien n'allait plus, et sa liaison avec Nick ne durerait pas. Elle n'avait plus l'âge de se bercer d'illusions. Dès qu'ils seraient de retour en ville, il disparaîtrait de sa vie. Tant que nous sommes au fin fond de la cambrousse, ça l'amuse, songea-t-elle, mais dès qu'il retrouvera Londres et ses amis, il me larguera.

Hugo avait pris ses distances. Sa froideur était-elle liée au stress de *Sarabande* ? Ou était-ce le signe d'une crise plus grave ? Il se lassait, peut-être. Nous verrons bien, se dit-elle. La générale n'est que dans quelques heures. Attendons la première, sa bonne humeur devrait revenir ensuite. Mais quoi qu'il arrive, elle n'était pas persuadée de vouloir encore de lui. Ils se conduisaient trop comme un vieux couple.

Elle prit de l'ombre turquoise et s'attaqua à sa paupière gauche. Peut-être a-t-il compris, pour Nick. J'ai été folle d'aller dans sa chambre le soir du réveillon, mais Hugo ne faisait pas attention à moi. Enfin, je ne regrette pas ; ça ajoute du piment aux répétitions. Leurs baisers clandestins contrebalançaient l'austérité du travail intensif. Arriveraient-ils à se retrouver seuls encore au moins une fois ? Il y avait peu de chances pour que ce soit possible. Les loges de l'Arcadia ne se prêtaient pas à des tête-à-tête amoureux. Quel dommage ! Elle continua son examen de conscience (dire que Patrick prétendait qu'elle en était dépourvue !) et décida que, non, elle ne se repentait pas de sa petite échappée avec Nick. Hugo ne s'était rendu compte de rien, il ne fallait pas céder à la paranoïa. Personne ne savait, donc tout allait bien. Et pourquoi ne pas tout lui avouer ? Un peu de jalousie lui démontrerait qu'il tenait à elle. Il se rendrait compte qu'il devait être un peu plus attentionné à son égard s'il voulait la garder.

Alison aussi lui causait des soucis. Cette enfant lui posait des problèmes permanents depuis sa naissance. Il fallait reconnaître qu'elle faisait quelques efforts à Wychwood, mais depuis le soir du réveillon elle lui lançait des regards haineux réellement déplaisants. Claudia poursuivit ses réflexions tout en passant à son deuxième œil. Alison s'est entichée de Nick, et elle est jalouse de moi, voilà le fin mot de l'histoire ! Ou alors, elle m'en veut pour la lettre. C'est dommage d'avoir oublié de la lui donner, mais bon, une lettre de Patrick ! Il n'y a quand même pas de quoi réagir comme si je l'avais poignardée.

— Bonjour, Claudia.

Silver venait d'entrer dans la loge. Cette idiote avait failli lui coller une crise cardiaque ! Quel besoin avait-elle de se glisser partout sur la pointe des pieds ?

— Tiens, bonjour.

Claudia eut peur d'avoir laissé transparaître son hostilité. Voilà ! Elle avait trouvé la raison de sa dépression ! Cette fille, avec sa peau de pêche, sa silhouette divine et sa gentillesse désarmante, elle était d'un pénible ! Quel scandale qu'un théâtre comme l'Arcadia ne dispose pas de loges particulières. L'obliger à cohabiter comme une gamine du corps de ballet ! Inadmissible !

— Il fait de plus en plus froid, remarqua Silver. Je crois qu'il va encore neiger.

Claudia prit le prétexte de dessiner le contour de ses lèvres pour ne pas répondre.

— Mmmmm...

Finalement, songea-t-elle, je me demande si c'est encore moi la première ballerine de la compagnie. La détresse lui fit monter les larmes aux yeux, mais elle les chassa vite. Plutôt crever que de pleurer devant cette mijaurée ! Elle posa son tube de rouge et admira son œuvre. Pas mal. Cela pouvait encore passer, mais pour combien de temps ? Elle ouvrit le joli coffret que lui avait confié Hugo, et en sortit la chaîne qui glissa sur la table de la coiffeuse. C'était de l'or ancien, moins tape-à-l'œil que celui des bijoux plus récents, patiné par l'âge, au brillant adouci, comme la lueur d'une bougie. Claudia la présenta devant son cou. Oui, pensa-t-elle, c'est parfait. Une ligne d'or filigranée pour reprendre les fils dorés du costume. Elle se tuerait à la peine s'il le fallait, mais elle danserait bien. Et pourtant, chaque production lui semblait plus difficile, plus éreintante. Qu'allait-elle devenir si elle ne pouvait plus danser ?

Elle se leva et prit son manteau.

— À plus tard, Silver. Je vais griller une cigarette dehors.

Elle sortit, oubliant aussitôt sa rivale.

— Je peux entrer, Silver ? Juste une minute.

— Tu cherches Claudia ? Elle vient de sortir pour fumer. Elle devrait bientôt revenir.

— Non, j'avais envie de discuter avec toi avant la générale. Tu as le trac ?

Hugo s'assit dans l'unique fauteuil de la pièce, à côté du portant à costumes, et sourit au reflet de Silver dans le miroir. Son regard était d'une grande tendresse. Vite, elle prit la parure de l'ange pour se la fixer dans les cheveux. Depuis qu'elle avait réussi l'impossible pour le satisfaire, qu'il avait eu ce geste tendre, elle n'avait cessé de penser à lui. Était-il possible que ça ne soit arrivé qu'avant-hier ? Il avait levé son verre pour la saluer au dîner. Après cela, elle avait eu un mal fou à trouver le sommeil, et quand elle avait fini par s'endormir, Hugo avait hanté ses rêves. Ils dansaient ensemble. Il avait pris la place de Nick dans le pas de deux, et lui murmurait : *Encore, tu peux faire mieux. Je te regarde, je te regarde...*

— Silver... Tu rêves ? Je t'ai demandé si tu avais le trac.

— Pour la générale ? Non. Au contraire, je suis impatiente.

Il n'était tout de même pas venu pour lui parler de son trac. Il allait bien dire quelque chose. Tendue, elle attendit.

— Silver ?

Oui, il se lève. Il approche. Elle le voyait dans le miroir, le sentait dans son dos.

Elle se tourna sur son siège et se leva, se retrouvant presque le nez collé au pull noir d'Hugo. Si elle y appuyait la joue, ce serait doux. Ils étaient si proches qu'elle percevait une délicieuse odeur d'after-shave, ou d'eau de Cologne, mêlée à la senteur de sa peau. Elle n'en eut que plus envie de se serrer dans ses bras. Quand elle voulut parler, elle fut incapable de prononcer un mot et ce fut lui qui prit la parole.

— Tu as vu, là, je t'ai vraiment fait travailler. C'est la première fois de ta vie que tu te donnes du mal, je crois.

— C'est vrai. Je devrais te remercier, même si tu es un véritable tortionnaire.

— Silver...

Un tremblement dans sa voix la poussa vers lui, d'un pas qui les rapprocha tant qu'ils se touchaient presque. Elle ferma les yeux. À lui de jouer, songea-t-elle. Moi, je ne peux pas. Il faut que ce soit lui qui commence. Une seconde passa, puis deux. Alors elle sentit la main d'Hugo sur son visage. Il l'attira à lui. Son souffle chauffa sa peau, puis il l'embrassa. Silver répondit à son baiser de tout son cœur. Je ne veux pas qu'il parle, ou qu'il s'explique, songea-t-elle. J'ai envie qu'il me touche, simplement. J'ai envie de m'imprégner de son odeur. Elle lui passa les bras autour du cou, et ils restèrent l'un contre l'autre, en silence. La peau de Silver était en feu. Elle perdit toute notion du temps, elle ne savait plus où elle était, ne se souvenait même plus de quoi ils venaient de parler. Rien ne comptait plus que les sensations, les émotions. Au bout d'un moment, long ou court, elle ne pouvait en juger, elle s'écarta de lui.

— On risque de nous surprendre, chuchota-t-elle.

— Je m'en fiche.

Il l'attira encore pour l'embrasser. Les jambes de Silver tremblaient tant qu'elle se demanda comment elle pourrait danser.

— Hugo, attends, je dois bientôt monter sur scène. Il faut que je me concentre. Je t'en prie. Il vaut mieux que tu me laisses.

— Bien, tu as raison. On se retrouve après la générale.

Il lui donna encore un baiser puis sortit. Silver retomba sur son tabouret, vidée. Reprends-toi, s'exhorta-t-elle. Tu es un ange. Elle se tourna vers le miroir et se sourit, puis elle leva les bras comme elle allait le faire avec ses ailes. J'y arriverai. Je vais voler pour lui.

Hester adorait découvrir les productions du festival à la générale. Juste avant le lever de rideau, elle ressentait un moment de pur bonheur. Elle anticipait la splendeur des projecteurs, lumière à nulle autre pareille, chaude, magique, qui transformait tout ce qu'elle touchait. L'orchestre, le Trio Mike Spreckley, était installé sur scène, au fond, côté jardin. Les musiciens avaient rencontré Edmund dans l'après-midi, très honorés de faire la connaissance du compositeur de l'œuvre originale.

Elle se souvenait si bien du trac éprouvé par les danseurs à l'approche de leur entrée en scène qu'elle ressentait les mêmes symptômes : peur au ventre, paumes moites. Quand on frottait ses chaussons dans la colophane, en coulisses, on ne pouvait que se répéter, à l'exclusion de toute autre pensée, les pas à accomplir pendant les premières secondes sur le plateau.

Assis à ses côtés, l'œil brillant, Edmund attendait avec impatience de voir sa musique mise en volume et en mouvement. Il avait l'enthousiasme d'un jeune homme. Hester se retenait avec peine de se jeter dans ses bras. Depuis qu'ils s'étaient embrassés, elle ne pensait qu'à recommencer. Elle en aurait presque souhaité que la générale soit déjà terminée pour se retrouver seule avec lui. Pour l'instant, il fallait se contenter de lui abandonner sa main, qu'il refusait de lâcher. Elle avait toujours apprécié sa présence aux générales. Il était sérieux, mais pas trop, toujours prêt à plaisanter pour la détendre. Il s'y connaissait aussi suffisamment en danse pour analyser avec elle la chorégraphie et les performances des danseurs.

— Ne t'inquiète pas, chuchota-t-il. Je sens que ce sera un très bon cru.

— Je l'espère.

— Je ne peux pas me tromper : le compositeur est un génie ! Et l'orchestre est excellent. Des types formidables. Ça sera épatant. Hugo a beaucoup de talent, paraît-il, et ses danseurs sont très doués, aussi.

— Oui, je pense. J'ai hâte de les voir à l'œuvre. Surtout Silver. Hugo était assez préoccupé à cause d'elle.

— On la compare parfois à toi. Quelle hérésie ! Elle est beaucoup plus grande, plus athlétique, et moins lyrique.

Hester sourit.

— Merci, Edmund, tu es tellement gentil. Heureusement que tu es là pour te souvenir de moi.

— Je n'ai rien oublié. Depuis que nous nous sommes rencontrés, c'est bien simple, il n'y a pas un seul jour où je n'aie pas pensé à toi.

— Moi aussi, je pensais à toi. Mais à présent d'une tout autre façon. (Elle se pencha pour lui murmurer à l'oreille.) Tu viendras dans ma chambre ce soir, j'espère.

Après un instant de silence, il tourna le visage vers elle, les lèvres effleurant les siennes. Elle sentit le souffle de sa réponse sur sa bouche.

— Oui, ma chérie.

La porte menant des coulisses à la salle s'ouvrit sur Hugo, qui regarda autour de lui, pâle et anxieux. Après avoir repéré Hester et Edmund au sixième rang d'orchestre, il les rejoignit. Ils s'écartèrent l'un de l'autre en le voyant.

— Ça vous ennuie si je m'assieds à côté de vous ? J'ai besoin de compagnie. Je ne sais pas pourquoi je suis si inquiet, ajouta-t-il en prenant place à la droite d'Hester.

— Mais faites donc, faites donc, dit Edmund.

Hester lui sourit.

— Vous n'avez aucune raison de vous inquiéter. Laissez-les tranquilles. Ils se débrouilleront beaucoup mieux sans vous. Les danseurs préfèrent se débarrasser du chorégraphe pendant la représentation.

Edmund se redressa en entendant les premières notes.

— Ils sont vraiment bons, vous ne trouvez pas ? Jamais je n'aurais cru que ma musique pourrait si bien s'adapter au jazz.

Dans les coulisses, Alison relisait la liste collée à la table des accessoires. Elle faisait le point une dernière fois, tout en sachant que les objets se trouvaient à leur place. Les coussins avaient été disposés sur le canapé où sa mère passait les trois quarts de son temps ; les paniers de roses étaient en coulisses, côté jardin, et les ailes de Silver pendaient à leur cintre près des accessoires. Elle ne devait les mettre qu'au dernier moment, car Ruby ne voulait à aucun prix risquer de les endommager en les entreposant avec les costumes, dans la loge.

— Tu as l'air d'une vraie professionnelle, chérie, chuchota Claudia en arrivant derrière elle. Tu vois que tu sers à quelque chose, finalement.

— Je te dis un gros « merde », maman, murmura Alison.

Elle avait appris à parler tout bas en coulisses. Il fallait à peine émettre un son, tout en formant bien les mots, ce qui permettait de lire sur les lèvres grâce à la faible lumière qui pénétrait jusque dans ce lieu très sombre. Claudia était très jolie, même si elle était irritante. Et maintenant, Silver les rejoignait pour mettre ses ailes. Quelle beauté ! Jamais Alison n'avait vu un tel ange. Elle ne portait pas le tutu rigide, mais une jupe blanche, flottante et souple. Ses pointes étaient en satin blanc, et ses cheveux et son visage brillaient comme s'ils étaient nacrés. L'effet était obtenu grâce à une poudre scintillante que Silver lui avait montrée. Elle lui en avait même étalé un peu sur le bout du nez, ce qui lui avait donné l'air d'un clown.

Silver sourit à Alison et alla se placer devant Ruby, qui avait déjà décroché les ailes, et se tenait prête à les lui fixer aux épaules.

— Tout va bien ? murmura-t-elle.

Silver leva le pouce. On utilisait aussi beaucoup les signes, dans les coulisses. Claudia était en scène et dansait avec Andy, occupé à ses pitreries au fond du plateau, côté jardin. Il jonglait avec des boules brillantes pour amuser la princesse, royalement indifférente à ses efforts. L'orchestre était installé tout près des coulisses, et le son y résonnait avec une puissance phénoménale, bien plus fort que lors des répétitions. Cela donnait une tout autre dimension au ballet. C'était impressionnant. Alison comprit enfin pourquoi Hugo aimait cette musique avec passion. On aurait dit une coulée de douceur, de joie, qui invitait à la danse.

Silver étendit les bras pour permettre à Ruby de lui fixer les ailes aux poignets. Les larges rubans cousus de plumes passaient par-derrière et étaient retenus dans le dos. Alison n'en était pas peu fière, car elle avait été chargée de les confectionner.

— Tournez, chuchota Ruby.

Silver lui fit face, bras baissés. Alison attendait une remarque sur ses ailes, leur beauté, leur solidité, ou simplement qu'elle dise merci, mais Ruby parut soudain pétrifiée. Elle regardait la scène par-dessus l'épaule de Silver, et suivait Claudia des yeux avec une fixité inquiétante.

— Ça ne va pas, Ruby ? demanda Silver.

Pas de réponse. Ruby tituba en arrière, une main plaquée sur la bouche. On aurait dit qu'elle retenait des sanglots. Elle désigna Claudia du doigt.

— Hester, coassa-t-elle, allez chercher Hester !

— Mais c'est la générale... protesta Alison.

Avec un gémissement, Ruby tomba à la renverse, toute raide. Silver n'eut même pas le temps d'amortir sa chute.

— Elle s'est évanouie. Vite, Alison ! Va avertir Hester et Hugo. Cours sur le plateau et appelle-les.

— Sur le plateau ?

— Oui, dépêche-toi, tout de suite !

Alison avança jusqu'au bord de la scène, et hésita, aveuglée par les projecteurs. Elle leva la main devant ses yeux pendant que, derrière elle, sa mère poussait une exclamation furieuse.

— Mais qu'est-ce qu'elle fait là, cette idiote ?

Il y eut des claquements de sièges qui se relèvent tandis que dans la salle tous se dressaient pour voir ce qui se passait. Les musiciens cessèrent de jouer.

— C'est Ruby, annonça Alison d'une voix angoissée. Elle est malade. Elle s'est évanouie dans les coulisses.

Les projecteurs s'éteignirent, et les lumières de la salle s'allumèrent. George avait entendu depuis la régie. Il allait descendre. Hugo avait déjà sauté sur scène, et Hester courait vers la porte des coulisses.

— On arrête un moment ! cria Hugo. On reprendra quand on saura ce qui se passe.

Alison retourna dans les coulisses, où elle trouva Hester agenouillée près de Ruby. La costumière avait repris conscience et essayait de s'asseoir. Silver l'aida à se redresser.

— Elle venait d'attacher mes ailes, expliqua-t-elle à Hester. Elle a regardé Claudia qui dansait, elle est devenue toute blanche, comme si elle avait vu un fantôme, et puis elle a perdu connaissance. Je ne comprends pas.

— Que se passe-t-il, Ruby ? demanda Hester. Tu as mal quelque part ? Quelqu'un peut-il nous apporter une chaise ?

Claudia accourait, curieuse, et s'arrêta à côté d'Alison.

Un bras autour de Ruby, Hester la regarda fixement.

— D'où vient cette chaîne ? interrogea-t-elle d'une voix blanche.

Alison fut très impressionnée par sa pâleur, son apparente terreur. Elle tremblait.

— Hugo me l'a prêtée. Je trouvais mon costume un peu triste, alors je me suis dit qu'il me fallait un bijou. Elle est belle, n'est-ce pas ? Je suis contente que vous l'ayez remarquée...

Hester porta la main à son propre cou, et ferma les yeux. Sa poitrine se soulevait rapidement, et elle semblait avoir grand besoin de la chaise qu'Andy apportait à Ruby.

— Tenez, Ruby, dit-il. Asseyez-vous. Vous vous sentirez mieux bientôt. George a éteint les lumières, il va descendre.

À cet instant, George arriva en courant.

— Ruby, chérie, Ruby ! Que se passe-t-il ?

Il se pencha sur sa femme, et Alison vit, à la façon dont

il lui caressait les cheveux, qu'il devait l'aimer beaucoup. Tout va rentrer dans l'ordre, maintenant, pensa-t-elle. Ruby dirait : *Je me sens mieux, je n'ai eu qu'un petit malaise*, et la répétition reprendrait.

Elle se trompait. Ruby cacha son visage contre le pull de George et éclata en sanglots. Alison fut affolée. Encore plus étrange, Hester ne se rendait compte de rien. Elle semblait avoir oublié la présence de Ruby. Elle était plantée devant Claudia, hagarde. Sans un mot, elle alla sur la scène.

Le reste de la troupe attendait là : Nick et Ilene assis au bord du canapé de Claudia, Hugo et Edmund à l'entrée des coulisses. Edmund tendit le bras vers Hester. S'appuyant à lui, elle prit la parole d'une voix rauque.

— Hugo, je suis désolée, mais il faut annuler la générale. Pouvez-vous venir tout de suite dans mon bureau ? Pardon, tout le monde.

Elle quitta le plateau accompagnée par Edmund qui lui tenait la taille et l'interrogeait.

— Mais que se passe-t-il, chérie ? Dis-moi ce qui ne va pas.

Si Hester répondit, Alison ne l'entendit pas. Ils repassèrent par la salle, dont ils sortirent par les portes battantes. En les suivant des yeux, elle s'aperçut qu'Hester avait oublié son châle sur son fauteuil. Je vais le lui mettre de côté, songea-t-elle. Sur scène, les danseurs se jetaient des regards interloqués.

Hester courait, les cheveux dans les yeux. Derrière elle, une voix criait :

— Hester ! Hester, attends-moi !

C'était Edmund, qu'elle avait distancé, et qui essayait de la rattraper. Ses appels étaient emportés par le vent dans la grisaille. Elle n'arrivait plus à penser. Elle avait mal, et c'était tout.

Cette chaîne en or, cette chaîne en or... Pourquoi

refuser la possibilité d'une coïncidence ? Parce qu'elle l'aurait reconnue entre mille ! Pourquoi Ruby se serait-elle évanouie si elle n'avait pas eu la même certitude ? Elle est identique à la mienne, c'est la chaîne de grand-maman, la chaîne que j'ai donnée à Mme Olga et à Ruby pour la mettre dans le cercueil de mon bébé au cimetière de Gullane. Elle était à Hugo, disait Claudia, mais comment serait-elle entrée en sa possession ? Comment cette chaîne s'était-elle retrouvée au cou d'une danseuse sur la scène de l'Arcadia ? Hester n'en savait rien, mais elle avait une certitude infiniment désolante : si la chaîne se trouvait à Wychwood, alors elle n'était pas avec son enfant. On l'avait volée ! Elle s'arrêta, horrifiée.

— Hester, Hester, attends... Viens, il faut te mettre au chaud. Tu te sentiras mieux à l'intérieur.

Edmund avait couru pour la rejoindre, dans le vent et le froid, sans manteau. Ses cheveux rabattus sur son front lui donnaient plus que jamais l'air du jeune homme d'autrefois.

— Edmund, Edmund, chéri. Tu me sauves toujours !

— Rentrons, et explique-moi ce qui se passe.

— La chaîne que portait Claudia...

— Je t'écoute.

— Je ne sais même pas moi-même ce qui est arrivé. Ruby a été surprise, et moi aussi. Nous l'avons reconnue, elle est exactement identique à la mienne.

Elle l'attrapa dans l'encolure de son pull pour la lui montrer.

— Elle a été coupée en deux par ma grand-mère. L'autre moitié a été enterrée en Écosse, avec mon enfant. Tout du moins, je le croyais jusqu'à tout à l'heure.

Edmund prit Hester dans ses bras.

— Pauvre Hester, ma pauvre chérie.

— Dieu merci, tu es là. Je vais me ressaisir. J'ai éprouvé un grand choc. Allons interroger Hugo. J'ai peur de ce que je vais entendre, mais je suis prête.

Hester monta les marches du perron, appuyée à Edmund, près de s'évanouir. Je tiendrai, se promit-elle. Quoi qu'il arrive, quelle que soit la vérité que je m'apprête à découvrir, je ferai bonne figure.

Une image avait surgi : celle du cercueil qui ne contenait plus qu'un petit squelette, enseveli sous des monceaux de terre. Elle avait imaginé la chaîne comme une lumière dans l'obscurité de cette tombe, et l'idée qu'elle n'y avait jamais été, n'avait pas secouru et réconforté son bébé, était presque insoutenable.

Quelle bande de gamins ! pensa Claudia. Les autres danseurs étaient partis regarder la télévision, joyeux comme des écoliers relâchés avant l'heure. Dire que la générale avait été annulée simplement parce que Ruby s'était trouvée mal dans les coulisses... Beaucoup de bruit pour pas grand-chose, mais Hugo leur avait donné quartier libre, et tous avaient eu envie de voir un film. Pour une fois qu'on passe une soirée normale ! s'était réjoui Andy. On va se mettre en pantoufles, pour changer.

Alison avait l'air de tramer quelque chose avec Ruby. Peu importait, Claudia ne s'intéressait pas beaucoup à leurs cachotteries. Si elle avait insisté, Alison lui aurait sans doute expliqué ce qui se passait, mais à quoi bon se fatiguer ?

On frappa à la porte de la loge.

— Qui est-ce ?

— Moi, Nick. Je peux entrer ? Tu es habillée ?

— Si c'est non, tu entres quand même ? demanda-t-elle en retrouvant sa bonne humeur.

Il alla s'asseoir dans le fauteuil, et lui lança un sourire qui ne la laissa pas indifférente.

— J'ai eu une idée, Claudia.

— Oui ? Quel genre d'idée ?

— Une idée un peu vilaine. Tu ne veux pas venir voir mes estampes japonaises ?

— Tes estampes japonaises, comme c'est original ! Crois-tu que ce serait bien raisonnable ? Il y a du monde partout. Quelqu'un risque de nous voir.

— Pas forcément. Le film vient de commencer. Ils en ont pour un moment.

— Et un moment... ça te suffira ?...

Elle se leva et approcha du fauteuil.

— À la guerre comme à la guerre, répliqua-t-il en l'attirant sur ses genoux.

Il lui mordilla le cou et le lobe de l'oreille.

— On pourrait aussi rester ici... murmura-t-il. Le théâtre est vide, nous sommes seuls.

Claudia ferma les yeux tandis qu'il la caressait.

— C'est mal, chuchota-telle, c'est très mal, on ne devrait pas...

— Je ne vois pas pourquoi.

Nick avait glissé les mains sous son peignoir. Il en arrêta une sur son sein tandis qu'il descendait lentement l'autre vers sa cuisse. Les scrupules de Claudia s'envolèrent. Elle oublia *Sarabande*, Alison, Hugo, Ruby et ses inquiétudes pour sa carrière.

C'était bien joli de faire l'amour avec Nick, songea Claudia vingt minutes plus tard, mais que restait-il ensuite ? À peine rhabillé, il s'apprêtait à partir trouver d'autres distractions ailleurs, au lieu de... Au lieu de quoi, au juste ? Qu'attendait-elle de lui ? Aurait-elle voulu qu'il se jette à ses pieds pour lui jurer un amour éternel ? Il n'y songeait pas un seul instant, et elle non plus. Dans cette histoire, pour lui comme pour elle, il n'y avait pas de sentiments, seulement du pur désir, et un grand besoin de tromper l'ennui. La situation retirée du manoir ne leur laissait guère le choix des partenaires. Claudia ne se serait pas embarrassée d'une liaison longue, mais trouvait un peu vexant qu'il n'y mette pas plus les formes.

Il était déjà à la porte.

— À plus tard. Ciao !

Il partit avec un signe de main désinvolte. Claudia se regarda dans le miroir. Quel rustre ! Allez, arrange-toi avant qu'Hugo ne te voie. Tu es un peu décoiffée.

Hugo se demanda où s'asseoir. S'il s'était agi de la mise en scène d'une pièce de théâtre, il aurait trouvé incongru qu'un personnage reste près de la porte, appuyé au mur. « Trouve-toi une chaise ! aurait-il crié, tu me déséquilibres le tableau ! » À sa gauche était accroché le fameux portrait d'Hester Fielding le *Regard en arrière*. On le connaissait dans le monde entier, et c'était cette image qui habitait les mémoires : créature éthérée, belle, parfaite, délicate. Qui la reconnaîtrait, assise sur sa méridienne, raide comme un piquet ? Edmund s'était placé derrière elle, et semblait prêt à bondir pour la soutenir.

Hester attendait que Ruby s'explique. Pour la première fois depuis son arrivée à Wychwood, Hugo remarquait les marques de l'âge qu'il avait ignorées jusqu'alors : les ombres mauves sous les yeux, les fils d'argent à la racine des cheveux, un tremblement des lèvres, et les taches brunes sur les mains élégantes, que redoutait tant Claudia. Pauvre Claudia ! Elle s'examinait sans cesse la peau, bras tendus droit devant elle, pour s'assurer qu'elle ne s'en était pas couverte du jour au lendemain.

L'affaire semble grave, pensa Hugo. Il considéra Ruby, qui paraissait encore plus affectée qu'Hester. Elle avait pris une chaise, face à la méridienne, de l'autre côté du guéridon. Son visage était bouffi par les larmes, ravagé. Son apparence proprette de dame bien comme il faut avait disparu. Son col ouvert et sa coiffure défaite lui donnaient l'air d'avoir passé une soirée bien arrosée. George se taisait pour une fois. Il s'était posté près de la fenêtre, un peu à l'écart du groupe, mais surveillait jalousement sa femme.

Hester, finalement, prit la parole la première.

— Mais enfin, Ruby, peux-tu nous dire ce qui se passe ? Ne t'inquiète pas, nous avons le temps.

La costumière se moucha.

— C'est difficile... Je ne sais pas comment te révéler cela avec plus de ménagement, Hester. Ton enfant n'est pas mort. Il a été adopté. Je n'ai pas fait enterrer la chaîne. Je l'ai donnée à la responsable de l'organisme d'adoption.

— Comment ? Mon enfant n'est pas mort ? Mais..

Hester s'arrêta, suffoquée. Elle ferma les yeux quelques secondes, puis elle s'adressa à Hugo.

— Cette chaîne vous appartient ?

— Oui.

— À notre premier entretien, vous m'avez dit que vous aviez été adopté...

Il y avait un grand remue-ménage dans la tête d'Hugo. Il aurait dû comprendre des mots si simples, mais il n'arrivait pas à trouver de sens aux paroles d'Hester. Il se contenta de répondre strictement à sa question.

— Ma mère ne me l'a jamais caché. Cela faisait même partie du folklore familial. Elle m'avait choisi, moi, entre tous. Ils ne pouvaient pas avoir d'enfants, et à l'instant où ils m'ont vu, ils ont su qu'ils m'aimaient et qu'ils voulaient me prendre. Je n'ai jamais eu l'impression de ne pas être leur fils. Le jour de mes vingt et un ans, ma mère m'a donné une boîte en écaille et m'a m'expliqué qu'elle avait appartenu à ma mère biologique, qui l'avait laissée pour moi. La chaîne était à l'intérieur. Excusez-moi, je n'ai peut-être pas très bien compris...

— Regardez la chaîne que je porte. Il y en avait deux identiques. Celle-ci appartenait à ma grand-mère. L'autre, je la croyais enterrée avec mon fils. Alors...

Elle s'interrompit. Quand elle reprit la parole, Hugo dut tendre l'oreille pour l'entendre, tant sa voix était faible.

— Vous êtes mon fils, alors. Je ne... je n'arrive pas à exprimer ce que je ressens. Ma vie a été construite sur un mensonge. Rien n'a plus de sens. Je suis votre mère, Hugo.

À cette incroyable annonce, Hugo sentit son cœur bondir dans sa poitrine. Il avait la gorge trop serrée pour parler, pourtant il aurait voulu réconforter Hester qui semblait très éprouvée. Mais déjà, elle s'adressait à Ruby.

— Tu dois tout nous expliquer. Je me souviens maintenant que Mme Olga, sur son lit de mort, m'a demandé de la pardonner. À présent, je devine pourquoi. Mais que s'est-il passé ? C'est criminel !

Edmund posa la main sur l'épaule d'Hester pour l'interrompre, et reprit l'interrogatoire avec plus de douceur.

— Dites-nous tout, je vous en prie, Ruby. Autant pour Hugo que pour Hester. Ils ont besoin de savoir.

— Et ne nous cache rien ! coupa Hester. N'omets aucun détail sous prétexte de nous ménager. Je veux toute la vérité.

Ruby triturait son mouchoir trempé.

— C'est Mme Olga qui a tout organisé. C'était son idée, mais M. Cranley l'a aidée. Elle a tout payé, et lui a inventé des histoires pour que personne ne se pose de questions. Ils ne voulaient pas que tu aies l'enfant. Mme Olga prétendait que ça ficherait ta carrière en l'air. À l'époque, c'était beaucoup plus difficile d'être danseuse et mère de famille.

Hester tremblait de tous ses membres.

— Ils n'avaient que de bonnes intentions, Hester, reprit Ruby. Tu dois me croire. Moi, je te connaissais encore à peine, mais Mme Olga et M. Cranley t'adoraient. Je sais que ça semble monstrueux. Quand je pense à ce qu'on t'a fait, c'est une hérésie, une folie. Et c'était d'une cruauté impardonnable de te mentir si longtemps... Mais les mensonges, c'est ainsi. Il faut les tenir jusqu'au bout. Mme Olga me répétait sans cesse que nous avions bien agi. Vous voyez bien que c'est mieux pour elle, me disait-elle quand tu triomphais dans tes ballets. N'oublie pas ça, Hester. La terre entière t'a regardée danser. Tu as donné beaucoup de bonheur aux gens. Mme Olga disait que tu rendais le monde meilleur. Tu as embelli la vie des spectateurs, ça compte tout de même. Et puis tu as créé tout ça, aussi.

D'un mouvement de main, elle indiquait la pièce, d'un geste qui englobait le manoir, l'Arcadia, et le festival.

— Voilà que je me remets à pleurer ! Pardon, ça va s'arrêter, ajouta-t-elle en portant de nouveau son mouchoir à ses yeux.

Hugo intervint.

— Je n'avais pas la moindre idée... Quel choc... Je n'avais même pas de désir particulier de connaître mes parents biologiques, contrairement à beaucoup d'enfants adoptés. J'étais heureux dans ma famille. Je n'y pensais presque jamais. Je suis beaucoup moins à plaindre qu'Hester.

— C'est vrai, approuva Edmund, la pauvre Hester a passé plus de trente ans à pleurer son enfant. Et elle ne pouvait même pas en parler à cause de cette vieille folle de Russe qui avait peur pour sa réputation. Dire que nous avons tous accepté de propager la version de la dépression ! C'est difficile à croire maintenant, Hugo, mais en ce temps-là, il n'y a pourtant pas si longtemps, les étoiles devaient être pures et virginales, des êtres parfaits. J'étais l'un des rares, sinon le seul, à être au courant de cette grossesse. Personne d'autre n'en a rien su, je crois. L'événement a été entouré du plus grand secret.

Ruby s'essuya de nouveau les yeux.

— Pardon. Je ne sais pas comment me justifier. Je me sens tellement coupable, c'est affreux !

Hugo vit que George rongeait son frein : il se retenait de la prendre dans ses bras pour ne pas l'empêcher de parler.

— Tu te posais souvent des questions sur moi, je l'ai remarqué, dit-elle à Hester. Je te voyais me regarder, te demander pourquoi j'étais malheureuse. Mon pauvre George aussi a souffert de mes humeurs. Ça nous a fait du mal à tous les deux. Dieu merci, notre couple a tenu. Si tu savais combien de fois j'ai failli tout t'avouer !

— Mais pourquoi ne l'as-tu pas fait ? Quand j'ai arrêté

de danser, tu aurais pu parler, au moins ! C'était il y a des années. J'ai tellement souffert !

— Au début, je me suis tue parce que j'avais donné ma parole, et qu'on m'avait payée. Ma famille avait grand besoin d'argent, nous étions tellement nombreux ! Ma mère ne s'en sortait pas, et cette somme a été providentielle. J'ai eu tort d'accepter. Je me le reproche constamment, mais je pense aussi que si ça n'avait pas été moi, ç'aurait été quelqu'un d'autre, qui ne se serait peut-être pas aussi bien occupé de toi. Moi, je t'aimais vraiment, ajouta-t-elle d'un air implorant. Ça peut te sembler bizarre, mais je n'ai fait ça que par amour.

Hester fondit en larmes, et Edmund se précipita.

— Tiens, dit-il en lui tendant un mouchoir.

— Merci.

Elle s'essuya les yeux et se tourna vers Ruby.

— Je ne comprends pas. Comment as-tu pu me mentir pendant toutes ces années ? Bien sûr, je sais que tu m'aimes, et tu m'as beaucoup aidée... Jamais je n'aurais réussi à monter le festival sans toi. Pardon, je pleure, je n'y peux rien.

Hugo s'approcha d'Hester et posa la main sur son épaule.

— Prenez le temps de vous remettre.

— Je sais que je n'aurais jamais dû accepter ce que demandait Mme Olga, reprit Ruby, mais elle avait une volonté de fer, cette femme. Elle vous clouait sur place, comme si elle vous hypnotisait avec son regard jaune. On ne pouvait pas s'opposer à elle. « Hester va devenir la plus grande, disait-elle. Imaginez, si nous la privions de la gloire ! Elle ne vivrait plus si elle ne pouvait pas danser. Pensez que c'est pour son bien, Ruby. » Alors j'ai accepté. J'ai promis de m'occuper de toi jusqu'à la naissance. Après, c'est moi qui ai demandé à rester. Ni Mme Olga, ni M. Cranley n'ont cherché à me retenir. Ils comptaient me payer et me laisser partir, mais je ne pouvais pas t'abandonner. Tu n'avais pas de mère, tu n'avais personne. Je les ai suppliés de me trouver un emploi près de toi, quand tu reprendrais ta carrière. Mme Olga n'avait pas d'idée, alors je lui ai rappelé que je savais coudre, et M. Cranley s'est souvenu que je l'avais aidé pour les costumes du Royalty. C'est de cette façon que je suis devenue ton habilleuse.

— L'enfant, interrompit Hester. Parle-moi de mon enfant.

— Ils avaient tout organisé. Le Dr Crawford, Mme McGreevey, l'adoption. Le coup était arrangé avant même notre arrivée à Gullane. Ils n'ont eu qu'à te faire dormir assez longtemps après la naissance, et tu connais la suite. On t'a dit que ton bébé était mort.

Ruby se couvrit le visage et éclata de nouveau en sanglots.

— Mais Ruby, j'ai perdu connaissance à cause de la crise d'éclampsie. Personne ne pouvait prévoir ça ! Qu'auraient-ils fait, si l'accouchement s'était passé normalement ?

— L'éclampsie n'a fait que leur faciliter la tâche. Trois jours de sommeil artificiel après la césarienne, c'était providentiel. Mais il y avait d'autres possibilités. Ils avaient de quoi t'endormir et ils n'auraient pas hésité. Souviens-toi, Mme Olga s'est servi de somnifères pour t'empêcher d'assister à l'enterrement. Elle t'a donné un comprimé, tu te rappelles ?

— Ils ont pris beaucoup de risques ! Et si j'avais voulu voir la tombe ? Mme Olga ne pouvait pas deviner que je n'irais pas par lâcheté, pour ne pas m'exposer davantage à la douleur. Ruby, si tu savais combien de fois j'ai failli retourner à Gullane pour chercher sa tombe !

— Tu l'aurais trouvée. Le Dr Crawford s'en est occupé avec l'entrepreneur des pompes funèbres. Ce n'est pas très difficile de convaincre les gens à condition de raconter que c'est pour la bonne cause. Si on explique qu'une pauvre jeune femme risque de devenir folle, ou même de se suicider... Les gens sont prêts à croire n'importe quoi. Après coup, c'est facile de les critiquer, mais ils essayaient d'agir pour ton bien.

Hester regarda Hugo.

— Et son père. Le père d'Hugo. Y ont-ils pensé ? Mme Olga le mentionnait-elle ?

— Ah oui, bien sûr ! Pour elle, c'était le diable en personne. Il se moquait bien de sa petite fille chérie. Il t'avait pratiquement tuée. Un homme comme lui ne méritait pas d'avoir d'enfant. Qu'il pense que son fils est mort, disait-elle, qu'il souffre un peu ! Elle comptait sur Edmund pour lui apprendre la nouvelle.

— C'est ce que j'ai fait, commenta Edmund gravement. Un des moments les plus difficiles de ma vie, d'ailleurs. À partir de ce jour, il a changé. Il parlait moins. Il passait plus de temps en Amérique. Il me voyait rarement parce que je lui faisais penser à toi, Hester.

Il lui prit la main, et elle lui sourit.

— Merci, Edmund. Je t'ai été très reconnaissante de te charger de lui annoncer la nouvelle à ma place. Je n'aurais même pas pu lui écrire. J'étais anéantie. J'avais le cœur réduit en miettes. Tout en moi était broyé.

Il y eut un long silence, entrecoupé par les ronflements de Siggy qui dormait comme un bienheureux.

— Vous voulez bien me parler de mon père, Hester ? murmura Hugo.

— Bien sûr. Mais pas tout de suite. J'ai besoin de réfléchir, de me retrouver un peu. Et puis il y a *Sarabande*. Le ballet passe avant tout. Demain, juste après le petit déjeuner ? Vous aurez le temps de venir me voir, avant la classe ?

— Oui. J'ai recalculé les horaires. Cours à sept heures, déjeuner à midi, et générale à quinze heures.

— Parfait, Hugo... Je préfère que cette histoire reste entre nous, si vous le voulez bien. Nos affaires privées ne regardent personne. Et puis, ça sèmerait la perturbation dans la troupe.

— Je suis tout à fait d'accord. Que faut-il donner, comme explication ?

— Pourquoi ne pas s'en tenir simplement à notre première version ? proposa Edmund. Ruby s'est trouvée mal, et il a fallu lui laisser le temps de se remettre. Inutile de compliquer les choses. Hester a paniqué parce qu'elle est très attachée à Ruby. Il suffit de les rassurer, et de leur promettre le retour à la normale pour demain. Tu pourras faire face, Hester ?

— « Le spectacle doit continuer », j'ai toujours pensé ça, remarqua-t-elle avec un demi-sourire.

Hugo hésitait sur le pas de la porte.

— Je peux quand même vous poser une question tout de suite ?

— Bien sûr.

— Vous l'aimiez, mon père ?

— Beaucoup. Trop. Je l'aimais plus que tout. Et puis ensuite, je l'ai détesté, mais c'est un peu pareil. Maintenant, c'est fini. Je suis passée à autre chose, acheva-t-elle avec un coup d'œil à Edmund.

— Merci, je voulais savoir. Je vais annoncer l'emploi du temps à la troupe.

Il s'arrêta encore un instant pour dévisager la femme qui lui avait donné la vie. Il était le fils d'Hester Fielding. Il allait avoir le plus grand mal à s'y habituer. Soudain, il songea à sa mère adoptive, qui l'avait élevé et aimé, et un terrible chagrin l'envahit. Personne ne pourrait la remplacer. Ce nouveau lien serait difficile à tisser. Hester et lui devraient prendre le temps de s'apprivoiser.

— Maintenant qu'il est parti, Ruby, tu peux me répondre honnêtement.

Hester quitta la méridienne et alla à la fenêtre, pendant qu'Edmund et George discutaient à voix basse. La nuit tombait sur le jardin, obscurcissant la campagne qui se dessinait encore sur le ciel. Le regard de Ruby pesait dans son dos, mais elle continua de lui parler sans se retourner. Je ne veux pas qu'elle devine mes émotions sur mon visage, ce serait trop facile...

— Je ne comprends toujours pas pourquoi tu ne m'as pas dit la vérité après la mort de Mme Olga. Il n'y avait plus aucune raison de me cacher que mon fils était vivant. Celle qui t'obligeait à te taire n'était plus là. Tu m'aurais épargné des années de souffrance. Pourquoi ce silence, Ruby ?

— J'avais trop peur de ce que tu ferais. Je ne pensais qu'à ça. Ça me torturait. J'en parlais très souvent à George... n'est-ce pas, George ?

George hocha la tête et prit la main de sa femme, qui continua.

— Je redoutais que tu ne me rejettes. J'ai imaginé si souvent la scène... Je savais exactement comment tu réagirais. Tu me renverrais. Tu oublierais toutes les années que j'ai passées auprès de toi. Parfois, je me disais tant mieux, je serai libre. J'avais envie de partir. Non, ce n'est pas vrai ! Je ne voulais pas t'abandonner, mais je souffrais tellement de mon mensonge... Malgré ta carrière, la célébrité, la fortune, le strass et les paillettes, tu ne t'en es jamais remise. J'ai t'ai vue fatiguée, blessée, malheureuse, et je ne supportais pas l'idée que tu me chasserais. Je ne pouvais pas courir le risque de te révéler la vérité, d'autant que je ne connaissais pas la réponse à la question essentielle que tu ne manquerais pas de me poser.

— Quelle question ?

— Tu m'aurais demandé où il était, qui l'avait adopté. Je n'en savais rien. Tu aurais encore plus souffert si tu n'avais pas eu le moyen de le retrouver.

Hester se tourna vers elle.

— En effet. Je ne peux rien imaginer de pire. Tu as

raison, je t'aurais sans doute demandé de partir parce que la souffrance m'aurait rendue aveugle.

Ruby se leva.

— Je ne suis pas d'un naturel très bavard. Je préfère me taire, c'est plus facile.

Elle approcha d'Hester, tête basse.

— On ne m'a pas révélé qui avait adopté ton enfant. Souvent, j'y pensais. Je m'inquiétais pour ce pauvre petit. Je ne peux pas te dire quel soulagement j'éprouve aujourd'hui !

Hester lui prit la main.

— Ruby, je te pardonnerai un jour mais j'ai besoin de temps. Tu es plus qu'une sœur pour moi. Je ne te l'ai jamais dit. Je ne sais pas pourquoi.

— C'est la force de l'habitude. On se laisse porter par le quotidien. Je ne t'ai jamais rien caché d'autre, je te le jure.

— Je te crois.

Rassurée, Ruby reboutonna son col et remit de l'ordre dans ses cheveux, retrouvant son personnage efficace et réconfortant.

— J'ai à faire, je vais vous laisser. Quelle drôle de journée !

— Oui, comme tu dis, une drôle de journée.

— Je t'accompagne, annonça George en posant le bras sur les épaules de Ruby. Je monte à la régie lumière.

Quand ils eurent quitté la pièce, Hester se laissa tomber dans le fauteuil.

— Rassure-moi, Edmund, dis-moi que tout va bien se passer.

Il la regarda avec une tendresse qui lui fit chaud au cœur.

— On ne doit pas affirmer une chose pareille à la légère, ma chérie. Tout ne peut jamais entièrement bien se passer, mais quoi qu'il advienne, maintenant, je serai avec toi. Et tu as un fils, Hester. Tu ne trouves pas ça extraordinaire ?

— Je n'arrive pas à y croire. Le choc m'a assommée.

— Et tu te rends compte, vous vous entendiez déjà si bien ! C'est une sorte de miracle.

— C'est vrai. Je me sens très proche de lui depuis le début... Je suis épuisée, Edmund. Je vais aller me reposer dans ma chambre.

— Je te laisse en paix un moment, ma chérie. Je vais trouver de quoi m'occuper, et je monterai te rejoindre plus tard.

Hugo ne savait où se réfugier. Il avait besoin d'être seul et n'avait aucune envie de sortir sous l'averse de neige fondue. Il ne pouvait pas aller au théâtre, de peur d'y rencontrer la troupe. Il ouvrit la porte du salon, qu'il trouva vide, à son immense soulagement.

Il s'assit sur la banquette de fenêtre, tourné vers le jardin. Depuis que j'ai franchi la grille du manoir, songea-t-il, ma vie a été bouleversée de toutes les manières possibles. Moi qui ai horreur du changement ! Claudia le traitait de maniaque de l'organisation, et elle avait un peu raison. Il aimait les choses bien carrées, bien réglées. Il imposait son ordre, structurait son existence. Et voilà qu'il n'était plus sûr de rien. La découverte de l'identité de sa mère biologique le plongeait dans la confusion la plus totale. Hester était sa mère. Cela signifiait-il qu'il était l'héritier de Wychwood ? Bien entendu, cet aspect ne changeait rien à la question, et il trouvait assez déplacé d'y attacher de l'importance, tout en y pensant malgré lui. Hester... Il pourrait l'aimer. *Sa mère.* Il avait beau se le répéter, ce mot ne sonnait pas juste. On n'effaçait pas trente ans d'amour et de soins attentifs. Il se sentait toujours le fils de Sheila Carradine. Il n'y pouvait rien.

Il se leva pour approcher du feu. Les flammes lui firent penser à Silver. Son obsession pour elle était si intense qu'elle arrivait à chasser le reste. Il était en train de tomber amoureux. Leur baiser avait laissé une empreinte profonde,

384

et l'empêchait de fixer son attention. Même *Sarabande*, qui occupait son esprit depuis des mois, devenait presque insipide. Je l'aime comme un adolescent, songea-t-il. Je suis fou d'elle. Il faut que je quitte Claudia. Comment continuer à partager sa chambre ? C'est impossible. Il faut lui parler, rompre tout de suite.

Il monta. Tant pis, se dit-il, je demanderai à Hester de me trouver un coin où dormir. Il imagina Silver allongée sur un lit, nue, la peau nacrée, qui l'attendait. C'était incroyable ! Malgré les événements extraordinaires qui venaient d'annuler la générale, son désir prenait le pas sur tout.

Assis au bout du lit, Hugo attendait Claudia qui sortait de la douche, en peignoir, serviette autour de la tête. Pour une fois, elle avait l'air de bonne humeur. Il fallait en profiter, avant que le courage ne lui manque.

— Je voulais te parler, Claudia.

— Bien sûr. Comment va Ruby ? que se passe-t-il ?

— Rien de particulier. Elle s'est évanouie. Sans doute le surmenage. Elle est tout à fait remise, maintenant. La générale aura lieu demain.

— Ah ! Je suis bien contente.

Elle s'assit dans le fauteuil pour se frotter les cheveux.

— Claudia... Ce que j'ai à te dire n'est pas facile. J'aurais préféré que nous soyons rentrés à Londres, mais...

Claudia lâcha sa serviette.

— Je ne comprends pas. Tu me fais peur.

— Je pense que... notre relation n'est plus aussi heureuse. Tu ne trouves pas que nous avons changé ?

Pour une fois dans sa vie, Claudia prit le temps de réfléchir. Elle semblait hésiter sur l'attitude à adopter. Il crut qu'elle allait se mettre en colère, mais elle resta très calme.

— Oui, tu as un peu raison... Mais pourquoi veux-tu en parler maintenant ? Tu ne m'aimes plus ?

Elle avait les larmes aux yeux. Que pouvait-il répondre

à cela ? Pourquoi les femmes posaient-elles toujours des questions aussi terribles, auxquelles on ne pouvait pas répondre sincèrement sans leur faire de mal ? Réprimant un soupir, il tâcha d'être diplomate.

— Mais bien sûr que je t'aime. On ne peut pas vivre aussi longtemps ensemble et cesser de s'aimer du jour au lendemain. Et toi, tu m'aimes ?

Bien joué. L'attaque était la meilleure des défenses.

— Mais bien sûr que je t'aime, Hugo ! s'écria-t-elle avec un soupçon d'hypocrisie. Tu le sais bien ! Mais c'est vrai, nous traversons un passage difficile. Moi, je me disais que tu étais préoccupé par le ballet, mais apparemment, tu es distant parce que tu en as assez de moi.

Il y eut une brève pause.

— C'est Silver ?

Comment pouvait-elle avoir compris alors qu'il venait à peine de s'en rendre compte lui-même ? La dernière chose à faire serait de l'admettre.

— Mais pas du tout ! J'ai simplement l'impression que nous avons changé. Je me trompe ?

— Non, tu as raison, mais ça ne m'empêche pas de me sentir... comment dire... Ce n'est pas facile, Hugo.

Il se garda bien de lui faire remarquer qu'elle ne souffrait que par amour-propre. Elle avait l'habitude de mettre fin à ses relations la première.

— Je ne veux pas te faire de mal, Claudia, tu le sais. Mais ça n'a aucun sens de continuer si nous ne sommes plus amoureux.

— J'ai été très heureuse, Hugo. Dis-moi que tu as été heureux aussi.

— Oui, j'ai été très heureux. Tu es une femme extraordinaire, Claudia.

— Toi aussi, tu es extraordinaire. Mais... c'est un choc, quand même. Tu vas me manquer.

— Nous resterons amis. Nous nous reverrons, j'espère. Et puis, j'aimerais ne pas perdre de vue Alison. De toute façon, nous travaillerons encore ensemble, si tu le veux bien.

— Je ne sais pas... Je me demande si je n'ai pas fait mon temps !

Vite ! réagis ! s'ordonna-t-il. Si elle soupçonne que tu es d'accord, tu es fichu !

— Quelle idée ! Pas du tout ! Tu es magnifique ! Tu danses la princesse à la perfection.

— C'est vrai ? Tu me fais plaisir ! Donc tu penses que j'ai toujours ma place dans la troupe ?

— Évidemment !

Elle lui lança un sourire mélancolique. Plus tard, se dit-il. Nous réglerons le problème de sa carrière plus tard, après le festival. Nous avons déjà bien assez de soucis sans y ajouter la reconversion de Claudia. En attendant, il ressentait un soulagement extrême. La rupture tant redoutée s'était bien passée. Claudia avait dû être plus lasse de lui qu'elle ne voulait l'admettre.

5 janvier 1987

Silver se versa une deuxième tasse de thé, puis contempla les danseurs de la troupe qui prenaient leur petit déjeuner avec elle. Ils avaient fait l'effort de se lever tôt, Hugo les ayant avertis qu'Hester voulait leur parler de l'incident de la générale. Leur hôtesse avait pris place à la tête de la longue table de la cuisine. Quelle femme ! On ne pouvait que l'admirer. Sur son visage, il n'y avait plus trace des angoisses de la veille. Silver avait beau connaître les vertus du maquillage, et se rendre compte qu'Hester avait appliqué un discret camouflage, son attitude, à elle seule, forçait le respect. Elle était énergique, presque enjouée, et en tout cas très différente de la femme ravagée qui avait quitté l'Arcadia après l'interruption de la générale.

Alison semblait boudeuse, et Claudia, fatiguée, sans doute parce qu'elle détestait se réveiller tôt. Hugo était pâle, mais paraissait de bonne humeur. Silver n'osait pas croiser son regard. Elle avait espéré pouvoir lui parler un peu après le dîner, mais elle l'avait cherché en vain.

Hester se leva. L'attention de Silver fut attirée par un détail. Alors qu'elle portait en général des cols roulés ou des foulards, son chemisier était ouvert sur une chaîne semblable à celle que Claudia avait ajoutée à son costume. Cette coïncidence fut vite oubliée quand Hester prit la parole.

— Merci à toutes et à tous de vous être levés de si

bonne heure, dit-elle avec un grand sourire. C'est très gentil à vous. Je me doute que vous devez vous poser beaucoup de questions sur l'incident d'hier, et je vous présente mes excuses pour le contretemps. Malheureusement, le jour de repos prévu aujourd'hui doit être annulé. Hugo vous communiquera l'heure de la générale. Je veux simplement vous expliquer ce qui est arrivé. Ruby, comme vous l'avez vu, s'est trouvée mal. Elle n'aime pas beaucoup en parler, mais elle a parfois de terribles migraines, qui arrivent sans crier gare, surtout quand elle est stressée. Le médecin est venu la voir, elle est rétablie maintenant et ne veut à aucun prix renoncer à son rôle d'accessoiriste et de costumière, avec bien sûr Alison pour la seconder. Ruby est une grande entêtée ! Ne vous inquiétez pas, le spectacle se déroulera bien. Il reste la question de la décoration de la salle à manger dont Ruby était chargée, mais... Oui, Alison, tu as quelque chose à dire ?

Alison avait levé la main pour demander la parole. Silver trouva l'intervention courageuse, car, pour sa part, elle aurait sans doute hésité à interrompre un discours d'Hester Fielding.

— C'est moi qui m'occupe de la déco de la salle à manger. Ruby m'a donné carte blanche. Je m'y mettrai tout de suite après le petit déjeuner. George va m'aider.

— Merci beaucoup, Alison, c'est vraiment gentil. Ce sera sûrement très réussi.

Alison rougit de plaisir.

— Bien, je vous laisse, acheva Hester. Hugo doit vous parler de la classe d'aujourd'hui et de l'emploi du temps modifié. « Merde » pour cet après-midi. Après le beau début d'hier, je suis très impatiente de voir la suite. (Elle s'interrompit.) Hugo, pourriez-vous venir dans mon bureau quand vous aurez terminé ? J'ai deux ou trois choses à vous dire, si ça ne vous ennuie pas. Ça ne prendra pas longtemps.

— Bien sûr, je suis à vous dans une minute.

Dès qu'Hester fut sortie, les conversations reprirent. Silver approcha d'Alison et tira une chaise à côté d'elle.

— Qu'est-ce qui ne va pas ? Tu as l'air triste.

— C'est vrai, j'ai les boules. Maman n'aime pas que je dise ça, mais je m'en fiche. J'ai envie de tout casser.

— Tu t'es disputée avec ta mère ?

— Non, elle, ça ne me fait plus rien, j'ai l'habitude. C'est mon père. Il a promis de me téléphoner. Il n'a toujours pas appelé.

— Ça ne signifie pas qu'il a oublié. Rien n'est perdu.

— D'accord, mais il ne se presse pas tellement ! Pourtant, il sait que j'ai envie de lui parler. On n'a pas discuté depuis des éternités. Lui, ça n'a pas l'air de lui manquer. Sans doute qu'il a mieux à faire que de penser à moi. Je te dis, j'ai vraiment les boules.

— Alison !

La voix de Claudia retentit au milieu du brouhaha.

— Je t'ai entendue ! Je t'ai déjà demandé de ne pas utiliser ce vocabulaire barbare ! Les gens vont croire que je t'élève n'importe comment. Exprime-toi convenablement, je te prie.

— Pardon maman ! Si je suis mal élevée, murmura-t-elle à l'intention de Silver, la faute à qui ? Je dirais même qu'elle ne m'a pas élevée du tout. Bon, à plus tard, je vais m'occuper de la décoration de la salle à manger.

Elle sortit de la cuisine, et Hugo se leva.

— Bien, tout le monde. Voilà l'emploi du temps pour aujourd'hui...

Silver ne l'écouta que d'une oreille distraite. Elle le regardait. *Hugo... qu'il est beau.* La forme de sa bouche la fascinait à tel point qu'elle manqua la moitié de ses instructions. À peine eut-elle le temps de sortir de sa transe qu'il avait déjà quitté la pièce. Quel dommage qu'il y ait Claudia. On ne pouvait quand même pas faire comme si elle n'existait pas. Elle but une gorgée de thé pour se calmer. Son cœur battait beaucoup trop fort. Il fallait à tout prix qu'elle retrouve sa sérénité avant le cours.

— Ça te semble joli, à toi, chérie ?

Claudia n'avait rien trouvé de mieux à dire en entrant dans la salle à manger, pendant que sa fille fixait une branche au-dessus du miroir de la cheminée. Prenant excuse de ce qu'elle était perchée en haut de l'escabeau, Alison ne se retourna pas, se refusant à lui montrer que ses critiques la peinaient.

— Ce n'est pas très festif, ta décoration.

— Toujours aimable, comme d'habitude, ma petite maman.

— Arrête de faire l'insolente avec moi ! Comme si nous n'avions pas assez d'ennuis comme ça. Je voulais simplement te demander de ne pas oublier mon costume. Tu sais qu'il a besoin d'un coup de fer avant cet après-midi, j'espère ? Je l'ai dit à Ruby, mais après ce qui lui est arrivé, j'aime autant que tu la surveilles.

— Ruby a eu une crise de migraine, mais elle va beaucoup mieux.

Alison travaillait vite tout en répondant à sa mère. Il fallait qu'elle termine avant d'aller au théâtre. Tout devait être prêt aujourd'hui, car, le lendemain, l'accès à la salle à manger serait réservé au traiteur chargé d'organiser le buffet.

— Je me demande si tu fais bien de mettre toutes ces branches, tu sais, reprit Claudia.

— Pourquoi ?

— Ça donne une drôle d'allure à la pièce. Peut-être qu'il y aurait encore le temps d'envoyer quelqu'un à Keighley pour acheter des fleurs ?

Alison réprima un élan d'agressivité. Elle ouvrit les lèvres, puis les referma. Non, je ne pleurerai pas !

— Maman, tu n'y connais rien !

Elle fut surprise de s'entendre parler d'une voix à peu

près normale, même si elle avait l'impression que des crapauds et des serpents s'échappaient de sa bouche, comme dans un conte de fées.

— Tu es nulle en déco, ajouta-t-elle. Voilà le problème.

— Comment oses-tu prendre ce ton avec moi ? Tu n'es qu'une sale gamine incapable !

Alison se retint de rétorquer : *Et toi, tu n'es qu'une vieille danseuse dont plus personne ne veut. Hugo est trop gentil pour te le dire, sinon, tu ne danserais plus du tout.* Elle continua à attacher ses branchages, dents serrées.

— Et Hugo, tu l'aimes ? lança-t-elle.

— Hugo ? C'est drôle que tu me parles de lui. Je ne voulais pas te l'annoncer tout de suite, mais puisque tu m'en donnes l'occasion, autant te le dire. Il me quitte. Il en a assez de moi. Je ne peux pas prétendre que ça me surprend beaucoup, et, finalement, je crois que j'étais prête à passer à autre chose, mais...

Cette fois, Alison se tourna vers sa mère.

— Ça va aller, pour la générale ? Tu n'es pas trop triste ?

— Mais bien sûr que ça va aller ! Au contraire, je vais leur montrer ce que je vaux. Tout le monde pense, en tout cas Hugo pense, que je suis bonne à jeter à la poubelle. Il ne jure que par sa petite Silver, avec ses jambes d'athlète et sa technique de virtuose, mais il va voir. Je vais me donner à fond. Là, il se souviendra de la danseuse, même s'il est prêt à oublier la femme. Bon sang, je ne vais pas me mettre à pleurer, quand même...

Alison avait l'habitude de consoler Claudia. Elle savait exactement quoi dire.

— Il n'y a pas de quoi pleurer, maman. N'oublie pas que tu es Claudia Drake. Tu es la plus grande étoile du monde entier. Ta photo a paru dans tous les journaux. Tu es mille fois plus célèbre que Silver, tu le sais bien.

— Oui, mais pour combien de temps ? Je suis bien avancée dans la trentaine. Je ne peux pas continuer indéfiniment. C'est l'ennui, avec la danse. Je me demande ce que je vais devenir quand personne ne voudra plus de moi !

— Tu ne pourrais pas être top model ?

Claudia eut un sourire.

— Les mannequins sont encore plus jeunes que les danseuses. Mais c'est vrai que quelques photographes m'ont déjà fait des propositions parce que je suis célèbre. Il paraît que j'ai un joli modelé de visage. Pourquoi pas, après tout. Merci, chérie ! Je me sens beaucoup mieux, grâce à toi.

Elle s'arrêta à la porte et se tourna vers Alison qui avait repris son accrochage.

— Finalement, j'avais peut-être tort. Ce n'est pas mal du tout cette décoration, quand on regarde bien.

Après son départ, Alison redoubla d'efforts. Elle aurait terminé pour midi. Aujourd'hui, la troupe devait déjeuner à l'Arcadia pour gagner du temps. Elle ne voulait à aucun prix manquer le pique-nique. Maman est terrible, songea-t-elle. Elle n'a aucune suite dans les idées. La salle à manger va être magnifique, et ce sera grâce à moi.

— Nous allons nous y habituer, ne craignez rien, dit Hester à Hugo avec un sourire. Nous avons beaucoup de choses en commun, non ? Après tout, beaucoup de mères ne connaissent pas bien leurs enfants.

— J'ai toujours aimé vous parler. Vous vous souvenez ? Le soir du réveillon, j'aurais bien posé la tête sur votre épaule pour vous raconter mes ennuis.

— Oui. Vous étiez charmant.

Elle était assise à son secrétaire, et Hugo avait pris place sur la méridienne, Siggy sur les genoux.

— Siggy semble avoir compris que vous faites partie de la famille, c'est un vieux chat très perspicace.

— J'ai un peu l'impression d'être Cendrillon, quand on lui met sa pantoufle de verre au pied. Notre conversation de ce matin m'a aidé. C'est important de comprendre. Ce n'est sans doute pas un hasard si je vous ai toujours admirée de loin. Nous avons sympathisé tout de suite, et j'ai même pensé que nous nous ressemblions un peu, toute modestie mise à part.

— Oui, c'est bien possible. Le destin tient à si peu de choses. Que se serait-il passé si le concours avait été remporté pas un autre chorégraphe ? Vous vous rendez compte ?

— Non, je n'arrive pas à imaginer. Qu'est-ce qui serait arrivé ?

— Rien de particulier justement. Nous aurions continué comme avant. J'aurais pleuré mon enfant disparu jusqu'à la fin de mes jours.

— Et moi, je n'aurais jamais su que vous étiez ma mère, mais sans souffrir comme vous. Après tout, moi, j'ai eu une mère. Elle m'a aimé, m'a élevé. Je l'aimais énormément.

— Je lui suis tellement reconnaissante. Ce devait être une femme merveilleuse, et vous lui faites honneur.

— Je lui dois tout, c'est vrai, mais je suis ce que je suis aussi grâce à vous et à mon père...

— Votre père, oui...

Elle lui jeta un regard perçant.

— Vous voudrez bien ne rien révéler de notre histoire, comme je vous l'ai demandé ? Le nom d'Adam doit rester caché. À jamais. Vous connaissez mes raisons. Il faut ménager sa femme. Ce serait trop cruel pour elle si je me montrais soudain en public avec le fils d'Adam. J'espère que vous êtes d'accord. J'avoue avoir un peu peur que Claudia... Est-ce important pour vous de lui apprendre toute la vérité ?

— Non. Je ne lui ai rien dit, et je ne lui dirai rien. Nous nous séparons.

— Ah ! Je suis désolée. Ce sera dur pour vous ? Ou pour elle ?

— Ce ne sera pas trop difficile. Notre relation est

arrivée à son terme. Nous sommes du même avis sur ce point.

— Mais si vous vous mariez, vous voudrez naturellement le dire à votre femme.

— Je vous avertirai avant de révéler notre secret, je vous le promets. Je comprends que ce soit délicat pour vous. Je suis heureux que vous ayez eu le courage de me parler de mon père. Je lui ressemble ?

— Vous avez le même sourire. Il était grand, comme vous, mais il avait les épaules plus larges. J'ai tout de suite pensé que vous me rappeliez quelqu'un. Maintenant, c'est évident. Vous tenez de deux personnes. De mon père, d'abord. Il avait un peu la même allure que vous, sauf qu'il était très rigide. Quand j'étais petite, je trouvais qu'il ressemblait à un épouvantail à moineaux. Pas vous, évidemment.

— J'espère bien que non ! Et l'autre personne ?

— Moi. Je trouve que vous me ressemblez. Vous bougez de la même manière.

— Là, vous me comblez !

Quand il se leva, il le fit doucement, en déposant Siggy sur la méridienne sans le déranger.

Hester était sur le point de prendre le passage de l'Arcadia pour se rendre à la générale, quand elle se souvint qu'Alison devait avoir terminé de décorer la salle à manger. Je n'ai pas beaucoup de temps, songea-t-elle, mais je suis curieuse de voir comment elle s'est débrouillée.

Elle fit demi-tour, ouvrit la porte, et resta un long moment sur le seuil, muette d'admiration. La pièce n'avait jamais été aussi belle. C'était une forêt foisonnante. Il y avait des branches partout, autour des lambris, de la cheminée, du miroir, en bordure de l'estrade. Elle n'en avait jamais vu autant. Ruby et George avaient dû passer des semaines à les récolter. Le bois avait été argenté à la bombe, et décoré de nœuds de satin aux couleurs magnifiques : rouge, noir et rose ; bleu, violet et jaune ; vert pâle, argent et or. En remarquant les chaussons de danse, placés ici et là, Hester comprit d'où venaient les rubans : du coffre de Ruby. Alison avait bourré les pointes avec du papier, et les avait fait tenir en équilibre, ce qui donnait l'impression que des ballerines invisibles évoluaient dans la salle.

C'était sublime. Au point qu'Hester en eut les larmes aux yeux. Je vais la remercier, se promit-elle. Quand Mme Olga lui avait légué le manoir, jamais elle n'aurait cru qu'il pourrait devenir si beau.

1970

Six mois après son accident, Hester s'attaqua à l'entreprise la plus ardue de sa carrière. Elle se lança dans l'enseignement avec une énergie qui surprit son entourage, et l'étonna la première. Elle découvrit la satisfaction unique de modeler une jeune fille maladroite et de la métamorphoser en danseuse. Elle se forgea très vite une réputation de rigueur et d'exigence. Son tempérament l'avait souvent opposée aux chorégraphes, et cette force de caractère la servit au plus haut point dans son nouveau métier. Les professeurs jouaient un rôle de mentor dont Hester s'acquittait brillamment. Elle s'inspira de Mme Olga, sans pour autant tomber dans ses travers. Son style vestimentaire lui était personnel : pantalons noirs bien taillés, agrémentés de chemisiers en soie de couleurs vives. Ses cheveux longs de danseuse furent coupés au menton.

Elle voyageait beaucoup, dans le monde entier, étonnée et ravie d'être invitée en Australie ou en Russie pour raconter sa carrière et donner son opinion sur les derniers développements de la danse moderne. Elle s'amusait d'être considérée comme experte d'une quantité de sujets vaguement liés à la danse, par seule vertu de son passé. On la nommait « la Grande Hester Fielding ». Dinah, qui vivait depuis dix ans en Nouvelle-Zélande avec son mari, l'accueillit comme une reine à l'occasion d'un de ses déplacements. « Enfin, nous allons nous revoir, nous parler !

écrivit-elle pendant qu'elles planifiaient la visite. Les lettres, c'est bien joli, mais j'ai hâte de te serrer dans mes bras. »

Ce fut au cours du printemps 1970, justement pendant son séjour chez Dinah, à Christchurch, qu'elle reçut un coup de téléphone de Piers. Malgré la mauvaise qualité de la communication, Hester comprit que Mme Olga venait d'avoir une attaque. Elle rentra aussitôt en Angleterre. Dans l'intervalle, Piers avait fait transférer sa vieille amie à l'hôpital St Thomas, à Londres, ce qui leur permettait de lui rendre visite tous les jours. Connaissant sa forte constitution, Hester comptait la voir sortir vite et se rétablir complètement dans la luxueuse résidence de Piers. Quelle maladie oserait triompher de Mme Olga ?

— Elle va leur en faire voir de toutes les couleurs, aux bons docteurs, jugea Piers.

Malgré le ton enjoué et les manières gaillardes qu'il réservait aux situations les plus difficiles, et qu'Hester connaissait bien, elle voulut se laisser rassurer. Mme Olga, toujours si sûre d'elle, et maîtresse de son destin, ne pouvait pas être vaincue par la maladie. Elle n'a que soixante-douze ans, pensait Hester, ce n'est pas si âgé. Elle est solide, aussi. Jamais elle n'a souffert d'autre chose que de petits rhumes. Il était évident qu'elle allait se remettre.

Et puis il y eut une seconde attaque, qui fit accourir Hester et Piers à son chevet. Ils en furent avertis juste après la première d'une production du *Lac des cygnes* dans laquelle dansait une élève d'Hester. Piers l'attendit avec un taxi à la porte des artistes pour l'emmener à l'hôpital.

Dès qu'elle vit Mme Olga, Hester comprit la gravité de son état. Tout d'abord, on l'avait placée dans une chambre individuelle à l'entrée du service, faveur qui n'était accordée qu'aux patients les plus atteints. Hester fut prise d'une terrible angoisse.

— Madame Olga ? chuchota-t-elle en s'asseyant près du lit. Madame Olga, c'est moi, Hester. Ouvrez les yeux.

Elle semblait si frêle... On aurait dit une vieille femme,

ainsi allongée dans son lit. Ses cheveux clairsemés étaient nattés et elle portait une chemise de nuit blanche avec de la dentelle au col. Ses mains restaient élégantes malgré les articulations enflées par l'arthrite, mais ses yeux clos étaient cernés, et sa peau, autrefois lisse et fraîche, s'était fripée, relâchée au menton. Hester pleura parce qu'elle ne reconnaissait plus son cher professeur.

Elle prit la main noueuse dans les siennes.

— Le ballet s'est bien passé. Dulcie sera bonne danseuse, je crois.

— Maintenant, tu es comme moi.

La voix était si basse qu'Hester dut se pencher pour saisir ces quelques mots. L'effort de parler l'épuisait.

— Les danseurs deviennent les professeurs, n'est-ce pas ?

— C'est vrai, répondit Hester en ravalant ses larmes. Vous vous souvenez de ma première *Belle au bois dormant* au Royalty, quand j'ai dansé l'Oiseau bleu ? Cela semble si proche.

— Oui, je m'en souviens. Je n'oublie rien. C'est le malheur quand on vieillit. Tout reste là dans la tête, et ça tourne, et rien ne veut sortir. Mais écoute-moi, ma petite fille...

Elle saisit le poignet d'Hester, voulut se redresser dans le lit mais retomba sur les oreillers.

— Ne vous fatiguez pas, je suis là. Je vous entends.

— J'ai quelque chose à t'apprendre, dit Mme Olga dans un souffle. Je veux que tu saches. Tout ce qui m'appartient est à toi. Mes bijoux. Tu te souviens, de mes bijoux... et le manoir aussi. Je ne sais pas ce que tu feras d'une maison aussi grande, mais ça ne me regarde plus. Wychwood est à toi.

Hester ne pensait même plus à essuyer ses larmes. Elle l'écoutait à peine. Qu'elle ne lui laisse rien, ou tout ce qu'elle possédait, elle s'en moquait. Elle ne songeait qu'à la faiblesse de cette voix autrefois si puissante, si volontaire. L'élocution laborieuse lui déchirait le cœur.

Elle se pencha sur le lit pour approcher de l'oreille de Mme Olga.

— Je vous aime, murmura-t-elle.

Comment savoir si elle comprenait encore ? Plus tard, une infirmière vint lui annoncer qu'il était temps de partir.

— Revenez demain. Mme Rakovska doit se reposer, maintenant.

Hester était à la porte quand elle entendit un cri rauque qui ressemblait à son nom.

— Hester, Hester.

Elle revint sur ses pas. Mme Olga essayait de se redresser, et Hester se pencha pour l'aider. À travers la chemise de nuit, on ne sentait que les os, et elle eut peur, si elle serrait trop, de la briser en mille morceaux. Dès qu'elle l'eut calée sur les oreillers, la vieille dame se mit à parler avec effort.

— Dis que tu me pardonnes. Dis-le, je t'en supplie. Tu me pardonnes ?

— Mais il n'y a rien à pardonner. Vous avez été plus qu'une mère pour moi. Vous m'avez tout donné.

— Pardonne-moi. Je t'en prie. Je meurs, ma petite chérie. Je veux l'entendre avant de partir. S'il te plaît.

Hester n'y comprenait rien.

— Je vous pardonne. Bien sûr que je vous pardonne. Mais il n'y a rien à pardonner.

Mme Olga ferma les yeux, apaisée, tandis qu'Hester l'aidait à se rallonger avec précaution. Ensuite, la vieille dame resta immobile, semblant partir dans d'heureux rêves. Elle mourut dans la nuit. Par la suite, Hester s'interrogea souvent. Pourquoi lui avait-elle demandé pardon ? De quelle offense s'imaginait-elle coupable ?

Quand, le lendemain, elle reçut le coup de téléphone lui annonçant la mauvaise nouvelle, elle pensa tout d'abord à appeler Piers. Nous devons organiser l'enterrement. D'une main tremblante, elle composa le numéro, mais ne s'autorisa à pleurer que le soir venu, seule dans son lit. Jamais je ne l'oublierai, songeait-elle. Elle me manquera toute ma vie.

Quand Hester et Edmund retournèrent pour la première fois à Wychwood après la disparition de Mme Olga, le manoir leur sembla particulièrement lugubre. Ils firent le tour des pièces, où des housses couvraient les meubles. Les tapis étaient usés, les rideaux mangés aux mites. Mme Olga n'avait pris que très peu d'affaires pour aller à Londres. Les énormes penderies étaient bourrées de robes et de manteaux. Ses foulards et ses châles occupaient deux tiroirs de la commode de sa chambre. Dans un autre étaient rangés des albums remplis de petites photos en noir et blanc de danseurs et d'amis disparus.

— Comment allons-nous trier tout ça ? demanda Hester, affolée par l'ampleur de la tâche.

— Je t'aiderai. Nous y arriverons. J'ai déjà contacté le commissaire-priseur de Keighley, et il propose d'envoyer ses employés pour vider la maison. On ne sait jamais, le mobilier peut avoir de la valeur. Ne sois pas sentimentale avec les vêtements et les affaires personnelles. C'est le manoir qui compte. Il offre beaucoup de possibilités. Comme on dit dans l'immobilier, il a du potentiel.

— Du potentiel, tu crois ? C'est trop grand, trop vide. Jamais je ne pourrai vivre ici.

— Pas dans son état actuel, je suis d'accord, mais si on entreprenait de le rénover... Un coup de peinture, un vrai jardin au lieu de cette jungle...

Dans l'après-midi, ils partirent se promener. Le soleil déclinant perçait à travers les nuages. Sous un ciel marbré de violet, de rose et d'ocre, ils continuèrent à imaginer l'avenir de Wychwood.

— J'aimerais faire quelque chose de grandiose, dit Hester. Quelque chose d'inattendu. Wychwood serait renommé pour la danse comme Glyndebourne l'est pour l'opéra. Un festival.

J'aimerais bien créer un festival, mais, alors, il faudrait un théâtre. On ne peut quand même pas en construire un dans ce coin perdu.

— Et pourquoi pas ? Il y a plusieurs endroits possibles, par exemple dans le vallon derrière la maison. Je l'imagine déjà ! Il serait de taille modeste, bien sûr, deux cents places au maximum, mais beau comme un petit joyau. Il faut lui trouver un nom romantique. « L'Alhambra », qu'en penses-tu ?

— Non, ça fait trop music-hall. Et « La Princesse » ?

— Je n'aime pas du tout. Pourquoi, « La Princesse » ?

— En l'honneur de la princesse Margaret, parce qu'elle adore la danse. Nous pourrions lui demander d'être la marraine du festival.

— Bonne idée, seulement le nom ne sonne pas bien. Ah ! Je sais !

— Je t'écoute, mais je t'avertis, je suis difficile.

Edmund laissa s'écouler une seconde, puis parla d'une voix qui retentit dans le silence de ce bel après-midi.

— « L'Arcadia ».

Comme Hester se taisait, il continua.

— C'est le pays du bonheur des Grecs et des Latins. *Et in Arcadia ego* : Moi aussi, je suis allé au Paradis.

— Que c'est joli, Edmund ! Bravo ! Quel génie tu es ! Merci. C'est parfait. Avec un nom pareil, il faudra un théâtre très classique, sans aucun modernisme, qui s'intégrera au style de la maison et à l'environnement. Tu penses que les spectateurs se déplaceront vraiment aussi loin ?

— Certainement, si les ballets sont bons. Je ne m'inquiète pas sur ce point. Avec toi à la programmation, il y aura foule. Tu pourrais lancer un concours annuel pour choisir les chorégraphes. Le vainqueur aurait carte blanche.

— De mieux en mieux, Edmund ! s'exclama Hester en se jetant à son cou. Tu m'aideras ?

— Comme toujours, répondit-il avec un sourire.

— Oui, c'est vrai, comme toujours.

Le Festival de Wychwood fut lancé le 6 janvier 1976, avec la première du ballet inaugural. Invités pour l'occasion, critiques et spécialistes de la danse accoururent du pays tout entier pour admirer la magnifique salle de l'Arcadia. Ils eurent droit à la création d'*Ophélie-symphonie*, ballet basé sur la tragédie d'*Hamlet* mais considéré du point de vue d'Ophélie. L'ovation dura près de dix minutes. Edmund chronométra les applaudissements.

Après la réception, Hester et Edmund montèrent ensemble vers leurs chambres.

— Hester, je sens que ça va devenir le meilleur festival de danse de tous les temps ! Je suis très fier d'y participer, grâce à toi.

Ils s'étaient arrêtés sur le palier, et il l'enlaça.

— Quel délicieux parfum, remarqua-t-il, le nez dans les cheveux d'Hester.

L'instant d'après, il prenait congé d'elle avec une caresse sur la joue.

— Bonne nuit.

Décontenancée, elle le suivit des yeux alors qu'il s'éloignait à grands pas. Dans sa chambre, elle s'assit à la coiffeuse. Sa chaîne en or brillait dans la lumière. Je vieillis, songea-t-elle en s'examinant dans le miroir. Je n'ai plus l'âge de tomber amoureuse, ni d'avoir envie de me faire embrasser comme une jeune fille. Je suis une femme d'affaires, maintenant, une directrice de festival. Je sens venir le succès. Des larmes lui montèrent aux yeux au souvenir de Mme Olga. Quelle joie elle aurait eue d'assister à cette première ! Elle aurait adoré déambuler dans le théâtre, un de ses magnifiques foulards flottant à son cou, les mains ornées de bagues en argent à cabochons d'ambre gros comme des noix. Elle aurait été fière de moi, pensa Hester. Les ballets que nous monterons ici seront si prestigieux que les spectateurs viendront les voir du monde entier. L'Arcadia jouera à guichets fermés. Le théâtre d'Hester Fielding... Mon théâtre...

6 janvier 1987

Après le petit déjeuner, Alison alla jeter un coup d'œil dans la salle à manger pendant que George donnait ses instructions aux employés du traiteur, arrivés très tôt le matin. Ils avaient pris possession de la pièce et dressé une longue table, couverte de nappes blanches.

George la rejoignit.

— Bonjour, Alison ! Tu as l'air un peu grognon, ce matin. Ça ne va pas ?

Elle s'efforça de sourire. Son père n'avait toujours pas appelé. Maintenant, il ne téléphonerait plus, elle en était sûre. Il fallait s'en faire une raison. Avec l'expérience, elle aurait dû s'habituer à ce genre de déception, mais elle n'y arrivait pas.

— Je ne sais plus comment m'occuper. La décoration de la salle à manger est terminée, et Ruby n'aura pas besoin de moi avant cet après-midi, alors j'ai du temps libre. Je vais peut-être aller me promener. Le soleil a l'air assez chaud.

— Ne t'y fie pas. Prends quand même un bonnet, ou tu vas te geler les oreilles !

Il surveillait les traiteurs d'un œil d'épervier, et s'apprêtait à les rejoindre quand il se tourna de nouveau vers Alison.

— J'ai peur de ne pas avoir le temps de te parler plus tard, alors je veux te féliciter maintenant. Ton utilisation des branchages, des rubans et des chaussons me plaît beaucoup. La salle à manger n'a jamais été aussi bien mise en valeur. Avec ton inspiration, tu serais une formidable décoratrice de théâtre, tu sais. Bravo !

Il partit sans lui laisser l'occasion de répondre. Une chance, car elle n'aurait pas su quoi dire. Le compliment lui donnait des ailes, et, du coup, la perspective de son après-midi dans les coulisses suffisait à la rendre euphorique.

— Alison ?

Hester était à la porte et lui faisait signe. Alison se précipita, étonnée que son idole puisse avoir besoin d'elle.

— Coup de téléphone pour toi. Va le prendre dans mon bureau.

— C'est mon père ?

— Patrick Drake. Oui, c'est ton père. Allez, dépêche-toi, je te rejoindrai dans un moment.

— Merci !

Alison courut dans l'appartement privé d'Hester. Le combiné était posé sur le secrétaire. Elle s'en saisit.

— Papa ? C'est moi, Alison. C'est toi ?

— Oui, ma chérie. Comment vas-tu ? Tu as reçu mon cadeau ? Je l'ai envoyé chez toi, à Londres. Il est arrivé pour Noël ?

— Non. Je croyais que tu m'avais oubliée.

— Quelle idée ! Je t'ai appelée le soir de Noël, non ?

— C'est vrai. Ce n'est pas grave.

Leur dernière conversation l'avait beaucoup frustrée, car sa mère s'était disputée avec lui pendant des heures et lui avait à peine laissé le temps de parler.

— J'aurais voulu te passer un coup de fil avant, mais nous sommes très occupés. Je sais que ce n'est pas une raison, mais tu as eu ma lettre, au moins ? Je l'ai adressée à Wychwood.

— Oui, je l'ai eue, merci.

Avec plusieurs jours de retard, grâce à Claudia !

Elle s'assit devant le secrétaire et entreprit de lui raconter ses vacances. Quel bonheur de parler à son père !

— Tu vas venir en Angleterre ? On va se voir ?

— Pas tout de suite, j'ai trop à faire ici, mais nous aimerions beaucoup t'inviter, Alison. Il faut que tu viennes. Tu devrais nous réserver tes prochaines vacances. Je n'ai pas réussi à organiser ton voyage avant Noël, mais pour Pâques, nous avons largement le temps.

— Super ! D'accord !

Elle se voyait descendant de l'avion en Amérique, et se jetant dans les bras de son père.

— Je vais demander à maman. Je suis sûre qu'elle dira oui. Combien de temps je peux rester ?

— Deux semaines, ça t'irait ? Claudia accepterait de te laisser partir si longtemps ? Nous ne t'avons pas vue depuis une éternité. Tu me manques, ma chérie.

— Toi aussi, tu me manques.

Elle se retint de lui faire remarquer qu'il aurait pu lui écrire et lui téléphoner plus souvent, s'il en avait vraiment eu envie.

— Claudia sera sûrement très contente que j'aille te voir.

Et surtout, elle serait bien soulagée. Sa mère deviendrait beaucoup plus conciliante dès qu'elle aurait la perspective de se débarrasser d'elle pour toutes les vacances de Pâques. Son père poursuivit avec un récit de ses festivités de Noël, puis il s'excusa encore une fois de ne pas avoir téléphoné plus tôt, et lui dit au revoir.

En raccrochant, elle se sentit un peu triste. Le coup de fil tant espéré était terminé, et il faudrait attendre longtemps avant de pouvoir se réjouir du prochain. Les larmes lui montèrent aux yeux. Pâques, songea-t-elle, ce n'est pas si loin. Il faut penser à Pâques. Il va m'envoyer mon billet d'avion. Ce n'est pas vrai qu'il ne m'aime pas comme le prétend maman. Il m'aime beaucoup, au contraire. Ce n'est pas sa faute s'il vit aussi loin.

Alison leva la tête en entendant frapper à la porte.

— Oui ?

— C'est moi

Hester entra, une grande boîte en carton sous le bras.

— Tu as terminé ?

— Oui, merci, c'est gentil de m'avoir laissée lui parler de votre bureau.

— Je t'en prie. Je suis contente de te trouver encore là. J'ai vu la décoration de la salle à manger, hier. Je voulais te dire à quel point elle me plaisait. J'aime énormément ce que tu as fait, Alison. C'est magnifique. Vraiment très beau.

— Merci. Je me suis bien amusée. C'est drôle, j'avais peur de venir à Wychwood, mais je m'y plais beaucoup.

Elle baissa le nez, prise de timidité.

— Bon, ben, je vous laisse, alors.

— Attends. Je t'ai apporté un cadeau pour te remercier.

Elle posa la boîte sur le secrétaire et souleva le couvercle.

— J'espère que tu ne trouveras pas ça trop enfantin, mais elle a une grande valeur sentimentale pour moi. C'était ma poupée, quand j'étais petite. Elle s'appelle Antoinette. Elle est un peu ancienne, mais je l'ai donnée à nettoyer il y a cinq ans, et elle n'a pas quitté sa boîte depuis, alors elle est encore présentable.

— Qu'elle est belle ! s'exclama Alison en la sortant du papier de soie. Et sa jupe à dentelles ! Je ne sais pas quoi dire. Personne ne m'a jamais rien offert d'aussi précieux. Je l'adore !

— Oui, je pensais qu'elle te plairait, c'est pour ça que j'ai eu envie de te la donner. Elle dort dans le noir depuis trop longtemps. Avant, je l'emmenais partout avec moi. Elle m'a accompagnée pendant des années. Je serai heureuse de savoir que tu prends soin d'elle.

— Oui, je m'en occuperai bien, je vous le promets.

— Je voulais te dire autre chose, Alison. Tu es la

bienvenue à Wychwood à n'importe quel moment. Je serais ravie de te recevoir. Je suis sûre que ça ferait aussi plaisir à Ruby. Surtout, n'hésite pas.

— Merci ! C'est vraiment gentil ! J'adorerais revenir. Et je peux vous envoyer des lettres ? Vous me répondrez ?

— Mais certainement ! J'aime beaucoup écrire, et je serai enchantée de recevoir de tes nouvelles. Maintenant, il faut que j'aille me changer pour la première. Tu dois être contente que le grand jour soit arrivé, toi aussi.

— Oui, très ! C'est drôle, avant, je détestais la danse, mais avec *Sarabande*, ce n'est pas pareil. Là, je fais presque partie de la troupe.

— Oui, et tu nous rends d'immenses services. À plus tard, Alison.

— À plus tard, et merci.

N'écoutant que son cœur, elle se jeta au cou d'Hester et l'embrassa.

— Merci pour tout !

— Tu vas tenir le coup ? demanda Hester à Ruby en reposant sa tasse de thé dans sa soucoupe.

Elles étaient assises à la table de la cuisine pour une brève pause.

— Tu n'es pas trop fatiguée ?

— Non, tout va bien. Je me sens même beaucoup mieux, comme débarrassée d'un poids énorme. C'est sans doute cette tension permanente qui causait mes migraines. Tu imagines, si elles s'arrêtaient ? Une seule chose m'inquiète. Penses-tu pouvoir me pardonner, Hester ?

— Oui, j'en suis sûre. Si j'avais été à ta place, qui sait, peut-être aurais-je agi comme toi. Tu as toujours été fidèle, tu m'as soutenue, conseillée. Je n'ai pas de meilleure amie. Il faut savoir oublier les erreurs du passé. Si j'avais pu choisir mon enfant, je n'aurais pas imaginé un garçon plus merveilleux qu'Hugo. C'est quelqu'un de bien, non ? Et il est tellement talentueux.

— Sa mère adoptive l'a bien élevé.

— Sans doute mieux que je n'aurais su le faire.

Elle tournait nerveusement sa petite cuillère entre ses doigts.

— Mme Olga a peut-être eu raison, finalement.

— Certainement pas ! Elle s'est beaucoup trompée au cours de son existence, mais personne n'osait la contredire.

— Je ne sais pas si j'aurais été bonne mère. Je n'aurais peut-être pas eu la patience. J'aurais délégué son éducation à des nourrices. Je n'aurais jamais renoncé à un rôle pour m'en occuper.

— Aucune mère n'est parfaite. Tout le monde est logé à la même enseigne. On élève ses enfants du mieux qu'on peut.

— En tout cas, je pense être plus à la hauteur avec un fils adulte, d'autant que, Hugo et moi, nous avions déjà de la sympathie l'un pour l'autre avant de découvrir la vérité.

Ruby ne répondit rien, et Hester se demanda ce que cachait son air songeur. Je la connais depuis plus de trente ans, se dit-elle, et je n'ose toujours pas l'interroger sur sa vie privée.

— Ruby... Je voudrais te poser une question. J'ai peur d'être indiscrète, mais je me demande depuis longtemps pourquoi toi et George vous n'avez pas eu d'enfants.

Elle redouta soudain d'avoir fait une erreur. Ruby se taisait... Elle allait la remettre à sa place, et peut-être allaient-elles se fâcher pour de bon...

Son soulagement fut immense quand son amie se décida à répondre.

— Nous n'avons pas pu en avoir, c'est tout.

— Ma pauvre Ruby, je suis si désolée pour toi.

— Nous n'avons pas laissé cette déception gâcher notre vie. Nous nous sommes fait une raison, et nous avons vécu heureux l'un pour l'autre.

Hester hocha la tête, doutant que Ruby lui ait bien dit toute la vérité. Elle ne saurait jamais le fin mot de l'histoire, mais elle trouva plus prudent de s'en tenir là.

— Silver ?

Surprise, la jeune femme manqua lâcher la brassée de vêtements qu'elle portait. Hugo la rattrapa dans le passage.

— Tu veux que je t'aide ? Qu'est-ce que c'est, au fait ?

Elle lui tendit un sac de nettoyage à sec.

— Ma robe et mes chaussures pour la réception. Je préfère éviter de retourner me changer dans ma chambre après le spectacle.

Hugo poussa la porte du théâtre avec son épaule, et la retint pour Silver.

— Tu as une minute ? Je voudrais bien... Enfin, je veux dire...

— Tu veux venir dans la loge ?

— Non, je préfère ne pas être dérangé. On ne pourrait pas entrer ici un moment ?

C'était la pièce des accessoires. Au milieu, sur une table, se trouvait encore la maquette du décor de *Sarabande* recouverte d'un drap. Les murs étaient tapissés d'étagères du sol au plafond. Elles étaient encombrées d'objets divers : timbales en papier mâché, épées, lampes, boîtes à bijoux constellées de fausses pierres précieuses. Hugo avança deux chaises près de la table.

— On se croirait dans une salle d'interrogatoire ! commenta-t-il. Le plus angoissant, c'est l'absence de fenêtres. Enfin, personne ne viendra ici. J'ai à te parler, Silver.

Elle éprouvait une telle émotion qu'elle entendait les battements de son cœur. Hugo lui sourit.

— Ne prends pas cet air inquiet ! Je tenais juste à t'annoncer que j'ai mis les choses au point avec Claudia. Nous avons décidé... Enfin, je lui ai dit, et elle a été d'accord... Enfin, bref, nous ne sommes plus... Nous avons rompu. C'est tout. Claudia et moi, nous ne sommes plus ensemble.

Silver dut faire appel à tout son sang-froid pour ne pas

sauter de sa chaise en criant de joie. Il ne fallait pas tirer de conclusions hâtives. Hugo voulait peut-être simplement la tenir au courant sans pour autant parler de ses sentiments pour elle.

— Ah, bien... J'espère que ce n'est pas trop difficile.

Hugo lui caressa le poignet du bout des doigts.

— Je ne me suis jamais senti aussi bien de ma vie. Mais toi ? Penses-tu toujours que je suis un ignoble dictateur ?

— Oui. Tu es un vrai tyran avec tes danseurs, et d'une exigence épouvantable.

— Mais la danse mise à part ?

— Mes sentiments sont évidents, il me semble. Je ne m'amuse pas à embrasser tous les gens qui passent dans ma loge. Pour qui me prends-tu ?

— Pour un ange. Tu es un miracle.

Il se leva et l'attira dans ses bras.

— Je n'étais pas sûr de moi. J'avais peur de prendre mes désirs pour des réalités. Je craignais que mon amour ne soit causé que par la fièvre du spectacle. Nous n'avons jamais parlé d'autre chose que de *Sarabande*. Tu me connais à peine, en dehors des répétitions. Je m'inquiète aussi parce que je suis plus âgé que toi.

— Quelle importance ? Et puis, ne dis pas de bêtises, je te connais très bien. Pour l'instant, l'essentiel est que nous tenons autant l'un que l'autre à *Sarabande*, donc il faut que j'aille me préparer pour la première. Rassure-toi. Je ressens des sentiments très forts pour toi. Embrasse-moi, murmura-t-elle en l'enlaçant.

Il lui obéit avec passion, lui caressa le dos, remonta la main jusqu'à son cou pour la plonger dans ses cheveux.

— Silver...

Il soupira, la sentant s'écarter de lui.

— Ma belle, belle, Silver...

— Je dois partir, Hugo. Je danserai pour toi, ce soir. Rien que pour toi.

Elle reprit ses sacs et le laissa seul dans la salle des

411

accessoires. Elle avait besoin de se concentrer, de dominer le trouble qui la faisait trembler de tous ses membres. En se dirigeant vers la loge, elle vit par la fenêtre se lever un croissant de lune, quartier de citron dans le ciel sombre. Il n'était que dix-sept heures, et la nuit tombait déjà.

Hugo, ce traître, lui avait repris sa chaîne ! Claudia n'aurait eu aucune explication si elle n'avait pas protesté. Elle avait fini par lui arracher que George en trouvait l'or trop brillant pour ses lumières. Avec un soupir, elle passa à son cou le collier de jade qu'elle avait eu la bonne idée d'emporter parce que sa couleur mettait en valeur ses yeux verts. Pas trop mal, pensa-t-elle. Mais, par superstition, elle avait le sentiment que ce changement ne lui porterait pas bonheur.

Elle avait beaucoup plus le trac que d'habitude, et quand Alison était venue lui souhaiter une bonne représentation, elle s'était montrée un peu trop froide avec sa pauvre fille. Tant pis, elle se rattraperait. Elle jeta un coup d'œil à Silver qui se maquillait sans dire un mot. Hugo lui avait-il appris leur rupture ? Impossible de le deviner. Il prétendait que Silver n'avait rien à voir dans sa décision, mais rien n'était moins sûr...

— Espérons que tout le mal qu'Hugo s'est donné pour ton solo sera récompensé. Parfois, il nous en demande un peu trop, je trouve.

— Je l'ai réussi à la générale. J'imagine que je pourrai recommencer ce soir !

Silver s'interrompit pour dessiner le contour de ses lèvres, une opération qui l'empêchait de parler, et n'en finissait pas. Oh ! et puis zut ! se dit Claudia. Si tu ne veux pas me parler, ne me parle pas. Elle se tourna vers Ilene.

— Tu viens ? J'ai envie de m'asseoir dans le décor pour entrer dans la peau du personnage.

— J'arrive.

Claudia se leva pour l'attendre. Le rôle de la princesse

était très éloigné de ses préoccupations. Nick n'était pas venu lui souhaiter bonne chance. Cette liaison n'avait aucun avenir. Le plus triste était qu'elle s'en moquait éperdument. Qu'il retrouve ses petits copains et ses petites copines, je lui souhaite bien du plaisir ! Il lui avait été utile à Wychwood, mais elle n'avait aucune intention de perdre son temps avec lui une fois rentrée à Londres. Partir avant de se faire quitter avait toujours été sa devise, qu'elle regrettait de ne pas avoir appliquée avec Hugo.

— Je n'arrive toujours pas à y croire, dit Hester en se tournant vers Edmund.

Ils étaient assis au sixième rang d'orchestre de l'Arcadia. Les lumières de la salle étaient allumées, et les spectateurs bavardaient et riaient en sourdine, avec le respect de gens qui s'apprêtent à voir un ballet inédit. C'était l'attrait de l'exception qui remplissait le théâtre tous les ans : les spectateurs se bousculaient pour avoir l'honneur d'assister à l'émergence d'une œuvre d'art. Quand on venait à l'Arcadia, on avait la garantie de l'excellence.

— À quoi n'arrives-tu pas à croire ?

— À tout ça ! répondit-elle en indiquant ce qui l'entourait. Dire que le festival continue, comme d'habitude, alors que moi, j'ai tellement changé. Je ne me sens plus la même... Je...

Elle ne parvint pas à achever, le cœur gonflé d'un bonheur inexprimable. Au fond de la salle, Hugo attendait. Il se disait incapable d'assister à ses premières assis, et Hester le comprenait. Il devait s'inquiéter du moindre détail. Tant de choses pouvaient enrayer la machine, si bien huilée soit-elle. Cette fois, la tension devait être encore accrue par ce qu'il venait de découvrir. Il avait semblé prendre la révélation avec calme, mais était probablement plus perturbé qu'il ne le laissait paraître. Elle non plus ne montrait pas ses émotions, ce qui ne l'empêchait pas d'être bouleversée.

Elle eut un frisson. Mon enfant a survécu. C'est mon enfant. Combien de temps me faudra-t-il pour que son existence me semble réelle ? Et maintenant, que va-t-il se passer ? Ce théâtre, ce manoir, tout sera un jour à lui. L'a-t-il déjà compris ? Et Edmund ? Il faut aussi penser à Edmund. Elle lui sourit.

— Je me disais que, malgré tous mes amis, et malgré l'organisation du festival, je me suis toujours sentie très seule jusqu'à aujourd'hui. Maintenant, grâce à toi, je ne le suis plus. Si tu savais comme tu me rends heureuse !

Edmund lui prit la main et la porta à ses lèvres. Des larmes lui montèrent aux yeux. Si elle avait le malheur d'essayer de parler, elle allait pleurer. Les lumières s'éteignirent, et elle serra la main d'Edmund dans la sienne. Quand la musique commença, il se pencha tout contre son oreille pour murmurer :

— Chérie, notre chanson !

Elle adorait son humour. Il la faisait tellement rire ! C'était le plus drôle, et le plus gentil des hommes. Mais, encore mieux, quand il l'embrassait, elle retrouvait ses dix-huit ans. Des souvenirs très vifs de la nuit précédente lui revinrent en mémoire. Il avait su être doux et tendre, et l'avait si bien comprise qu'elle avait été transportée par un plaisir tout neuf. J'ai changé, songea-t-elle. Elle le contemplait, admirative. Quel beau profil... Elle se pencha pour poser un baiser sur sa joue dans l'obscurité.

— Edmund, mon amour, si tu savais comme je t'aime !

Ruby et Alison regardaient *Sarabande* depuis les coulisses. Alison allait de surprise en surprise : la représentation n'avait rien à voir avec les répétitions. On pouvait avoir vu dix fois les danseurs s'entraîner, avoir parcouru la scène et les coulisses dans tous les sens, le spectacle prenait une dimension nouvelle. L'atmosphère changeait, l'odeur ; le théâtre entier était transformé. Elle avait déjà remarqué la différence en entrant dans la loge, quand elle

414

avait apporté les costumes repassés de sa mère, de Silver et d'Ilene.

Les trois danseuses étaient assises devant le miroir où elles avaient collé leurs cartes d'encouragement. Des vases remplis de fleurs étaient poussés sur les côtés, pour laisser place aux cosmétiques qui occupaient tout l'espace. Ilene traçait des lignes noires sous ses yeux ; Silver s'appliquait de l'ombre à paupières or ; Claudia rougissait ses lèvres tant qu'elle pouvait.

— Je vous dis « merde » ! lança Alison en accrochant les costumes au portant. J'ai hâte de vous voir danser.

— Tu n'en as pas assez ? s'étonna Silver. Tu nous a regardés travailler presque tous les jours !

— Mais aujourd'hui, ce n'est pas pareil.

Elle alla rejoindre Ruby dans les coulisses. La salle était comble. Elle éprouva un choc en apercevant le public. Les gens ne parlaient pas fort, mais un bourdonnement de voix montait jusqu'à elles. Les dames, bien vêtues, étaient parées de bijoux étincelants. Hester occupait sa place habituelle.

— Hester est très belle, souffla-t-elle à Ruby.

— Oui, elle est toujours élégante. Cette robe verte est ma préférée. C'est moi qui la lui ai faite.

— Non ! C'est fou !

— Attends de la voir debout. La jupe est très ample. Cela lui donne l'air d'une reine.

— J'ai vu la robe de Silver dans la loge. Elle est rouge foncé. Elle a promis de me maquiller après le spectacle, pour le cocktail. C'est gentil, hein ? Et elle va me prêter un de ses foulards, comme pour le réveillon. Ma mère exagère. Elle ne m'avait pas prévenue qu'il fallait s'habiller pour la réception. De toute façon, je n'ai rien de bien... Enfin, rien d'aussi beau.

Alison se tut brusquement, s'apercevant qu'elle parlait pour ne rien dire. Elle avait l'impression d'avoir le trac, elle aussi. Son ventre se tordait d'angoisse.

Les musiciens commencèrent à jouer, et les lumières de la salle baissèrent progressivement. George, à la régie, augmenta l'intensité d'un projecteur, et la scène fut baignée par une lueur rosée. Le décor était si beau que les spectateurs applaudirent avant même que le ballet commence. Allongée sur ses coussins, Claudia ressemblait à un tableau. Ilene entra, un panier de fruits au bras, et le lui présenta, tandis que la musique montait en puissance et emplissait le théâtre de ses notes voluptueuses.

— Viens, au travail, chuchota Ruby. Andy va avoir besoin de ses affaires dans une minute, et je veux m'assurer que les ailes de Silver sont prêtes.

Elles regagnaient leur poste d'observation quand elles en avaient le temps, pour regarder le ballet, assises sur des chaises. Pendant la scène de Nick, Claudia et Silver, Ruby toucha le bras d'Alison.

— Je veux que tu saches quel plaisir j'ai eu de travailler avec toi. Tu m'a beaucoup aidée, et on s'est bien amusées, aussi. Merci pour tout, Alison.

— Moi aussi, je me suis amusée, répondit Alison en rougissant. Grâce à vous, je comprends mieux pourquoi les gens aiment tant la danse classique. Avant, je ne voyais pas du tout l'intérêt.

— Et maintenant, tu es devenue fan ?

— Peut-être pas carrément fan, mais j'aime un peu plus. Évidemment, ça serait mieux s'ils se disaient un ou deux mots de temps en temps.

Ruby dut se couvrir la bouche pour étouffer un rire. Sur scène, Silver se penchait sur Claudia, le visage caché par les ailes blanches qui leur avaient donné tant de travail.

Les soirs de première, Hugo se plaçait toujours au fond de la salle. La tension nerveuse l'empêchait de s'asseoir, mais il voulait voir le résultat de ses efforts du point de vue des spectateurs. Ce soir, il avait encore plus le trac que de coutume. Il attendait l'apparition de Silver le cœur battant, et les événements des derniers jours créaient une pression supplémentaire. Préoccupé par *Sarabande*, il n'avait pas encore pleinement réalisé ce qui lui arrivait.

Hester et Edmund étaient assis côte à côte, au sixième rang, bien au milieu. Elle portait un chignon qui la rajeunissait et rappelait son passé de danseuse. Comment cette femme pouvait-elle être sa mère ? C'était incroyable.

Il se sentait toujours le fils de Sheila Carradine, qui l'avait entouré de tendresse pendant trente belles années. Comment aurait-il pu ne pas l'aimer, ne pas la pleurer et honorer son souvenir ? C'était impossible. Hester... Hester... Il était la chair de sa chair. Quelle étrange pensée. Il réfléchirait aux multiples conséquences de cette révélation, mais plus tard.

Ce soir, le chorégraphe qui était en lui exultait. Son ballet allait être dansé pour la première fois en public, et il se devait de le juger avec un détachement professionnel. Tâche difficile quand on était amoureux fou ; il s'intéressait tant à la performance de Silver qu'il craignait de ne regarder qu'elle. Il éprouva une émotion intense quand vint la séquence de son solo. Elle était d'une beauté à couper le souffle et, de fait, il en oublia presque de respirer. Quelle grâce, quelle énergie ! Voilà, maintenant, l'envolée... La musique monta, enfla, et Silver s'éleva dans les airs, en apesanteur, puis redescendit avec l'élégante légèreté d'une plume. Elle atterrit sur la scène sans un bruit, comme un souffle, créature lumineuse et angélique. Ses ailes étendues vibraient, brillant de leurs fils d'or. Devant cette perfection, les yeux d'Hugo se remplirent de larmes. Silver venait d'accomplir le rêve de tous les danseurs : défiant sa condition humaine, elle avait volé. Il ne pensa plus qu'à la prendre dans ses bras.

Aucun plaisir au monde n'égalait celui que procuraient les acclamations du public. Au bord de la scène, les danseurs faisaient la révérence et ramassaient les fleurs que, selon la tradition, leur envoyaient les Amis du Festival de Wychwood. Les applaudissements, délicieuse musique à leurs oreilles, montaient par vagues en un puissant crescendo. Un instant, Hester regretta de ne pas être une des leurs, de ne pas vivre cet instant avec la troupe, sur scène, en sueur, heureuse d'avoir livré le meilleur d'elle-même. Dans mon cœur, songea-t-elle, je suis encore une jeune fille de vingt ans, et non une quinquagénaire en robe du soir. Ma vie est là et nulle part ailleurs. Folle ! Elle chassa cette fièvre qui l'avait saisie, et l'enthousiasme d'Edmund, qui hurlait « Bravo ! » à côté d'elle, acheva de la consoler. Le bonheur l'attendait. Hugo avait rejoint ses danseurs. Il embrassa Silver, puis Claudia, appela Ruby et Alison qui sortirent des coulisses pour venir saluer. Enfin, il se tourna vers la salle.

— Mesdames et messieurs, faites un triomphe à la vraie star du Festival de Wychwood : Hester Fielding !

Hester sentit l'appel des projecteurs. Elle aussi recevrait des bouquets de fleurs ; elle en ramasserait un, y plongerait le visage pour en respirer le parfum, puis ferait la profonde révérence que lui avait enseignée Mme Olga. Edmund se leva pour la laisser accéder à l'allée, sous les ovations du public, et lui vola un tendre baiser au passage. Dans quelques pas, elle serait sur scène.

Remerciements

Un grand merci, à tous ceux et celles, par ordre alpha-
bétique, qui m'ont encouragée au cours de l'écriture de ce
roman :

Theresa Breslin, Laura Cecil, Broo Doherty, Dian
Donnai, Norm Geras, Jenny Geras, Yoram Gorlizki, Jane
Gregory, Sophie Hannah, Alex Hippisley-Cox, Erica
James, Dan Jones, Ben Jones, Susan Lamb, Judith
Mackrell, Linda Newbery, Sally Prue, Marian Robertson,
Vera Tolz, Jean Ure, ainsi qu'à mon excellente éditrice,
Jane Wood.

Un merci tout particulier à Andy Barnett et Linda
Sargent, qui m'ont fourni la dernière pièce du puzzle de
l'intrigue.

Achevé d'imprimer sur les presses de

BUSSIÈRE

GROUPE CPI

à Saint-Amand-Montrond (Cher)
en avril 2006

Composition et mise en pages : Facompo, Lisieux

N° d'édition : 4172. — N° d'impression : 061320/1.
Dépôt légal : mai 2006.

Imprimé en France